Gwrach y Gwyllt

D1628303

Gwrach y Gwyllt

BETHAN GWANAS

Gomer

Cyhoeddwyd yn 2007 gan
Wasg Gomer, Llandysul, Ceredigion SA44 4JL

Adargraffwyd 2009

ISBN 978 1 84323 226 1

Dymuna'r cyhoeddwyr gydnabod cymorth
Cyngor Llyfrau Cymru.

Argraffwyd a rhwymwyd yng Nghymru gan
Wasg Gomer, Llandysul, Ceredigion

Rhagair

Roedd y syniad o sgwennu nofel am wrachod wedi bod yn troi yn fy mhen ers blynyddoedd. Dwi ddim yn siŵr iawn pam, cofiwch. Elfen o hud straeon plentyndod efallai, a dysgu wedyn am ffeithiau erchyll am yr holl ferched diniwed gafodd eu cyhuddo a'u lladd dros y canrifoedd. Mwya ro'n i'n darllen a dysgu am wrachod, mwya ro'n i eisiau sgwennu'r stori.

Mi fues i'n meddwl am y nofel hon am flwyddyn dda cyn dechrau arni, ac ymchwilio'n fanwl am fisoedd wedyn, cyn cymryd blwyddyn dda arall i'w sgwennu. Ar adegau, roedd hi'n boenus, yn fy sigo go iawn, ac ro'n i'n aml yn teimlo fel ei thaflu drwy'r ffenest. Ond ar adegau eraill, roedd hi'n bleser pur i'w chreu, a'r stori yn ei sgwennu ei hun, bron.

Hoffwn ddiolch i Gyngor Celfyddydau Cymru a Chyngor Llyfrau Cymru am fy ngalluogi i dreulio'r holl amser arni. Diolch hefyd i staff Llyfrgell Dolgellau am ddod o hyd i'r holl lyfrau gwrachyddol, ac i Eirlys Gruffydd am sgwennu llyfrau mor ddefnyddiol, ac un llyfr arbennig oedd yn cynnwys stori Siwsi Dôl-y-Clochydd. Wyddwn i ddim oll amdani nes i mi ddarllen yr hanes yn *Gwrachod Cymru*.

Diolch hefyd i Bethan Mair, golygydd Gwasg Gomer, am fy nghadw i fynd efo'i sylwadau calonogol, ac i amrywiol ffrindiau (dach chi'n gwybod pwy ydach chi) am eu sylwadau adeiladol hwythau parthed golygfeydd penodol.

Gyda llaw, os ydach chi wedi teithio ar hyd y ffordd o Lanelltyd i'r Ganllwyd erioed, rydach chi wedi pasio

Dôl-y-Clochydd. Pan ddowch chi at y corneli ar ôl Llanelltyd, edrychwch i'r dde ac mi welwch dŷ cerrig yn sefyll ar lan yr afon. Y tŷ newydd ydi hwnnw, ond o'i flaen mae adfeilion y Dôl-y-Clochydd gwreiddiol.

Bethan Gwanas
Mai 2003

1

Roedd y mart yn llawn o bobol yn byseddu ac archwilio hen ddodrefn, hen greiriau, a llond bocseidiau o lanast. Yr un rhai fyddai'n dod bob mis; yr un rhai fyddai'n prynu, a'r un rhai, oedd â dim byd gwell i'w wneud, fyddai ddim ond yn dod i fusnesa.

'Weli di'r setl 'na?' meddai John Ffridd Ucha wrth ei gymydog, Wil Tyddyn.

'Gwela.'

'Oedd gynnon ni un fel'na'n union.'

'Wel oedd, ti'n iawn 'fyd. Be ddigwyddodd iddi dwa?'

'Losgis i hi cofia.'

'Diaw . . . bechod de. 'Sa ti'n cael cannoedd amdani heddiw.'

'Miloedd achan, garantîd i ti. Oedd hi'n hyll, oedd hi'n brifo dy din di ac oedd hi'n dylla pryfid i gyd, ond 'sa ryw ffŵl yn siŵr o dalu drwy'i drwyn amdani.'

'Yr oes 'di newid 'sti.'

'Do 'sti, do.'

'Wsti be welis i ddoe?'

'Be?'

'Sgwarnog. Dwi'm 'di gweld un ers oes.'

'Dow, ti'n iawn 'fyd, dwinna'm 'di gweld un ers cantoedd. 'Di mynd yn betha prin mae'n rhaid.'

'Mae'n rhaid.'

'Saethest ti hi?'

'Naddo, doedd gen i'm gwn.'

'Bechod.'

'Ia'n de. Oeddan ni'n cael diawl o hwyl yn saethu sgwarnogod erstalwm, toeddan?'

'Ew, oeddan tad.'

'Arnoch chi mae'r bai felly,' meddai llais merch y tu ôl iddyn nhw. Trodd y ddau yn araf i weld merch dal, drawiadol yn gwenu'n rhyfedd arnyn nhw.

'Dow. Arnan ni mae'r bai am be dwch?' gofynnodd Wil, oedd ddim yn siŵr a ddylai wenu'n ôl ai peidio. Roedd 'na olwg rhyfedd yn y llygaid gwyrddion 'na.

'Bod sgwarnogod wedi mynd yn betha prin,' atebodd hithau'n swta.

'Ym . . . wel . . .' ymbalfalodd Wil am ateb, a methu.

'Felly 'swn i'n gadael llonydd iddyn nhw o hyn allan taswn i'n chi,' meddai'r ferch ddiarth, a throi ar ei sawdl.

Gwyliodd y ddau hen ffarmwr y gwallt browngoch yn diflannu drwy'r dorf.

'Hen jadan sych,' meddai John.

'Ia, pwy mae hi'n feddwl ydi hi?' cytunodd Wil. 'Trio deud wrthan ni be i neud. 'Di'm hyd yn oed yn byw 'ma.'

'Stwffio'i,' meddai John. 'Tyd, awn ni am baned i'r Milk Bar.'

Cerddodd y ddau ar hyd y palmant am y dref. Ond fel roedden nhw'n croesi'r Bont Fawr, fe ddechreuodd hi fwrw glaw yn drwm.

'Lwcus 'mod i 'di dod ag ambarél efo fi yndê?' chwarddodd Wil, gan frwydro i'w hagor. 'Diaw, ma'r hen gatsh 'ma 'di rhydu neu rwbath . . .'

'Tyd i mi weld,' meddai John, gan wyro tuag at ei gyfaill. A dyna pryd y ffrwydrodd yr ambarél yn agored, gan saethu un o'r pigau'n ddwfn i ganol llygad dde John Ffridd Ucha. Clywyd y sgrech o'r Mart.

Gwenodd y ferch dal.

Doedd Wil a John ddim yn berffaith gywir pan

ddywedon nhw nad oedd hi'n byw yn y cyffiniau. Hi oedd perchennog newydd Garth Wyllt, hen dŷ carreg digon rhyfedd yr olwg, oedd yn llechu ar fryncyn unig ychydig filltiroedd y tu allan i Ddolgellau yn yr hen sir Feirionnydd. Doedd neb wedi byw yno ers blynyddoedd, a wyddai neb yn iawn pwy oedd perchennog y lle. Ond fis yn ôl cafodd Dewi Jones, yr asiant tai, lythyr cyfreithiwr yn gofyn iddo roi Garth Wyllt ar y farchnad. A'r prynhawn hwnnw roedd wedi ei werthu, a hynny am bris anrhydeddus iawn, cyn iddyn nhw gael cyfle i roi arwydd 'Ar Werth' ar y lle hyd yn oed. Roedd y farchnad dai wedi mynd yn hurt bost yn ddiweddar, diolch i'r holl fewnfudo, ond roedd gwerthu mor sydyn â hyn yn sioc i Dewi Jones, hyd yn oed.

'Ond fysa'm yn well i chi gael golwg arno fo gynta?' gofynnodd Dewi i'r Gymraes ar y ffôn.

'Na, mae'n iawn. Dwi'n gwbod digon am y lle yn barod,' oedd yr ateb. ''Dach chi'n gwbod mwy na fi o beth uffar ta,' meddyliodd Dewi. Doedd o ddim hyd yn oed wedi cael cyfle i weld y lle drosto'i hun. Ond roedd y goriad ganddo, ac roedd o ar dân eisiau gwybod be oedd mor arbennig am y tŷ i'r ddynes 'ma dalu'r holl arian amdano fo'n syth bìn fel'na. Felly penderfynodd alw heibio ar ei ffordd adref.

Roedd yr wtra i fyny o'r ffordd fawr mewn cyflwr echrydus. Lwcus mai yn y 4x4 roedd o ac nid yn Volkswagen GTI ei wraig. Mi fyddai'r cerrig wedi rhwygo gwaelod hwnnw'n rhacs. Roedd 'na goediach wedi tyfu'n wyllt ymhobman, ac roedd hi'n annifyr o dywyll, hyd yn oed ddechrau mis Medi fel hyn a hithau'n ddim ond diwedd pnawn.

'Garth Wyllt . . . ti'n deud wrtha i,' meddyliodd. 'Mi

ro i rif ffôn Ger iddi.' Roedd ei frawd yn un handi efo llif gadwyn, a wastad yn barod i wneud joban 'cash in hand'. Yn ôl y dogfennau, roedd y goedwig fechan i'r chwith yn dod efo'r tŷ. Acer neu ddwy o goed derw digon handi fan'na, meddyliodd.

Cyrhaeddodd y tŷ o'r diwedd. 'Hen,' meddyliodd yn syth, 'tua 1760, ffor'na. Mi fydd angen ail-neud y to. Ffenestri sash gwreiddiol. Licio'r drws ffrynt. Derw solat. Synnu bod CADW heb listio hwn. Grade 2 o leia.' Bu'n brwydro ychydig gyda'r clo ond, yn y diwedd, llwyddodd i agor y drws. Llawr llechen, a'r llechi'n rhai da, llydan ac esmwyth fel byrddau snwcer. Grisiau derw llydan, yn llwch a gwe pry cop i gyd, ond dim golwg o dwll pry. Aeth ati ar ei union i gael golwg ar bob stafell: bwtri isel, yn llechi i gyd, cegin fawr, a dwy stafell fechan arall. Drws dan y grisiau yn arwain at selar o ryw fath, ond doedd ganddo ddim fflashlamp, felly feiddiodd o ddim dringo i lawr i fusnesa yn fan'no. Roedd 'na oglau digon annifyr yn dod oddi yno.

'Does 'na'm trydan yma,' meddyliodd. 'Mi gostith geiniog a dimai i weirio'r lle, felly.' Roedd 'na rywfaint o ddodrefn ym mron pob stafell, i gyd yn dyddio o ddiwedd y bedwaredd ganrif ar bymtheg o leia, ac ambell ddarn dipyn hŷn na hynny, fel y gwelyau mawr haearn yn y tair llofft. Ond y *pièce de résistance* oedd y cwpwrdd derw yn y gegin. Roedd hwnnw'n arbennig o hardd, yn ddu, yr un oed â'r tŷ o leiaf, ac yn gerfiadau cywrain o anifeiliaid, planhigion a . . . doedd o ddim yn siŵr ynglŷn ag un darn. Roedd o'n edrych fel criw o bobol yn cael rhyw, ond efallai mai ei ddychymyg rhemp o oedd hynny. Dechreuodd gwaed Dewi bwmpio'n gyflymach drwy ei wythiennau. Roedd llythyr y cyfreithiwr wedi deud fod y dodrefn yn gynwysedig yn y pris, ond doedd na'm *inventory*, chwaith – a'r argol, roedd y cwpwrdd 'ma werth ffortiwn. Syllodd mewn edmygedd ar y gwaith oedd wedi mynd i mewn iddo. Agorodd y ddau ddrws. Ugeiniau o boteli o bob lliw a llun, y rhan fwya'n hanner gwag. Dwsinau o blatiau a phowlenni, jŵg mawr pridd a gwydryn neu ddau. Roedd ei chwilfrydedd ar dân. Pwy oedd y person diwethaf i fyw yma, tybed? A phryd? Doedd y cyfreithiwr heb enwi neb yn benodol yn ei lythyr, dim ond cyfeirio at 'our client'.

Aeth at y drws cefn, ac agor y bollt. Iechydwriaeth, roedd y cefn fel jyngl Borneo. Roedd 'na glamp o ardd ynghanol y brwgaits yn rhywle ond, bellach, roedd y chwyn wedi tyfu a nadreddu drwy'r cwbwl. Roedd 'na goed afalau ac eirin yn y pen draw, ond byddai angen *machete* i dorri drwadd atyn nhw. Oedd, roedd 'na ddigon o waith i'w frawd yn fan'ma.

Aeth yn ôl i mewn i'r tŷ a chau'r bollt. Trodd i edrych ar y cwpwrdd eto. Roedd ei feddwl yn mynd fel trên a chledrau ei ddwylo'n wlith o chwys. Byddai gadael dodrefnyn fel yna mewn tŷ gwag yn risg mawr. Beth petai 'na ladron yn galw heibio? Roedd 'na fwy a mwy o ladrata'n digwydd yn yr ardal y dyddiau yma, a phetai o'n mynd â'r cwpwrdd oddi yma, dim ond edrych ar ôl buddianau ei gleient fyddai o. Os oedd hi'n digwydd gwybod am y cwpwrdd ac yn holi amdano, digon teg, mi fyddai'n egluro mai wedi ei gadw'n ddiogel iddi hi roedd o. Ond os na wyddai hi am fodolaeth y cwpwrdd yn y lle cynta, fyddai hi ddim callach, na fyddai? Ond oedd ganddo fo'r gyts i wneud hyn? Doedd o erioed wedi gwneud dim byd o'r fath o'r blaen, chwarae teg. Wel, ar wahân i'r jŵg Gaudy Welsh 'na gafodd ei adael ar ôl mewn tŷ oedd wedi'i werthu i Saeson. Yr hen wreigan ddim wedi dallt ei fod o'n werth pres. A pham ddylai'r Saeson ei gael o? Fydden nhwtha ddim wedi dallt ei werth o, siŵr dduw. Ond jŵg bach gwerth ychydig gannoedd oedd hwnnw. Cwpwrdd gwerth miloedd oedd hwn. Mi fyddai Tracy wedi gwirioni efo fo. Roedd y ddau ohonyn nhw wedi bod yn chwilio am rywbeth i'r 'hall' ers misoedd, ac mi fyddai hwn yn berffaith. Ac mi fyddai'n ffitio'n daclus i mewn i gefn y 4x4, wedi iddo roi'r seddi cefn i lawr. A diaw, roedd y troli symud dodrefn yn digwydd bod yn y bŵt hefyd. Teimlai'r adrenalin yn pwmpio'r penderfyniad yn ddyfnach i mewn iddo. Reit, roedd o'n mynd i'w wneud o, oedd tad; châi o byth gyfle fel hwn eto.

Tynnodd y llestri a'r poteli allan yn ofalus a'u gosod yn daclus y tu ôl i'r clwtyn cyrten o dan y sinc belffast. Sinc a thapiau – roedd 'na ddŵr yn dod yma o rywle, felly. Ceisiodd dynnu'r silffoedd allan er mwyn ysgafnhau rhywfaint ar y pwysau. Roedden nhw'n goblyn o sownd ond, gyda dyfalbarhad, llwyddodd i'w tynnu a'u gosod yn ofalus yn erbyn y wal. Aeth allan i'r car i nôl y troli. Fel roedd o'n agor y bŵt, sythodd yn sydyn. Edrychodd o'i gwmpas. Pam ei fod o'n cael y teimlad bod rhywun yn ei wylio? Doedd 'na ddiawl o neb yma, nagoedd? Blydi cwningod neu rwbath yn ei neud o'n 'jympi'. Jympi! Cwningod! Chwarddodd yn uchel, a throi'n ôl am y tŷ.

Gosododd y troli wrth ochr y cwpwrdd. Yna ceisiodd bwyso'r cwpwrdd yn ôl yn erbyn y wal er mwyn gallu hwffio'r troli isel oddi tano. Ond diaw, doedd y blydi peth ddim yn symud modfedd. Wel, roedd o braidd yn agos at y wal, felly doedd 'na fawr o le iddo symud, mewn gwirionedd. Mi fyddai'n rhaid iddo geisio tynnu'r cwpwrdd allan fymryn ta. Plygodd ei bengliniau'n ofalus wrth y pen arall; dod o hyd i afael da, a chymryd y straen. Argoledig, roedd y peth 'ma'n pwyso tunnell. Ond llwyddodd i'w symud fodfedd neu ddwy. Gwnaeth yr un peth y pen arall. Roedd o'n chwysu'n barod. Yn y diwedd, llwyddodd i gael y troli dan y cwpwrdd. Wedi iddo stryffaglu a bustachu i gael y cwpwrdd drwy ddrws y gegin, yna ei ddynnu ar hyd y cyntedd a rhegi wrth ei gael o drwy'r drws ffrynt, roedd o'n chwysu fel mochyn. Teimlai'r lleithder dan ei geseiliau a'r ffrwd yn llifo i lawr ei gefn. Roedd o wedi mynd yn rhy hen i hyn. A rŵan, y darn anoddaf, sef cael y blydi dam peth i mewn i gefn y cerbyd. Bu'n rhegi a gwthio, tuchan a brwydro am gryn ugain munud ac, o'r diwedd, gyda chymorth hen flanced, darn o garped (rhag iddo grafu'r pren) a chortyn go lew, roedd y dodrefnyn a'r silffoedd yn ddiogel yn y cefn. Pwysodd yn erbyn y cerbyd, a theimlo'i bengliniau'n gwegian oddi tano. Doedd ei gefn o ddim yn teimlo'n rhy sbesial chwaith. Damia, byddai'n rhaid gwneud rhywbeth ynghylch yr olion yn y llwch ar lawr y gegin rŵan.

Dim problem; gallai sgubo'r llawr i gyd gan egluro fod y lle'n drwch o faw llygod a dail a ballu, a'i fod o wedi ceisio glanhau chydig ar y lle cyn i'r perchennog newydd gyrraedd. Roedd 'na ysgub yn y cefn, ac aeth ati i sgubo'r llawr, a'r gwe pry cop ar y wal, nes bod ei gefn yn sgrechian eto. Rhoddodd yr ysgub yn ôl yn ei lle a bwrw golwg sydyn dros y gegin i wneud yn siŵr nad oedd y diffyg cwpwrdd yn rhy amlwg. Na, roedd o'n teimlo'n hapus iawn gyda'i waith. Clodd y drws –

gyda thrafferth eto – a throi am y car. Gwelodd rywbeth yn gwibio drwy'r coed o'i flaen – anifail o ryw fath, cwningen o bosib, neu sgwarnog hyd yn oed. Mae'n siŵr bod y lle 'ma'n bla ohonyn nhw. Dringodd i mewn i'r car, tanio'r injan a gyrru i ffwrdd – braidd yn gyflym o ystyried cyflwr y ffordd – ond roedd o isio'i miglo hi oddi yno'n reit handi.

Pan gyrhaeddodd o adre, roedd Tracy wrth ei bodd. Penderfynodd Dewi beidio egluro'n union lle cafodd o'r cwpwrdd. 'Hen ddynas fach isio cael ei wared o,' eglurodd, 'felly rois i gwpwl o gannoedd iddi, ond mae o werth dipyn mwy, sti.'

'Dewi love,' gwenodd Tracy, 'you're a genius.'

Roedd hi mor werthfawrogol o'i allu i ddod o hyd i jest y peth ar gyfer yr 'hall', cynigiodd jwmp iddo ar ôl swper y noson honno – rhywbeth prin iawn ym mywyd Dewi ers rhai blynyddoedd bellach. Byddai Tracy'n gorwedd yno fel sach o datws weithiau, wedi iddo swnian a swnian arni a hithau'n cytuno er mwyn heddwch, ond anaml iawn, iawn fyddai hi'n cynnig jest fel'na. Felly roedd Dewi'n fwy na bodlon i dderbyn y gwahoddiad. Ond, wedi ychydig funudau o'r weithred, bu'n rhaid iddo ymddiheuro i'w wraig. Doedd ei gefn o ddim mewn cyflwr digon da iddo allu dal ati. A dweud y gwir, roedd o mewn poen arteithiol. Rhwbio'i gefn fu Tracy drwy'r nos; wel, nes iddi ddechrau rhochian cysgu a'i adael o'n griddfan mewn poen hyd yr oriau mân.

'Pam na fyswn i wedi bod yn hapus efo ffrigin powlan neu rwbath?' meddyliodd. 'Dwi'n dechra difaru 'mod i 'di gweld y blydi cwpwrdd 'na erioed.'

2

Bythefnos wedi ymweliad Dewi Jones â Garth Wyllt, daeth merch dal, drawiadol i mewn i'w swyddfa.

'Chi ydi Dewi Jones?' gofynnodd.

'Ia.'

'Siwsi Owen,' meddai hi wedyn, gan estyn ei llaw.

'Siwsi? O! Chi ydi S. Owen, perchennog newydd Garth Wyllt, ia?' meddai Dewi, gan ryfeddu at lyfnder cledr ei llaw, ac yna at gryfder ei hewinedd. 'Ym . . . ia, diolch am y siec, aeth bob dim drwadd yn rhyfeddol o sydyn, yn do?'

'Os dach chi wirioneddol isio rwbath, mae modd symud mynyddoedd, dach chi'm yn cytuno?' meddai hi gan wenu.

'O, yn bendant, yndw. Ym . . . isio'r goriad ydach chi yndê, mae o gen i fan'ma'n rwla . . .' Chwiliodd yn swnllyd yn ei ddrôr nes dod o hyd i'r goriad, gan obeithio na fyddai hi'n aros yn rhy hir, ac y byddai rhywun neu rywbeth yn ei achub rhag gorfod sôn gair am ddodrefn.

'Dyma chi,' meddai, 'ym . . . dach chi'n gwbod sut i fynd yno?'

'O, yndw.' Roedd ganddi wên anhygoel, a dannedd perffaith, oedd yn gwneud iddo fo deimlo hyd yn oed yn fwy nerfus.

'Dach chi wedi bod yna o'r blaen, felly?'

'Do, flynyddoedd yn ôl, ond go brin fod y ffordd wedi newid llawer ers hynny.'

'Ha ha. Ia. Wel, gobeithio y byddwch chi'n hapus iawn yno.'

'Mi fydda i fel plentyn efo tegan newydd,' atebodd

hithau gan edrych i fyw ei lygaid, a dal yr edrychiad nes i Dewi orfod troi i ffwrdd yn chwys diferol.

'Popeth yn iawn?' gofynnodd iddo.

'Be? O, yndi, champion. Neis eich cyfarfod chi . . . ym . . . Mrs Owen.'

'Miss. Ond galwch fi'n Siwsi. 'Dan ni'n siŵr o weld dipyn o'n gilydd mewn tre fechan fel hon, tydan.'

'O, yndan siŵr.' Anadlodd yn ddwfn wedi iddi gau y drws ar ei ôl. Damia, roedd hi'n iawn, roedd o wedi bod y tu hwnt o wirion, a bob tro y byddai o'n ei gweld, byddai ton o euogrwydd yn llifo drosto. Ond eto, meddyliodd, wrth dynnu'n ddwfn ar sigarét, doedd dim rheswm iddo deimlo fel hyn chwaith. Wyddai hi ddim oll am y cwpwrdd, siŵr dduw, a doedd 'na'r un dodrefnyn penodol wedi ei enwi yn llythyr y cyfreithiwr. Ac mi allai o wadu du yn las pe bai raid. Roedd o'n giamstar ar hynny erioed. Gwenodd wrth gofio'r holl droeon y llwyddodd i osgoi cansen yn yr ysgol. Do, bu'n rhaid i hogia eraill (diniwed) ddiodde yn ei le, ond arnyn nhw oedd y bai am fethu protestio cystal. Dechreuodd ymlacio eto, a phenderfynodd fod heddiw'n mynd i fod yn ddiwrnod da wedi'r cwbwl. Ac roedd ei gefn o'n teimlo'n well yn barod.

Cerddodd Siwsi at ei char, gan wenu iddi hi ei hun. Roedd goriad Garth Wyllt yn ei llaw o'r diwedd, wedi'r holl flynyddoedd o ddisgwyl. Dechreuodd chwerthin. Roedd hi yn ei byd bach ei hun, felly sylwodd hi ddim ar yr effaith roedd hi'n ei gael ar bobl wrth eu pasio yn y stryd. Dynion, er gwaethaf presenoldeb eu gwragedd wrth eu hochrau, yn troi eu pennau i rythu arni gydag awch. Merched yn troi mewn edmygedd a chenfigen, yn dibynnu ar eu natur.

'Pwy 'di hi?' gofynnai un.

'Dim clem. Dal, tydi?'

'Rhy dal. A duw a ŵyr pryd welodd y gwallt 'na frwsh ddwytha.'

'Ond mae o'n lliw neis. Fatha'r goeden 'acer' 'na sy gen ti'n dy ardd.'

'Allan o botel, garantîd. A sgen y gryduras ddim *fashion sense* o gwbwl, sbia. Sgert fatha hipi a thop fel hogan bymtheg oed – a dim bra! Pwy mae hi'n feddwl ydi hi?'

'Ia, ond mae'n 'i siwtio hi. 'Swn i'n licio tasa gen i'r gyts i wisgo lliwia fel'na . . .'

Dringodd Siwsi i mewn i hen Volvo Estate oedd yn llawn i'r ymylon o ddodrefn, bagiau a bocsys. Heb edrych unwaith yn ei drych ôl, bagiodd Siwsi i ganol y sgwâr, gan achosi i fan wen frêcio'n swnllyd y tu ôl iddi. Cododd ei llaw yn siriol ar y gyrrwr wynepgoch, a gyrru'n hamddenol yn ei blaen. Doedd rheolau bach pitw'r ffordd fawr ddim yn ei phoeni. Doedd hi'n poeni run iot chwaith am y ffaith ei bod wedi arfer gyrru ar yr ochr dde o'r ffordd. Buan y deuai i arfer bod ar yr ochr anghywir, yn union fel y deuai i arfer siarad Cymraeg eto, hyd yn oed os oedd pawb arall yn siarad Cymraeg rhyfedd iawn bellach. Roedd hi'n lwcus bod ei Saesneg hi cystal. Roedd hi wedi bod yn paratoi'n drylwyr ar gyfer dychwelyd i fro ei mebyd, yn darllen *Golwg* a'r *Cymro* ac yn gwrando ar Radio Cymru'n gyson – nes iddi daflu'r set drwy'r ffenest ryw fore. Roedd llais y boi yn mynd dan ei chroen hi yn un peth, ond sut yn y byd oedd pobol yn gallu diodde gwrando ar y fath falu cachu? Ond roedd hi'n bnawn rŵan, a phwysodd fotwm y radio. Grêt – un o ganeuon Dafydd Iwan. Cyd-ganodd ag o: 'Fe fûm i'n chwarae unwaith gyda'm ffrindie, ond fe'u gwelais nhw yn mynd o un i un . . .' Addas iawn, meddyliodd yn chwerw, a phan ddaeth y gytgan, bloeddiodd ar dop ei llais gyda Dafydd: '. . . O, pam na chaf i hefyd, pam na chaf i hefyd, pam na chaf i hefyd hawl i fyw?' 'Yn hollol, Dafydd ngwashi,' meddai'n uchel.

Gadawodd Siwsi y dref a gyrru ymlaen i gyfeiriad Garth Wyllt. Roedd y ffordd osgoi yn newydd, ond roedd yr hen ffordd yr un fath yn union. Wel, ar wahân i'r tarmac sgleiniog, newydd sbon. Dacw'r tro am Lanfachreth, dyma'r gornel ddrwg, a dacw'r tro roedd hi'n chwilio amdano. Brêciodd yn sydyn, heb drafferthu defnyddio'r indicator, gan achosi effaith domino o frêcs swnllyd y tu ôl iddi eto, cyn dringo'n araf tuag at ei chartref newydd. Roedd ei hanadl yn dechrau cyflymu, a theimlai ei gwaed yn pwmpio'n gyflymach drwy ei gwythiennau. Chymerodd hi ddim sylw o waelodion y car yn crafu yn erbyn y cerrig oddi tano.

O'r diwedd, daeth dros y bryncyn olaf a syllodd gyda phleser pur ar yr adeilad o'i blaen: Garth Wyllt.

'Ti'm 'di newid dim!' meddai'n uchel, gan stopio'r car yn stond a brysio allan i syllu a rhyfeddu ar y tŷ. Edrychai'n harddach nag erioed efo'r holl dyfiant gwyllt o'i gwmpas. Rhoddodd y goriad yn y twll clo. Agorodd hwnnw'n ddidrafferth a chamodd i mewn. Anadlodd yn ddwfn. Oedd, roedd 'na arogl tamp ofnadwy yno, ond roedd yr hen arogl arbennig yno o hyd, ac roedd bob dim bron yn union fel ag yr oedd o'r blaen. Ar wahân . . . i'r gegin. Doedd y cwpwrdd ddim yno. Be goblyn . . .? Lle ar y ddaear oedd o? Brysiodd o un stafell i'r llall yn wyllt, i lawr i'r selar hyd yn oed ond, wrth gwrs, doedd dim sôn amdano.

Aeth yn ôl i'r gegin a wynebu'r wal lle dylai'r cwpwrdd fod. Caeodd ei llygaid a gwthio'i hewinedd yn ddwfn i gledrau ei dwylo. Roedd hi wedi gwylltio rŵan, wedi gwylltio go iawn. Roedd pob dim wedi gweithio fel wats, popeth yn berffaith, a rŵan roedd 'na ryw sinach, ryw aflwydd, wedi difetha'r cwbl. Rhegodd yn uchel, a sgrechian nes bod y ffenestri'n ysgwyd.

Dechreuodd rwygo'i bysedd drwy ei gwallt mewn niwl fflamgoch. Ond sylweddolodd yn sydyn – doedd wiw iddi adael iddi ei hun golli rheolaeth mor sydyn. Ceisiodd ymbwyllo, ond haws dweud na gwneud. Roedd ei gwaed yn berwi, yn rasio drwy ei gwythiennau. Pwysodd ei bysedd yn galed yn erbyn ei haeliau. Cerddodd yn ôl a 'mlaen yn araf, o un pen yr ystafell i'r llall, yn ceisio rhesymu efo hi ei hun.

'Callia Siws, anadla . . . ia, 'na chdi, anadla'n ddwfn, ac yn araf. Mae synnwyr cyffredin yn deud bod 'na ateb syml i hyn. Mi gei di'r cwpwrdd yn ôl, paid â phoeni, o cei, anadla . . . amynedd pia hi, does na'm pwynt gwylltio . . . ddim rŵan, ddim eto. Mi gân nhw dalu, ond pwyll pia hi am rŵan . . . tyd Siws . . . 'na fo . . .' Ac yn raddol, gallai deimlo'i gwaed yn arafu a'i gwylltineb yn cilio rhywfaint. Aeth allan at y car a dechrau ei ddadbacio.

3

Eisteddodd Siwsi yn ei chadair siglo o flaen y stôf, a siglo'n ôl a 'mlaen yn rythmig i gyfeiliant Ella Fitzgerald ar y peiriant CD, oedd yn rhedeg ar fatris.

> 'Into each life some rain must fall, but too much is falling in mine . . . into each heart some tears must fall, but someday the sun will shine . . . some folks can lose the blues in their heart, but when I think of you another shower starts . . .'

Cydganai'n dawel â'r llais hudolus, gan dynnu bob hyn â hyn ar y sigarét dew rhwng ei bysedd. Roedd hwn yn stwff da, yr hadau wedi dod o Forocco, ac fe ddylai dyfu'n well fyth yn ngwres y garat yma. 'Does 'na'm byd gwell na'r hyn ti'n ei dyfu dy hun,' meddai wrthi ei hun. Roedd hi eisoes wedi berwi chydig o'r dail teim, triaglog a phys ceirw y daeth o hyd iddyn nhw yn yr ardd, ac wedi yfed llond cwpanaid o'r gymysgedd i dawelu mwy ar ei meddwl, ond hwn oedd y boi. Roedd hi'n hedfan rŵan.

Cododd ar ei thraed i ddawnsio i 'Tisket a Tasket'. Symudodd yn osgeiddig o un stafell i'r llall, gan edmygu'r ffordd roedd hi wedi gallu gwneud i'r tŷ edrych yn gartrefol mewn cyn lleied o amser. Oedd, roedd 'na ambell we pry cop tywyll yn dal i hongian o'r distiau, ond roedd pryfed cop yn bethau defnyddiol tu hwnt. Ac efallai fod yr arogl tamprwydd yno o hyd, ond buan y diflannai hwnnw wedi iddi fyw yma am chydig. Dyna'r cwbl roedd yr hen Garth ei angen – chydig o gwmni. A chlirio'r selar – ond gallai hynny aros am y tro. Yn y cyfamser, roedd y pentyrrau lliwgar o flodau o'r ardd yn llwyddo i guddio peth o'r arogl, ac roedden nhw'n edrych yn fendigedig. Roedd hi wastad wedi mwynhau gosod blodau, a doedd hi'n amlwg heb golli dim o'r dalent honno. Roedd ganddi ddau hoff ddull o ymlacio, a gosod blodau oedd un o'r rheiny.

Bu'n rhaid iddi lanhau'r beipen oedd yn cario dŵr i'r tŷ o'r ffos fechan tu allan, ond gyda chymorth ei Marigolds, fu hynny fawr o drafferth, ac roedd ei hewinedd hirion i gyd yn gyfan. Bellach, roedd 'na lif reit dda yn dod drwy'r tapiau. Roedd y stôf wedi cynnau'n ddidrafferth, a chyn hir mi fyddai'r dŵr wedi cynhesu digon iddi gael bàth. Oedd, roedd y lle'n siapio.

Byddai angen matresi newydd ar gyfer y gwelyau wedi i genedlaethau o lygod ymgartrefu ynddyn nhw, ond gallai gysgu ar ei hoff fat llawr am heno. Os âi hi i gysgu o gwbl hynny yw. Roedd hi'n mynd i fod yn noson fendigedig.

Roedd hi wedi dod o hyd i'r poteli o dan y sinc, felly roedd hynny wedi codi ei chalon. Doedd y lleidr yn amlwg ddim wedi gweld gwerth yn y rheiny. Mater bach fyddai dod o hyd i'r cwpwrdd gyda'u cymorth nhw. A deud y gwir, roedd hi wedi ymlacio digon i ddechrau arni rŵan. Cododd o'i chadair i ddechrau paratoi. Bàth oedd y cam cyntaf. Roedd yn rhaid bod yn lân cyn dechrau dim.

Yng ngolau'r canhwyllau, gollyngodd lond cwdyn mwslin o ddail lafant i mewn i'r dŵr. Tynnodd ei dillad a'u gosod yn daclus ar y gadair. Clymodd ei gwallt ar dop ei phen, yna trodd i edrych ar ei noethni yn y drych, a gwenu.

'Ddim yn ddrwg o gwbwl 'rhen hogan,' meddai wrth ei hadlewyrchiad, gan redeg ei dwylo'n araf dros ei bronnau, i lawr ei stumog, dros a rhwng ei chluniau. Teimlodd ei hun yn cynhyrfu'n syth. Chwarddodd. 'Mae hi'n bryd gneud rwbath ynghylch hynna hefyd,' meddyliodd, gan gamu i mewn i'r bàth, 'ond y cwpwrdd sy'n dod gynta . . .'

Wedi sgwrio'i chroen yn drwyadl (a llwyddo i ymwrthod â'r demtasiwn i leddfu ambell angen arall – byddai angen ei hegni a'i nwydau i gyd ar gyfer yr orchwyl o'i blaen) gorweddodd yn ôl yn y dŵr lafant, yna cododd ei llaw dde a thynnu naw cylch amddiffynnol yn yr awyr uwch ei phen. Cododd o'r dŵr yn araf a'i sychu ei hun gyda lliain bras. Rhyddhaodd ei gwallt nes ei fod yn disgyn yn gudynnau tamp dros ei hysgwyddau, ac yna camodd yn noeth i'r ardd. Safodd a'i hwyneb tuag at y lleuad llawn a chau ei llygaid. Gadawodd i'r awel anwesu ei chorff a chwarddodd yn dawel, yna trodd at yr allor roedd hi wedi ei dadorchuddio'r pnawn hwnnw: llechen lân yn pwyso ar bileri o gerrig trymion. Doedd neb wedi ei symud ers y tro diwethaf iddi ei defnyddio. Doedd neb wedi ei gweld, diolch i'r tyfiant gwyllt fu'n ddigon clên i'w chuddio'n llwyr – tan heddiw. Doedd neb chwaith wedi gweld y cerrig gwynion oedd wedi eu gosod mewn cylch hud o gwmpas yr allor.

Cododd y llestr o ddŵr halen wrth ei thraed a thaenu defnyn i'r pedwar gwynt. Yna cyneuodd y pedair cannwyll liw oedd yn ffurfio cylch o'i chwmpas hi a'r allor. Yn olaf, taniodd y ddwy gannwyll fawr wen oedd ar bob pen i'r llechen. Trodd at focs pren wrth droed yr allor a thynnu allan ddarn main o bren cerfiedig. Hudlath ysgawen oedd hon, pren neilltuol o dda ar gyfer swynion gweld a rhag-weld. Gosododd honno ar ochr ddeheuol yr allor. Yna, cododd y crochan du y daeth hi o hyd iddo yn y selar, ei osod ar yr ochr orllewinol, a'i lenwi â dŵr glân. Gosododd botel fechan o inc du wrth ei ymyl. Estynnodd yn ôl i mewn i'r bocs a thynnu allan ei chyllell: un hir, fain gyda gwain arian a'r marciau hudol yn sgleinio bron mor ddisglair â'r llafn.

Gosododd y gyllell ar ochr ddwyreiniol yr allor. Roedd hi'n barod i ddechrau'r ddefod.

Tywalltodd win coch i mewn i ffiol arian, a'i chodi'n araf o'i blaen, fel offrwm i'r lleuad. Daeth â'r ffiol yn ôl i lawr yn ofalus a thywallt ychydig ddafnau i'r pridd o'i chwmpas. Yna cododd y ffiol at ei gwefusau, ac yfed dracht hir, dwfn ohoni. Drwy wneud hyn, roedd hi'n un â'r ddaear. Gosododd y ffiol win i lawr yn ofalus a gafael yn y gyllell. Cododd y llafn yn araf i'r awyr â'i dwy law, a'i ddal uwch ei phen i ddenu golau ac egni i mewn i'w chorff. Gallai deimlo'r pŵer yn llifo drwyddi'n syth ac ochneidiodd mewn pleser. Yna, â'i holl nerth, daeth â'r gyllell i lawr ac i'r dde yn gyflym i ryddhau'r egni hwnnw i'r cylch o'i chwmpas. Griddfanodd yn uchel. Roedd ei llygaid yn fflachio yng ngolau'r canhwyllau; roedd ei chorff yn crynu drwyddo: roedd yr hud yn cael effaith. Cydiodd yn y botel inc a thynnu'r corcyn. Tywalltodd ei hanner i'r crochan, yna gafaelodd yn yr hudlath a'i chusanu cyn ei dal uwchben y crochan am eiliadau maith. Yna plymiodd yr hudlath i mewn i'r dŵr a throi a throi y cynnwys yn wyllt, gan fwmian iddi hi ei hun:

'Y lleidr, y lleidr, y bwbach, y corrach,
y sawl ddygodd fy eiddo, dangosa dy hun;
fy hudlath, fy nghrochan, fy mhotel inc fechan,
rhowch i mi yr awron y lleidr mewn llun . . . '

Tynnodd yr hudlath allan, gan adael i'r gymysgedd chwyrlïo drosti'i hun yn y crochan. Rhoddodd waedd ingol ac yna dechreuodd ddawnsio'n wyllt o amgylch y cylch hud. Chwipiodd ei gwallt yn wallgo o'i chwmpas, trodd a chwyrlïodd, neidiodd a rhuodd, rownd a rownd, drosodd a throsodd, nes bod ei chalon yn curo'n wyllt a'i chroen yn sgleinio o chwys. Yna arhosodd yn sydyn, a chodi ei hwyneb eto tua'r lleuad. Sylwodd hi ddim ar y sgwarnogod yn ei gwylio'n ofalus o gysgodion y gwyllt. Anadlodd yn ddwfn, yna cerdded yn araf tuag at y crochan. Edrychodd i mewn iddo. Roedd y dŵr a'r inc wedi peidio â throi ac, yn araf, gallai weld wyneb yn ymffurfio ar wyneb. y dŵr. Wyneb dyn. Wyneb cyfarwydd. Ysgydwodd Siwsi ei phen yn drist.

'Y diawl gwirion.'

Gosododd yr hudlath yn ôl ar yr allor a gafael yn y gyllell. Cododd y llafn yn uchel, yna, gyda sgrech, plymiodd hwnnw i mewn i'r crochan, drosodd a throsodd, nes bod y dŵr a'r inc yn tasgu i bobman.

'Mi fyddi di'n difaru d'enaid, Dewi Jones!' gwaeddodd. 'Mi wna i i chdi ddiodde am hyn, ti'n dallt? Ti'n dallt?! Does 'na neb yn cael fy nghroesi i – neb sydd isio byw o leia!'

Taflodd ei phen yn ôl a chwerthin ar y lleuad. Diflannodd y sgwarnogod.

Deffrowyd Dewi Jones o drymgwsg gan boenau arteithiol.

'AAAAAAA! Ffycin hel! Mae 'mhen i'n bystio!' gwaeddodd. 'Tracy! Helpa fi! Mae'n brifo!'

'Y?' Doedd Tracy heb ddeffro'n iawn eto. Roedd hi'n dal i hanner breuddwydio am rannu *sauna* gyda'r boi adar 'na oedd ar y teli, yr un efo cluniau fel bonion coed derw, ac roedd Dewi wedi dechrau gweiddi jest fel roedd pethau'n dechrau poethi.

'Dwi'n ffycin marw, Tracy!'

'Stop swearing. You'll wake the kids.'

'Ffwc o bwys gen i! Gwna rwbath!'

'Like what? Mae 'na Anadins lawr staer yn y drôr ffisig.'

'Anadins?! Ddim ryw gur pen bach – AAAAAAAAWWW! – ydi hwn – dwi'n cael *brain haemorrhage* neu *meningitis* neu rwbath!'

'You're so bloody dramatic . . . '

'Doctor! Ffonia'r doctor!'

'Paid â bod yn stupid. It's two in the morning.'

'FFONIA'R FFWCIN DOCTOR RŴAN!!!!'

4

'Ddrwg iawn gen i Miss Owen,' meddai'r llais ar ben arall y ffôn, 'ond dydi Mr Dewi Jones ddim i mewn heddiw; gath o 'i daro'n wael neithiwr.'

'O, mae'n ddrwg gen i glywed. Yn wael iawn?'

'Oedd ei wraig o'n deud bod o'n uffer . . . yn ofnadwy neithiwr. Alwodd hi'r doctor a bob dim.'

'Rioed. Gawson nhw wybod be oedd yn bod ta?'

'Naddo. Cur pen diawled . . . ofnadwy oedd o i ddechra, ond ma'i stumog o 'di mynd rŵan hefyd, a ma gynno fo rash drosto fo i gyd.'

'Dow, y creadur. Ylwch, 'swn i'n lecio gyrru cerdyn neu floda neu rwbath ato fo. Ble mae o'n byw dwch?'

'O, chwarae teg i chi, Miss Owen. Bwlch y Gwynt

'di enw'r tŷ, Ffordd y Gader. Y tŷ mawr ar y gornel. Llwyth o rododendrons o'i flaen o.'

'Diolch yn fawr i chi. Hwyl rŵan.'

Rhoddodd Siwsi y ffôn yn ôl yn ei grud, a gwenu. Roedd hyn yn mynd i fod mor hawdd.

Aeth allan i'r ardd gyda'i *secateurs*, a dechrau crwydro drwy'r tyfiant gwyllt. Pe bai rhywun wedi bod yn ei gwylio'r funud honno, byddent wedi taeru ei bod hi'n nabod yr ardd fel cefn ei llaw. Ac mi roedd hi, wrth gwrs. 'Mi wna i drefniant blodau gwerth chweil i chdi Dewi ngwashi,' meddai'n uchel, 'chydig o filddail, jest y peth i wneud i dy drwyn di waedu . . . cangen fach ddel o lelog gwyn, a brigyn o ddraenen ddu jest i neud yn siŵr, o, a llysiau'r blaidd. Ti'm callach mai gwenwyn ydyn nhw, wyt ti? Ac efo'r beladonna 'ma, mi fydd dy ben di'n troi fel . . . wel, fel dy stumog di, Dewi bach. O, a dyma i ni chydig o flodau diniwed, jest i roi lliw.' Chwarddodd, ac aeth yn ôl i'r gegin i osod y cyfan yn yr oasis gwyrdd pwrpasol a brynodd yn y dref y bore hwnnw. Gyda mymryn o gynnwys y botel fach goch yn hwnnw, mi fyddai'r cyfan yn aros yn ffres, yn fywiog ac yn hynod effeithiol am wythnosau.

Awr yn ddiweddarach, canodd gloch drws ffrynt Bwlch y Gwynt. Daeth gwraig flinedig yr olwg at y drws. Tua 35, ffor'na, meddyliodd Siwsi, ond ei bod hi'n edrych o leia 45 heddiw. Roedd ganddi drwch o golur oren ar ei hwyneb, ond roedd yn amhosib iddi hi guddio'r sachau tatws dan ei llygaid. Sylwodd Siwsi hefyd ar y wats aur ar un llaw, tair breichled aur ar y llall, cadwen drom sawl carat am y gwddw, a chlustdlysau i fatsio yn prysur droi'r tyllau clust yn slitiau digon hir i roi zip ynddyn nhw.

'Yeah?' holodd y wraig yn diamynedd.

'Mae'n ddrwg gen i'ch styrbio chi. Chi ydi Tracy Jones?'

'Yeah. Be tisio?'

'Wel, dwi'n un o gwsmeriaid eich gŵr, a phan glywes i ei fod o'n symol, mi feddylies i ddod â rhywbeth draw. Dyma fo.' Pwyntiodd at y trefniant anferthol a chwbl berffaith oedd ar y stepen drws wrth ei hymyl. Trodd llygaid Tracy yn soseri.

'O, waw! Am cool!'

'Dio'm yn rhy fawr?'

'God, nacdi! Mi fydd o'n bril ar ben 'y nghwpwrdd newydd i.'

'Cwpwrdd newydd?'

'Ia, sbia.' Agorodd Tracy y drws yn llydan er mwyn i Siwsi gael gweld y cwpwrdd cerfiedig du yn ei holl ogoniant. 'Gorj, tydi?'

'Yndi. Gorj iawn,' gwenodd Siwsi. 'Wedi costio ceiniog a dimai ddeudwn i.'

'Na, just couple o hundred. Ma Dewi mewn job dda i gael bargains.'

'Yndi, mae'n siŵr. O, a sut mae o erbyn hyn?'

'Chwdu'i gyts allan non-stop. Methu cadw dim byd lawr. A chwyno 'de. Ond ma'r doctor yn methu ffendio dim byd yn rong efo fo.'

'Bechod. Digon o awyr iach sy isio, gadael drws ei lofft o'n agored fel ei fod o'n gallu clywed ogla'r bloda 'ma yndê.'

'Ia. Good idea.'

'Wel, mi a' i rŵan ta. Gobeithio bydd o'n well cyn bo hir.'

'God ia, mae o'n gneud 'y mhen i mewn. Ta ra.'

'Hwyl.' Ac roedd y drws wedi cau cyn i Siwsi droi

am y giât. Doedd yr ast ddim hyd yn oed wedi diolch am y blodau. A be oedd yr iaith hanner-hanner 'na oedd ganddi? Doedd pobol yr ardal ddim yn arfer siarad ryw lobsgows fel hyn. Byddai eu geirfa'n bur, a'u dywediadau'n gwbl Gymreig. Beth oedd yn gyfrifol am y fath ddirywiad, tybed? Diffyg parch at eu hiaith a'u hetifeddiaeth eu hunain, debyg. 'Gwehilion o boblach . . .' meddai dan ei gwynt, gan gerdded at y car.

Y noson honno, wrth olchi ei gwallt yn y bàth, bu Siwsi'n pendroni ynglŷn â sut i gael y cwpwrdd yn ôl heb dynnu sylw ati'i hun. A diawcs, wedi meddwl, roedd o'n amlwg. Gallai ladd dau aderyn ar yr un pryd. Ond er mwyn gweithredu hynny, byddai'n rhaid gadael i Mr Jones wella ychydig – dros dro.

Gallai drefnu hynny'n syth, wrth gwrs.

'Na, mi geith y coc oen ddiodde chydig bach mwy yn gynta,' meddai wrthi'i hun. 'Ac mi fedra inna ddisgwyl sbelan eto am fy nhamed, siawns.' Ond doedd hi ddim mor siŵr am hynny. Roedd rhai anghenion yn gryfach na hi, a doedd hi ddim wedi bod yn cysgu'n rhy dda yn ddiweddar. Ystyriodd y posibiliadau'n ofalus.

'I'r diawl ag o,' meddai ar ôl pum munud o ystyried, 'pan mae hogan angen rwbath, mae hi ei angen o a dyna fo.' Neidiodd allan o'r bàth a dechrau sychu ei hun yn gyflym. Ei gwallt . . . damia!

'Iawn, dwi'n ffonio'r dyn trydan 'na fory. Mae bywyd gymaint haws efo trydan, yn enwedig pan mae hogan ar frys i sychu ei gwallt. O wel, 'nôl at yr hen drefn am rŵan ta.' Estynnodd am ei hudlath, a'i throi o amgylch ei phen deirgwaith, gan greu awel gref. Doedd y canlyniad ddim hanner cystal â'r dull trydanol, ond fe wnâi y tro. Agorodd ei chist i weld pa wisg fyddai'n gweddu heno.

Awr yn ddiweddarach, eisteddai Siwsi mewn bar prysur yn Aberdyfi. Gwisgai sgert fer swêd gyda chrys gwyn oedd yn cau yn y blaen mewn dull nid annhebyg i garrai esgidiau, dim ond fod yr esgid hon yn llac, yn ddigon llac i arddangos jest digon i godi diddordeb, ond heb fod yn rhy goman wrth gwrs. Roedd ei gwallt wedi sychu'n berffaith wedi iddi yrru'r holl ffordd â ffenest y car yn llydan agored, a gwyddai fod ei cholur yn gwneud y gorau ohoni. Y mymryn bach lleia o fascara, ac roedd ei hamrannau'n hirfaith hypnotig ac erotig. Ac roedd y stôl uchel wrth y bar yn ddelfrydol ar gyfer arddangos hyd melfedaidd ei choesau llyfnion. Edrychodd drwy'i hamrannau ar y fwydlen o'i blaen: tri hen foi yn y gornel, y tri yn amlwg yn glafoerio'n barod, ond na, rhy hen o'r hanner. Dau fachgen yn eu hugeiniau cynnar yn chwarae pŵl. Blasus iawn, ond dibrofiad, ac roedd ganddi awydd dyn go iawn heno.

Trodd i edrych ar griw o ddynion swnllyd oedd ar ganol pryd o fwyd. Lliw haul yn amlwg ar wyneb bob un, a chrysau taclus gydag enwau fel Henri Lloyd arnyn nhw. Twristiaid cefnog wedi dod draw am chydig o hwylio. Perffaith. Astudiodd bob un ohonyn nhw yn ei dro. Yr un mwya swnllyd yn amlwg wedi yfed gormod o'r gwin coch. Fyddai o'n dda i ddim ymhen awr neu ddwy. Bechod hefyd, roedd o'n eitha golygus. Yr un tawel ar y pen . . . llygaid diddorol, ond ysgwyddau potel sos. Arwydd o ddyn di-asgwrn-cefn. Na. Yr un wrth ei ochr oedd yn sugno esgyrn ei gyw iâr. Mmm. Dyn nwydus, di-embaras, siŵr ohono'i hun. Addawol. Gŵr hŷn na'r gweddill wrth ochr hwnnw yn smocio sigâr . . . na, dwylo merchetaidd a chwerthiniad fel mochyn. Dim diolch. Aeth ei llygaid yn ôl at y gŵr efo'r cyw iâr. Corff da, cyhyrog, mymryn yn foliog efallai, ond gwefusau llawn yn sgleinio gyda saim ei swper. Gwyliodd ei dafod yn llyfu olion y saws o gornel ei geg. O ia, hwn oedd yr un. Teimlodd wefr yn rhedeg drwy'i chorff wrth iddi ddychmygu y tafod yna mewn mannau melysach o lawer.

O diar, roedd o wedi ei dal hi'n edrych arno ac, yn ôl y llewyrch drwg yn ei lygaid, bron na thaerai ei fod wedi gallu darllen ei meddwl. Cododd ael a gwenu arni. Gwenodd hithau'n ôl a dal ei lygaid am eiliadau hirion pellach, yna taflodd ei gwallt yn ôl gyda'i llaw chwith a throi i ffwrdd, yn araf. O fewn pum munud, roedd o wrth ei hochr yn y bar yn cynnig prynu diod iddi.

Derbyniodd yn raslon. Dyna pryd y daeth dwsin o aelodau'r tîm darts lleol i mewn a heidio mewn fflyd at y bar. Symudodd yr hwyliwr yn agosach ati, fel bod ei gluniau'n pwyso yn erbyn ei chluniau hi. Gallai deimlo gwytnwch ei gyhyrau, a chaeodd ei llygaid gyda phleser. Trodd ati gyda'r ddiod yn ei law. Cyffyrddodd eu bysedd wrth iddi dderbyn y gwydryn. Edrychodd y ddau i fyw llygaid ei gilydd. Am eiliad, roedd o wedi ei ddychryn gan mor amlwg oedd y neges yn ei llygaid hi, ond dim ond am eiliad. Gwenodd. Gwenodd hithau. Doedd hi ddim am fynd drwy'r rigmarôl arferol a'r chwarae gêmau geiriol; roedd hi eisiau hwn rŵan, y munud 'ma. Ac roedd hi'n berffaith amlwg ei fod yntau'n deall hyn. Edrychodd ar ei gyfeillion wrth y bwrdd bwyd. Doedden nhw ddim wedi gweld ei golli. Brathodd ei wefus ac yna amneidiodd tuag at y drws. Nodiodd hithau. Cododd ei gwydryn at ei gwefusau a'i yfed mewn un llwnc. Cododd ar ei thraed a gafael yn ei bag llaw. Gan wau ei ffordd drwy'r chwaraewyr darts, aeth drwy'r drws ac allan i'r nos.

O fewn dau funud, roedd o y tu ôl iddi. Gafaelodd Siwsi yn ei law a'i arwain tuag at y traeth. Am eiliad, credai'r dyn y dylai ddweud rhywbeth, ond penderfynodd mai calla dawo. Doedd y ferch ryfeddol hon yn amlwg ddim yn chwilio am sgwrs. Sylweddolodd yn sydyn nad oedd erioed wedi gadael i ferch ei arwain fel hyn o'r blaen. Fo fyddai'r bòs bob amser. Teimlai fymryn yn fregus, ond roedd hynny ynddo'i hun yn brofiad rhywiol. Teimlai'n sicr ei fod ar fin cael un o brofiadau rhywiol mwyaf cofiadwy ei fywyd. Gwyddai nad putain mohoni – roedd o'n gallu nabod un o'r rheiny o bell. Na, roedd hon yn wahanol.

Roedd hi'n dal i gerdded yn bwrpasol gan afael yn dynn yn ei law, heb edrych unwaith yn ei hôl. Allai o ddim dal, roedd yn rhaid iddo ddweud rhywbeth.

'What's your name?' gofynnodd.

'No names,' meddai hi'n swta. Roedd hi wedi cyflymu, ac roedd o'n cael trafferth cadw i fyny gyda hi. Ble ar y ddaear oedd hi'n mynd â fo? Mi fyddai'r hogia wedi gweld ei golli cyn pen dim. O'r diwedd, arhosodd hi'n sydyn a throi ato.

Roedden nhw'n bell o'r pentref a goleuadau'r stryd, ond gallai weld ei hwyneb a'i llygaid gwyrddion yn disgleirio yng ngolau'r lleuad. Doedd o ddim yn siŵr iawn be i'w wneud nesaf, ond pan welodd o hi'n dechrau datod ei chrys yn araf heb unwaith dynnu ei llygaid oddi arno, roedd o'n berffaith hapus jest i'w gwylio hi. Tynnodd ei chrys a'i daflu y tu ôl iddi. Yna llithrodd strapiau ei bra dros ei hysgwyddau, yn araf bryfoclyd gyda gwên ryfeddol o rywiol. Gallai weld llyfnder ei chroen uwchben cwpanau'r bra. Teimlodd ei bidlen yn styrian dan ddefnydd ei drôns tyn. Ac yna roedd y bra ar y llawr a'r bronnau llawnion yn rhydd o'i flaen a hithau'n edrych arno gystal â dweud: 'Tyd laen ta . . .' Estynnodd allan amdani. Griddfanodd y ddau gyda phleser y mwytho a'r tylino. Wedyn roedden nhw'n cusanu'n wyllt, gwefusau ymhobman, ar groen, ar ddefnydd, clustiau, gwariau, bwledi piws, a breichiau a dwylo yn crafangu ei gilydd. Roedd hi'n ymbalfalu gyda'i falog, ac yna'n ochneidio gyda phleser o weld beth oedd o'i blaen. Iechyd, roedd hon yn gwybod be oedd hi'n ei wneud. Be oedd hi'n ei wneud? Roedd yn anodd deud yn union, ond roedd o'n teimlo'n fendigedig. Yn sydyn, roedd y ddau ohonyn nhw'n gwbwl noeth ac yn rhedeg eu dwylo'n werthfawrogol dros gyrff ei gilydd gan hanner chwerthin.

'You're gorgeous,' meddai o.

'I know,' meddai hi. 'Shut up and fuck me.'

Bymtheg munud chwyslyd yn ddiweddarach, bu'n rhaid iddo gyfadde na allai ddal ei hun yn ôl rhagor. Doedd hi ddim yn hapus, doedd hi ddim ond megis dechrau, gallai'n hawdd fynd am oriau eto, ond gwyddai na allai'r creadur yma ddal ati fawr hirach. Derbyniodd y sefyllfa, a rhoddodd yntau waedd o orfoledd a rhyddhad ar yr un pryd.

Gwyliodd Siwsi'r gŵr yn gwisgo amdano'n frysiog, ac ystyriodd yn ofalus. Fe allai hi'n hawdd . . . doedd 'na neb o gwmpas. Ond na, roedd gormod o bobl wedi ei gweld yn y bar felly, am heno, byddai'n rhaid iddi fodloni ar yr hyn a gafodd. Mi fyddai Dewi Jones ar gael cyn bo hir wedi'r cwbwl, felly amynedd pia hi am y tro.

Dechreuodd gerdded yn ôl am y car. Syllodd y creadur chwyslyd arni'n hurt. Roedd o'n dal i chwilio am ei grys.

'Hey! Where are you going?' gwaeddodd.

'Home. Cheers,' atebodd a chodi llaw arno heb drafferthu troi i'w wynebu.

Safodd y gŵr yn syn. Rhywsut, roedd o'n teimlo'n rhad a choman, fel pe bai o wedi cael ei ddefnyddio. Penderfynodd na fyddai'n adrodd yr hanes wrth yr hogia wedi'r cwbwl; wel, nid fel y digwyddodd o'n union o leia.

Cysgodd Siwsi fel babi drwy'r nos.

5

Wythnos yn ddiweddarach, aeth Siwsi drwy'r ddefod gyda'r crochan eto, ond y tro hwn gyda thropyn bach o'r botel fawr werdd yn y gymysgedd. Byddai Mr Dewi Jones, Bwlch y Gwynt, yn teimlo'n llawer gwell erbyn i'r haul godi.

Y pnawn hwnnw yr aeth hi i'r sêl, y pnawn hwnnw pan gafodd John Ffridd Ucha yr anaf anffodus i'w lygad. Fe'i collodd, gyda llaw. Ond fe gafodd Siwsi brynhawn digon buddiol. Prynodd fainc bren a thŵls i'r ardd, cist dderw drom a bwrdd bach oedd yn ffitio'n ddel yn y stafell molchi. Doedd neb wedi bidio yn ei herbyn. Roedd 'na rai wedi meddwl gwneud ond, ar y funud olaf, roedd rhywbeth, rhywsut wedi dweud wrthyn nhw am beidio. Wrth gwrs, yr eiliad y disgynnodd morthwyl yr arwerthwr, roedden nhw'n difaru'n arw ac yn methu'n lân â deall be ddaeth drostyn nhw i beidio rhoi cynnig. Doedden nhw ddim i wybod fod gan Siwsi Owen, Garth Wyllt, focs bach penodol, hynod ddefnyddiol yn ei phoced, fwy nag y gwyddai John Ffridd Ucha fod ganddi ddoli wêr gyda blewyn o'i wallt gwyn wedi ei wasgu i mewn iddi, a bod pìn wedi trywanu llygad y ddol yn union fel roedd o wedi pwyso mlaen i gael golwg ar ambarél oriog ei gymydog.

Fore trannoeth, cyrhaeddodd y trydanwr: Colin. Hogyn reit ifanc, tua'r 25 'ma, a phen-ôl bach digon taclus ganddo fo.

'Faint fyddwch chi?' gofynnodd Siwsi.

'I weirio'r lle i gyd? Pythefnos ma'n siŵr,' meddai Colin gan gario llond gwlad o geriach o'i fan.

'Pythefnos?!'

'Ia, mae'n lot o waith dach chi'n gwbod. Mi fydd angen tyllu a –'

'Wel . . . gofalwch mai pythefnos fydd o ta a dim mwy.'

'Fedra i'm garantîo hynny. Ma petha'n mynd o chwith weithia, 'chi.'

'Felly os dach chi'n gneud smonach, fi sy'n gorfod diodde!'

'Newch chi'm diodde,' meddai Colin gyda gwên ddiog. 'Oes 'na jans am banad cyn i mi gychwyn arni?'

'Be? Yn syth?'

'Ia, coffi plis, dau siwgwr.' A throdd yn ôl am y fan gan adael Siwsi'n fud. Doedd o ddim yn ddigywilydd, ond roedd yn amlwg ei fod o'n meddwl y gallai gymryd mantais o ferch ddi-glem ar ei phen ei hun.

Gawn ni weld am hynny ngwashi, meddyliodd Siwsi, ac aeth i'r gegin i ferwi'r tecell. Ystyriodd roi rhywbeth mwy na siwgwr yn ei goffi, rhywbeth a roddai rash mewn man anffodus iddo. Ond yna penderfynodd beidio. Roedd arni angen i hwn fod yn holliach er mwyn cwblhau'r weirio cyn gynted â phosib. Ond yn sicr, os na fyddai ei waith yn ei phlesio, mi fyddai ei baned olaf yn un i'w chofio.

Penderfynodd fynd ati i roi rhywfaint o drefn ar yr ardd tra oedd Colin yn gwneud llanast llwyr o'i thŷ. Roedd ganddi waith tocio a chwynnu, bobol bach, a chasglu'r llanast o hen ddeiliach ac ati i rwystro plâu ac afiechydon rhag magu dros y gaeaf. Ond byddai'n sicr o gadw ambell gornel fel ag yr oedd er mwyn i anifeiliaid fel draenogod gael cysgodi yno. Byddai'n mwynhau gweld bywyd gwyllt o bob math o'i chwmpas. Roedd byd natur yn gwneud synnwyr; pob anifail, aderyn a phlanhigyn yn derbyn y drefn, yn derbyn ei le mewn cymdeithas, yn gwybod bod yna wastad rywbeth allan yna fyddai'n gallu ei ddifa, ond roedd popeth yn difa rhywbeth arall yn ei dro. Ac ar yr un pryd, roedden nhw'n dibynnu ar ei gilydd i gadw'r glorian yn wastad. Fel 'na mae bywyd i fod. Fel'na fuo hi erioed, a fel'na y bydd hi. Arferai'r hil ddynol fod felly, yn byw mewn priodas hapus gyda natur, ond roedd y ffylied wedi gneud smonach o bethau ers blynyddoedd lawer. Roedden nhw'n haeddu popeth oedd i ddod.

Wedi dwyawr galed o lifio, chwynnu, tocio a phalu, eisteddodd Siwsi ym mhen draw'r ardd a rhowlio mymryn o faco gydag ambell gynhwysyn ychwanegol o ogledd yr Affrig. Tynnodd arno'n ddiog. Roedd yr ardd yn bendant yn dechrau siapio. Doedd y pridd ddim yn arbennig o wych; byddai angen palu'r cwbl ac ychwanegu llwyth da o dail gwartheg a chompost, wedyn gallai ddechrau plannu llysiau a blodau at y gwanwyn. Roedd 'na hen domen gompost yn y gornel bellaf, a'r pridd wedi breuo'n berffaith. Dyna ei gorchwyl nesaf: taenu hwnnw dros y lle, gan gadw peth i dyfu madarch yn y selar, wrth gwrs. Wedyn, ar ôl cinio, gallai gasglu'r afalau a'r gellyg oedd wedi aeddfedu, ac unwaith y byddai'r rheiny'n daclus mewn basgedi yn y sièd, roedd ganddi awydd galw yn Nolddu i holi am chydig o dail gwartheg. Doedd ganddi ddim syniad pwy oedd yn bwy yno bellach, ond disgynyddion o'r un teulu, roedd hynny'n saff. Anaml y byddai teuluoedd fferm yn gollwng gafael yn eu hetifeddiaeth. Wel, tan yn ddiweddar beth bynnag. Os oedd yr hwch yn mynd drwy'r siop, roedd hi'n Amen arnyn nhw yn doedd? Byddai, mi fyddai'n ddifyr gweld sut bobol oedd y disgynyddion, a gweld a oedd y genynnau golygus wedi llwyddo i basio i lawr drwy'r cenedlaethau hyd at heddiw. Gwenodd gyda'r mwynhad o gofio'r amseroedd da. Ond diflannodd y wên wrth gofio'r hyn ddigwyddodd wedyn. Stwmpiodd ei sigarét, gafael yn y ferfa a'i chychwyn hi am y domen gompost.

Gwyliodd Siwsi fan wen Colin yn gadael. Rhyfedd. Roedd pawb arall yn gweithio o naw tan bump, ond roedd y trydanwr bach yma yn dechrau am ddeg (hanner awr wedi ar ôl cael ei baned) ac yn gorffen am bum munud i bedwar. Pe bai ganddo siwrne faith adref, iawn, ond dim ond cwta dair milltir oedd ganddo i fynd. Dim rhyfedd fod joban dridiau'n mynd i gymryd pythefnos os oedd o mor ffwrdd-â-hi â hyn. Trodd ar ei sawdl yn flin a dychwelyd i'r tŷ. Ysgydwodd ei phen.

Doedd taclusrwydd yn amlwg ddim yn un o gryfderau Colin. Ond dyna fo, be oedd pwynt tacluso ac yntau'n mynd i wneud mwy fyth o lanast dros y dyddiau nesaf?

Astudiodd ei hun yn y drych. Oedd angen iddi dwtio chydig arni ei hun cyn ymweld â Dolddu? Roedd ei gwallt braidd yn flêr a gwyllt, a'i dillad garddio fymryn yn fudr. Ond, os oedd y genynnau wedi aros yng ngwaed y teulu, mi fyddai dynes ag ôl ac arogl gwaith a chwys arni yn plesio gymaint mwy nag un yn drewi o ryw gemegolion artiffisial. A beth bynnag, beth oedd pwynt gwisgo'n smart i fynd i ymweld â fferm? Doedd hi ddim am yrru yno chwaith. Doedd o ddim yn bell i gerdded os âi hi drwy'r goedwig. Gwrthododd gyfadde iddi hi ei hun ei bod hi'n nerfus.

Agorodd yr hen lidiart pren oedd yn prysur bydru, a dyna hi yn nhywyllwch ac arogl mwswg y coed yn syth. Nid coedwig 'wneud' oedd hon, ond un go iawn, yn goed derw, cyll, ffawydd, gwernen, sycamorwydden ac ysgawen, a'r wal gerrig uchel o'i chwmpas wedi gofalu na chafodd 'run ddafad na buwch fynd ar ei chyfyl ers blynyddoedd. Yn y mannau agored, tyfai rhedyn ymhell dros ei phen, a chamodd drwy'r tyfiant gan deimlo fel plentyn unwaith eto. Neidiodd yn ystwyth dros y giât ym mhen draw'r goedwig, a sylwi ar sgwarnog yn ei gwylio o ben y bryncyn. Gwenodd arni. Fe allai'r sgwarnog yma fod yn un o'r rhai dethol. Ond symudodd hi 'run fodfedd, ac ni wnaeth yr un arwydd i ddangos ei bod yn fwy na sgwarnog gyffredin. Cododd Siwsi ei hysgwyddau'n ddi-hid a throi i'r chwith am yr wtra a'i harweiniai at Ddolddu. Ond gyda phob cam, teimlai'n fwy a mwy nerfus. Doedd ei hatgofion ddim i gyd yn felys.

Roedd y lle wedi newid. Rhwng yr adwy a'r tŷ, gorweddai o leiaf ddeg sgerbwd peiriannau o ryw fath, bron o'r golwg yn y gwair a'r rhedyn: faniau heb ddrysau, hen dractor wedi rhydu'n rhacs, ac ambell beth a edrychai'n wirioneddol beryglus. Clywodd gi'n cyfarth yn filain arni a throdd yn sydyn. Ond roedd o'n sownd wrth gadwyn, oedd yn ei thro'n sownd wrth lyw un o'r faniau di-ddrws. Roedd blew y creadur yn debycach i wallt Rastafarian. Doedd o'n amlwg ddim yn cael ei ollwng yn rhydd yn aml, os o gwbl. Syllodd Siwsi i fyw ei lygaid gan fwmian canu'n isel. Yn raddol, peidiodd y ci â chyfarth, trodd ei ben ar ei ochr a chnewian fymryn ar y ddynes ryfedd oedd yn cael y fath effaith arno. Camodd Siwsi'n araf tuag ato gan ddal ati i fwmian yn isel. Estynnodd ei llaw, a'i fwytho'n dyner y tu ôl i'w glustiau. Roedd y ci wrth ei fodd. Gorweddodd yn y baw a dangos ei fol llychlyd iddi. Chwarddodd Siwsi, a chosi ei fol nes ei fod yn gwingo mewn pleser.

'Y creadur bach,' meddai wrtho, 'mi fysat ti wrth dy fodd yn cael rhedeg o gwmpas chydig, yn bysat? Yn bysat ngwashi? Tyd . . . gei di ddod efo fi yli . . .'

Pwysodd yn ofalus drwy ddrws y car. Roedd baw'r ci ym mhobman. Dadfachodd y gadwyn oddi ar y llyw. 'Dyma chdi yli, gei di ddod efo fi am dro.' Edrychodd y ci yn hurt arni am eiliad, yna neidiodd ar ei draed a throtian ar ei hôl yn ufudd. Gwenodd Siwsi arno.

'Ti'm yn cofio sut i redeg dwa? Teimlo'r gwynt yn dy glustiau? Tyd!'

Dechreuodd Siwsi redeg i fyny'r llwybr caregog, a llamodd y ci ar ei hôl. Roedd o'n rhedeg go iawn rŵan, wedi gwibio heibio iddi, fel bod y gadwyn yn tynnu rhyngddynt. Roedden nhw wedi pasio'r fynwent

beiriannau a nifer o gŵn caeth eraill. Nid cŵn defaid
mo'r rhain, ond cŵn hela oedd yn udo'n wallgo
arnynt, yn tynnu'n wyllt ar eu cadwynau, ond roedd
Siwsi a'i chyfaill newydd yn mwynhau eu hunain
ormod i gymryd fawr o sylw ohonynt, a bellach
roedden nhw o flaen y tŷ.

'O diar,' meddai Siwsi dan ei gwynt. Edrychai'r tŷ fel
hen ŵr wedi torri. Roedd o'n dal ar ei draed, ond
doedd o ddim hanner yr adeilad crand, balch a fu
erstalwm. Roedd 'na rosod yn dal i ddringo i fyny'r
portsh trelis, ond roedd rheiny hefyd wedi gwywo.
Doedd neb wedi eu tocio ers tro, fwy nag oedd unrhyw
un wedi ailosod llechi ar ôl storm, na rhoi côt o baent
i'r ffenestri druan.

Ysgydwodd Siwsi ei phen yn drist. Bron nad oedd
hi'n teimlo'n euog. Yna sylweddolodd fod y ci yn
ceisio ei thynnu tuag at y beudai gerllaw. Golwg digon
tila oedd ar rheiny hefyd, a llond gwlad o anialwch
rhydlyd yn pwyso yn erbyn y waliau tu allan. O leiaf
gallai arogli'r tail roedd hi wedi dod yma i holi
amdano. Ond doedd hi ddim yn siŵr bellach a oedd hi
eisiau gweld ei gwir reswm dros alw. Os oedd yr
adeiladau'n edrych mor uffernol, duw a ŵyr sut siâp
fyddai ar y perchennog.

Yn sydyn, rhuodd rhywun y tu ôl iddi:

'Be ddiawl?! Who the hell do you think you are?'
Trodd Siwsi'n syth i wynebu'r llais. Wyneb oedd yn
biws, nage, du mewn cynddaredd. Gwallt du, blêr a
barf flerach, a llygaid annifyr o gyfarwydd yn fflachio
arni, llygaid fel dau lwmp o lo ar dân yn y pen
anferthol, du, brawychus o ddu. Fyddai neb, byth, yn
dychryn Siwsi, ond roedd hwn yn wahanol. Teimlodd
y poer yn sychu yn ei cheg, a'i stumog yn rhoi llam

sydyn am ei chorn gwddw. Roedd o'n ddyn mawr, ymhell dros ei chwe troedfedd, a'i ysgwyddau bron cyn lleted. Ceisiodd ddod o hyd i lais i'w ateb, ond er fod ei cheg yn agored, roedd hi'n gwbwl fud.

'How dare you release my dog!' bloeddiodd yr anghenfil o'i blaen. 'Caradog! Tyd yma!' Bron nad allai Siwsi daeru fod y ci wedi gwelwi. Suddodd y creadur i'r llawr a hanner llusgo ei hun mewn ofn mud tuag at ei feistr. Roedd pen arall y gadwyn yn dal yn llaw Siwsi, ond cyn iddi allu gollwng ei gafael, roedd y dyn wedi rhoi plwc sydyn i'r gadwyn, a'i chwipio allan o'i llaw. Gwingodd Siwsi mewn poen. Roedd o wedi bachu yn y croen tyner rhwng ei bys a'i bawd, ac edrychodd mewn braw ar y gwaed yn dechrau llifo. Ond doedd gan y dyn ddim diddordeb.

'Get off my land!' rhuodd eto. 'Now!'

Neidiodd Siwsi mewn sioc. A dyna pryd ddechreuodd hi wylltio. Pa hawl oedd gan hwn i'w thrin fel hyn, heb hyd yn oed roi cyfle iddi egluro? Bwli oedd o, a dim mwy, yn rheoli pobol ac anifeiliaid drwy eu dychryn yn rhacs. A pham fod y diawl hurt yn siarad Saesneg efo hi? Teimlodd ei gwaed yn berwi a'i chefn yn sythu.

'Peidiwch â gweiddi arna i!' harthiodd yn sydyn. Gwelodd fod y dyn wedi cael ei synnu – gan ei hyfdra yn ateb yn ôl mae'n siŵr, ond hefyd y ffaith ei bod hi'n siarad Cymraeg. 'Do'n i'n gneud dim byd o'i le!'

'Be?' rhuodd yntau'n ôl, 'cerdded fyny yma fel tasach chi pia'r lle, a – a – a'r wyneb i ryddhau un o nghŵn i a mynd â fo am dro?!' Roedd y poer yn tasgu o'i geg.

'Roedd y creadur yn diodde!' atebodd Siwsi, yn dechrau mwynhau ei hun, 'a taswn i'n hen ast

40

fusneslyd, mi allwn i eich riportio chi i'r RSPCA, ond tydw i ddim, felly wna i ddim!'

'Swn i blydi feddwl 'fyd! Diodde?! Ci gwaith ydi Caradog, ddim ryw blydi ci rhech!'

'Dwi'n gwbod hynny, siŵr! Ond 'di hynny ddim yn rheswm i neud i'r creadur fyw yn ei fudreddi ei hun!'

'Ylwch, dwi 'di cael digon o hyn, a dydi o'n ddim o'ch busnas chi p'un bynnag. Ewch o 'ma, munud 'ma!'

Plethodd Siwsi ei breichiau'n benderfynol.

'Na wna.'

'Yyy?!'

'Dwi'm yn symud modfedd nes dach chi'n rhoi'r gorau i weiddi arna i, ac yn siarad yn gall efo fi, cymydog wrth gymydog.'

'Cymydog?'

'Ia, Siwsi Owen ydi'r enw, a dwi'n byw yn Garth Wyllt.'

Oedodd y dyn am gyfnod annifyr o hir cyn ateb.

'Glywis i bod 'na ryw gloman wirion 'di prynu'r lle . . .'

Cloman wirion? Anadlodd Siwsi'n ddwfn. Roedd o wedi rhoi'r gorau i weiddi, felly fiw iddi hi sgrechian arno fo rŵan. 'Do 'fyd? Wel dyma hi'r gloman yn y cnawd, ylwch. Falch o'ch cwarfod chi, Mr . . .?'

Edrychodd yn hurt arni, ond atebodd yn bwyllog. 'Edwards. Rhys Edwards.'

'Ga i'ch galw chi'n Rhys?'

Nodiodd ei ben, prin filimedr, ond digon i Siwsi weld mai nòd gadarnhaol oedd hi. Roedd hi'n feistar ar y sgwrs bellach, a châi hi fawr o drafferth efo hwn rŵan.

'Iawn, Rhys. Mae'n ddrwg gen i mod i wedi tarfu

41

arnoch chi fel hyn, ond dim ond galw i weld a allen ni wneud chydig o fusnes ro'n i.'

'Busnes . . .' Roedd y gair yn amlwg wrth ei fodd.

'Ia, dwi'n chwilio am rywun fedar roi chydig o dail i mi, rhyw ddwsin o fagiau, rhywbeth felly.'

'Tail?!'

'Ia, i'r ardd.'

'Ac mi fysach chi'n disgwyl i mi lenwi'r bagiau, mwn . . .'

'Wel . . .'

'A'u cario nhw draw i Garth Wyllt . . .'

'Os yn bos –'

'Ddim ffiars o beryg. Pumpunt y bag, a gewch chi lenwi nhw'ch hun, a'u cario nhw hefyd.'

'O. Dwi'n gweld. Mae pumpunt braidd yn ddrud felly, ydi ddim?'

'Take it or leave it, Mrs Owen.'

'Dwi ddim yn Mrs.'

'Miss ta. Neu ydach chi'n un o'r petha dwl 'ma sydd isio bod yn Ms?'

'Siwsi neith y tro yn iawn.'

'Enw ci rhech.'

Anadlodd Siwsi'n ddwfn eto. Roedd y dyn yma'n boen.

'Iawn, anghofiwn ni o ta. Dwi'n siŵr ga i well bargen yn rhywle arall. Ond peidiwch â dod ata i pan fyddwch chi angen cymwynas.'

Chwarddodd Rhys yn greulon.

'A sut fath o gymwynas fyddech chi'n gallu ei chynnig i mi, Siwsi?'

Roedd hi ar fin dweud y byddai o'n synnu, roedd y ffordd ddywedodd o ei henw wedi ei chorddi, ond brathodd ei thafod mewn pryd.

'Dydd da i chi . . . Rhys.' Estynnodd ei llaw iddo, ac er iddo rythu'n wirion arni am chydig, estynnodd yntau ei law anferthol a'i hysgwyd. Gallai deimlo'r croen cras ar gledr ei law, a'r pŵer yn ei fysedd. Er ei gwaetha, teimlodd Siwsi wefr yn rhedeg drwyddi wrth ddychmygu'r dwylo yna dros ei chnawd noeth, dwylo dyn arall o linach Dolddu. Ond sgubodd y llun o'i meddwl, a chanolbwyntio ar ei gwir reswm am gyffwrdd yn y fath anghenfil o ddyn. Llwyddodd i grafu'r mymryn lleia o groen oddi ar ei law cyn ei gollwng, a hynny heb iddo deimlo'r peth o gwbl. A jest i wneud yn siŵr, bachodd flewyn oddi ar ei lawes hefyd. Yna trodd ar ei sawdl a cherdded yn ôl i lawr y llwybr. Gallai deimlo ei lygaid yn rhythu arni gyda phob cam, felly trodd i godi llaw arno, ond roedd o wedi mynd.

Pan gyrhaeddodd adref, crafodd Siwsi y croen dan ei hewinedd i mewn i lestr bychan, ac ychwanegu'r blewyn trwchus, du. Aeth i baratoi popeth wrth yr allor tu allan, a'r tro yma tynnodd gannwyll siâp dyn o'r bocs. Yn ofalus, gadawodd i ben y ddoli feddalu mymryn dros fflam cannwyll arall, a gwasgodd y blewyn a'r mymryn croen i mewn i'r gwêr. Ystyriodd ddechrau arni'n syth, ond na, roedd yr holl gerdded wedi codi awydd bwyd arni, ac roedd ganddi hen ddigon o amser. Erbyn meddwl, byddai'n llawer mwy effeithiol aros iddi nosi cyn gwneud i'r diawl ddiodde.

Aeth yn ôl mewn i'r tŷ a chwilota yn ei bocsys bwyd am rhywbeth difyr i swper. Doedd ganddi 'run cwpwrdd bwyd ar hyn o bryd, diolch i Dewi Jones, ond fe gâi hwnnw'n ôl mewn fawr o dro – y cwpwrdd a Mr Jones. Roedd hi'n boen gorfod byw heb oergell hefyd, a hithau mor hoff o fwydydd ffres, ond dyna fo, buan y byddai'r trydanwr bach wedi gorffen ei waith, ac wedyn fe gâi hi oergell fawr a rhewgell fwy, teledu lloeren, a DVD o bosib; o, ac efallai un o'r power showers 'na, w, a meicrodon, a blender! Roedd y posibiliadau'n dod â dŵr i'w dannedd. Ond, yn y cyfamser, y cwbl oedd ganddi oedd yr hen stôf, canhwyllau a pheiriant chwarae CDs oedd yn mynd drwy fatris fel cwningen drwy gae o letys.

Wedi sicrhau bod y stôf wedi cynhesu rhywfaint o ddŵr poeth, tynnodd amdani i gael bàth a golchi ei gwallt. Wrth orweddian yn y swigod arogl sandalwydd, chwarddodd wrth ail-fyw helyntion y pnawn. A gwenodd wrth gofio'r llygaid tywyll yna. Oedd, roedd hi'n amlwg ei fod o'n perthyn i Dafydd Dolddu. Yr un llygaid yn union, ond dyna'r cwbl. Roedd popeth arall yn ei gylch yn gwbl wahanol. Dyn tal, main oedd Dafydd, dyn â thipyn o steil yn perthyn iddo. Ond doedd na'm llychyn o steil yn perthyn i'r anifail Rhys yna. Roedd hi'n bryd iddo fo ddysgu chydig o fanars. Ond eto, meddyliodd, efallai y dylai hi ailfeddwl. Doedd ei hanes gyda'r teulu ddim wedi bod yn un hapus yn y gorffennol – iddi hi na nhw. Ond fyddai gan y bwbach yma ddim syniad mwnci ynglŷn â'r hanes, roedd 'na ormod o amser wedi pasio bellach. Na, meddai wrthi ei hun, roedd hi'n berffaith ddiogel, ac roedd hi ar dân isio gwneud i'r diawl ddysgu peidio trin merched fel'na.

Ddwyawr yn ddiweddarach, ar ôl gwydraid o win a chydig o opera *Carmen* o'r peiriant CD, gwthiodd y pìn olaf i mewn i'r ddoli gŵer cannwyll. Roedd un yn ei ben, un arall yn ei fol, a'r olaf rhwng ei goesau.

Gosododd y ddoli ar yr allor, ac aeth yn ôl i'r tŷ i fwynhau gwydraid arall o win Merlot, a gwrando ar Maria Callas yn canu'r Habanera.

Deffrodd Rhys Edwards am hanner nos gyda chur pen arteithiol. Doedd o ddim yn credu mewn tabledi a ffisig a rhyw lol fel'na, felly doedd ganddo ddim byd o gwbl i'w gymryd i ladd y boen. Siglodd yn ôl a 'mlaen ar erchwyn y gwely a'i ben yn ei ddwylo. Chafodd o erioed gur pen yn ei fyw. Byddai ei fam yn cwyno'n aml, ond ddalltodd o erioed pam roedd hi'n gwneud y fath ffýs. Ddim tan heno.

Roedd y boen yn anioddefol. Yn sydyn, saethodd y boen i'w stumog. Disgynnodd ar y llawr mewn sioc. Tynnodd ei bengliniau'n dynn i mewn i'w stumog, a gweiddi mewn poen. Roedd ei ben ar fin ffrwydro a'i stumog ar dân. Be uffar oedd yn digwydd iddo fo? Roedd o'n chwysu fel mochyn ac yn gweiddi nerth esgyrn ei ben. Roedd o'n brifo, yn brifo mor ofnadwy. Allai o ddim diodde fawr mwy o hyn. Mae'n rhaid mai wedi bwyta rhywbeth oedd o. Chwydu, dyna'r unig ateb. Llwyddodd i'w godi ei hun ar ei bedwar a chropian yn arteithiol o araf at y lle chwech. Pwysodd ei ben dros ochr y porselin gwyn, ond allai o yn ei fyw â chwydu felly. Byddai'n rhaid iddo godi ar ei draed. Cododd yn grynedig, pwysodd yn ei flaen eto a cheisio gwthio ei fysedd i lawr ei gorn gwddw. Ond doedd hynny ddim ond yn gwaethygu'r boen. O dduw mawr. A rŵan roedd o eisiau piso. Jest â byrstio isio piso. Tynnodd hi allan ac anelu orau medrai o a'i lygaid bron ar gau gyda'r boen yn ei ben. Ond fel y dechreuodd o lifo, teimlodd brocar chwilboeth yn cael ei gwthio drwyddi – a chyllell finiog – a chleddyf o asid. ARGLWYDD GOC! Be oedd yn bod arno fo?! Sgrechiodd, a llewygu.

Tynnodd Siwsi y pinnau allan o'r ddol a'u gosod yn daclus ar yr allor. Yna taniodd sigarét iddi hi ei hun a mynd am dro o amgylch yr ardd am ryw hanner awr gyda thorts a llond mŵg o halen i ladd malwod.

Deffrodd Rhys Dolddu yn sydyn. Be ar y –? Roedd o ar lawr o flaen y lle chwech, ac roedd o'n teimlo'n rhyfedd. Rhyfedd uffernol. Cofiodd yn sydyn am y boen. Ond doedd na'm poen o gwbwl rŵan. Ai breuddwyd oedd y cwbwl? Yna sylweddolodd pam ei fod o'n teimlo mor rhyfedd. Roedd o'n wlyb. Roedd y leino'n wlyb socian, ac yntau'n gorwedd yn ei ganol o, ac roedd o'n drewi. Roedd o isio crio.

Roedd o'n cael cawod pan ddaeth y poenau'n ôl. A'r tro yma, mi griodd.

6

Aeth Siwsi i'r dre ar ôl brecwast. Roedd hi wedi rhoi goriad sbâr i Colin y diwrnod cynt, ac wedi codi'n gynnar i guddio'r holl offer fu hi'n ei ddefnyddio gyda'r nos, yn y selar, rhag ofn i'r diawl bach feddwl busnesa. Roedd hi'n pigo bwrw, felly prin yr âi o allan i'r ardd, ond doedd wybod. Roedd hi hefyd wedi sgwennu nodyn clir iddo yn egluro ei bod hi hefyd eisiau iddo osod power shower yn yr ystafell molchi.

Gyrrodd yn araf heibio i swyddfa Dewi Jones, a gwenodd wrth weld ei Fercedes arian wedi ei barcio y tu allan. Roedd o wedi dod ato'i hun felly. Da iawn fo. Fe fyddai arno angen ei nerth i gyd ar gyfer y cam nesaf.

Prynodd Siwsi laeth a wyau, ffrwythau a llysiau ac ychydig o bapurau newydd. Yna piciodd i'r siop baent i ddewis pa liwiau fyddai'n gweddu i'r gwahanol stafelloedd yn ei chartref newydd. Hefyd, prynodd lond bocs o deils coch ar gyfer y stafell molchi. Byddai angen gosod y rheiny ar ôl i Colin osod y power shower. Fe allai ofyn iddo fo eu gosod, wrth gwrs, ond doedd hi ddim eisiau'r snichyn bach dan draed fwy nag oedd raid.

Am un ar ddeg, penderfynodd y byddai paned yn neis, felly aeth i mewn i gaffi bach digon del yr olwg ac eistedd wrth y ffenest. Daeth y weinyddes ati.

'Helô, be sa chi'n lecio?'

'Coffi os gwelwch chi'n dda.'

'Drwy laeth?'

'Naci, du.'

'Iawn. Sa chi'n lecio rwbath i fyta? Ma gen i sgons lyfli wedi'u gneud bore ma.'

'Ym . . .' Doedd Siwsi ddim yn un am bethau melys fel arfer, ond roedd y weinyddes yn amlwg yn hynod falch o'i sgons. Gwenodd. 'Ia, pam lai.' Aeth y weinyddes i ffwrdd, yn amlwg wedi ei phlesio, ac edrychodd Siwsi o'i hamgylch. Roedd 'na ddwy fam a phram yn y gornel, yn smocio fel stemars tra oedd eu plant yn gwneud llanast ofnadwy efo bysedd Twix. Hen ŵr a gwraig yn sipian te yn ofalus y pen arall, gan ddarllen taflenni ar gyfer twristiaid. Dim ond ymwelwyr wedi ymddeol oedd yn dal yn yr ardal ganol wythnos fel hyn.

Er bod yr adeilad yn ddel iawn ac yn hynafol o'r tu allan, roedd y tu mewn yn sgrechian y saithdegau. Planhigion plastig, papur wal blodeuog wedi melynu, a matiau bwrdd o Caernarvon Castle, Lake Vyrnwy a wiwerod bach ciwt. Ond beryg ei bod hi'n anodd i gaffi fod yn Gymreig heb fod yn *twee*.

Daeth y weinyddes yn ôl gyda mẁg o goffi cryf a sgonsen anferthol yn diferu o fenyn.

'Dyma chi, ffres o'r popty hanner awr yn ôl.'

'Chi sy'n coginio hefyd?'

'Ia tad, one-woman show ydi hi yma.'

'Chi sydd pia'r lle?'

'I wish! Swn i'n 'i brynu fo'n syth tasa gin i'r pres. 'Di'r boi sy pia fo ddim yn gadal i mi newid dim . . . costio gormod medda fo.'

'Be fysach chi'n neud i'r lle tasech chi'n cael?'

'Tasa pres yn tyfu ar goed?! Swn i'n cael gwared o'r papur wal afiach 'ma a phaentio'r lle'n wyn; swn i'n tynnu'r leino – llechi perffaith oddi tano fo wchi; taflu bob dim plastig – ma'r blydi planhigion stiwpid 'ma'n hel llwch yn ddiawledig; cael gwared o'r Artex cacen Dolig from hell 'ma – mae 'na ddistia derw oddi tano fo, garantîd. Be arall dwa? Newid y menu! Asu ia, dio'm hyd yn oed yn gadael i mi neud hynny, cofiwch! Blydi dictator bach uffar!'

Gwenodd Siwsi. Roedd hi'n hoffi ysbryd y ferch yma. Roedd 'na olwg ffres a gonest arni, hyd yn oed os oedd ei cholur hi braidd yn rhy drwm.

'Fysa'r "dictator bach uffar" 'ma'n gwerthu tasa gynnoch chi'r pres?'

'Wel . . . dwi'm yn siŵr. M'ond taswn i'n cynnig uffar o bris iddo fo. Does na'm pwynt i mi ddechra meddwl am y peth eniwe, achos fydd gen i byth ddigon. Dwi'n gneud y loteri bob wsnos, ond y cwbwl dwi 'di cael ydi un tenar, unwaith.'

'Ia, ond does na'm drwg mewn breuddwydio, nagoes – sori – be di'ch enw chi?'

'Fi? Wendy. Chitha?'

'Siwsi,' ac ysgydwodd law Wendy gan wenu.

'Dach chi'n byw rownd ffor'ma rŵan yndach? Wedi'ch gweld chi'n cerdded heibio'r ffenest gwpwl o weithie.'

'Yndw, wedi prynu Garth Wyllt, tua tair milltir ffor'cw.'

'Rioed 'di clywad am y lle, sori. Hogan dre ydw i, gwbod dim am y llefydd tu allan. Teulu o ffor'ma?'

'Erstalwm, oedd.'

'O'n i'n ama. Pam arall fysa rhywun Cymraeg yn symud i dymp fel'ma? Eniwe, neis ych cwarfod chi Siwsi,' meddai hi, gan gychwyn yn ôl am y gegin.

'Mi wna i dy alw di'n ti os nei di roi'r gora i alw chi arna i,' meddai Siwsi.

'Iawn, boi. Joia dy sgonsan!'

Suddodd Siwsi ei dannedd i mewn i'r sgonsen. Roedd hi'n wirioneddol flasus, a doedd y coffi ddim yn rhy ddrwg chwaith. Penderfynodd alw yma eto, a chael sgwrs bellach efo Wendy. Roedd 'na rywbeth amdani. Doedd ei hiwmor hi ddim cweit yn llwyddo i guddio'r cysgodion yn ei llygaid. Ac er fod Siwsi'n mwynhau ei chwmni ei hun yn arw, roedd pawb angen ffrind weithiau.

Wedi ymweld â thŷ bach y caffi i roi mymryn o gynnwys y botel fechan las y tu ôl i'w chlustiau ac agor botwm ychwanegol ar ei blows, cerddodd i gyfeiriad swyddfa Mr Dewi Jones Ysw. Roedd o'n eistedd wrth ei ddesg, yn edrych fymryn yn welw, rhaid cyfadde, a thipyn teneuach, ond doedd hynny ddim yn beth drwg o gwbwl. Doedd o ddim yn edrych cweit mor debyg i gynrhonyn bach tew rŵan.

'Helô, Dewi,' meddai Siwsi wrth gau'r drws y tu ôl iddi.

'O! Helô, ym . . .?'

'Jest galw i weld sut oeddet ti,' meddai, gan gamu tuag at ei ddesg.

'O, llawer gwell, diolch.'

Cerddodd heibio iddo er mwyn edrych drwy'r ffenest.

'Gweld y car wnes i . . . neis.'

'Wel, yndi, mae o. Mae gen i dipyn o feddwl ohono fo.'

'Dwi'm yn synnu.' Trodd i'w wynebu, gan nodi gyda boddhad fod ei lygaid wedi methu peidio â hoelio eu hunain ar y pant rhwng ei bronnau. 'Gyda llaw, mae bod yn sâl yn dy siwtio di.'

'Ddrwg gen i?'

'Ti 'di colli pwysa. Gallu gweld esgyrn dy wyneb di rŵan. Ti'n edrych reit . . . dwn i'm . . . *distinguished* rŵan.' Gwyddai y byddai'n rhaid iddi ddefnyddio geiriau Saesneg weithiau, er mwyn swnio fel pawb arall yn y wlad ryfedd 'ma.

'Yndw?' meddai Dewi gyda gwên.

'O, wyt.' Gwenodd, a dal ei lygaid am hir. Sylwodd fod ei wefus isaf wedi disgyn o leia modfedd. Doedd gan y diawl gwirion ddim asgwrn cefn gwerth sôn amdano. Un gair bach pitw a chwbl gelwyddog o ganmoliaeth, ac roedd o fel plentyn eisiau mwy.

'Dwi angen dy gyngor di,' meddai wedyn, gan bwyso ei pheneliniau ar y ddesg fel bod y creadur yn gweld mwy nag erioed o'r nefoedd dan ei chrys; 'mae angen gwneud y to 'cw cyn y gaea, a'r ffenestri hefyd. Mae 'na rai ohonyn nhw wedi pydru braidd, felly pwy fysat ti'n ei argymell fel adeiladwr go lew?'

'Ym, wel, mae 'na rai reit dda o gwmpas y lle. Dibynnu be t'isio: os ti'n fodlon aros, mae 'na rai da, trylwyr a dibynadwy ond sy'n cymryd eu hamser ac yn eitha drud; neu mae 'na rai rhad ond sydyn, fyddai yna'n syth, ond ella bod y gwaith gorffenedig ddim cweit cystal.' Roedd o'n baglu dros ei eiriau, ac roedd 'na chwys amlwg ar ei wefus uchaf.

'Swnio fatha dau gwahanol fath o garwr, tydi?'

'Ddrwg gen i?'

Sythodd Siwsi, a phwyso'n ôl yn erbyn sil y ffenest.

'Yr un syml sy'n dod yn syth, neu'r meistr sy'n cymryd ei amser, yn gneud yn siŵr fod pob dim wedi ei baratoi'n drylwyr cyn dechrau arni, ac wedyn, yn mynd ati i neud iddo fo bara er mwyn gneud joban dda, wirioneddol dda ohoni.'

'Y, wel . . . ia, erbyn meddwl.'

'A dwi'n gwbod pa un fysa ora gen i.'

'Ia, ha. Ym.'

'Sgen ti hanes adeiladwr fel'na i mi?'

'Be? O, oes. Sgwenna i ei rif ffôn o ar hwn, yli.' Tynodd gerdyn allan o'i ddrôr a dechrau sgwennu'n gyflym. Aeth Siwsi y tu ôl iddo, a phwyso ymlaen fymryn er mwyn ei wylio'n sgwennu, ac wps, am eiliad, roedd ei bron chwith wedi cyffwrdd ei ysgwydd. Roedd effaith y persawr y tu ôl i'w chlustiau yn bendant yn cael effaith arno. Roedd ei law o'n crynu.

'Diolch,' meddai Siwsi, gan gymryd y cerdyn oddi arno. Roedd blaenau eu bysedd wedi cyffwrdd am chwarter eiliad.

'Pleser,' meddai yntau, gan lyncu'n galed.

'Cofia alw unrhyw bryd leici di,' meddai Siwsi, 'i ti gael gweld sut siâp sy ar betha acw. Dwi'n meddwl y bysa dyn o dy anian di'n licio be weli di.'

'Dwi'n amau dim,' meddai yntau gyda gwên lafoeriog.

'Edrych 'mlaen,' gwenodd Siwsi gan wthio'r cerdyn yn ddwfn i boced flaen ei jîns tyn. 'Hwyl, Dewi.'

'Hwyl . . .' meddai yntau gan wylio ei phen-ôl yn siglo tuag at y drws.

Caeodd Siwsi y drws y tu ôl iddi. Bingo! Dyna Gam 2. Mi ddylai Cam 3 fod yn haws fyth, fel toddi lwmp o fenyn ar ddarn o dôst poeth.

Pan gyrhaeddodd adref, roedd Colin yn bwyta ei frechdanau caws a phicl wrth fwrdd y gegin.

'Bob dim yn iawn?' gofynnodd Siwsi.

'Yndi tad. Ond 'sa panad yn dda.'

Basa, mwn. Ond roedd Siwsi mewn hwyliau rhy dda i roi llond ceg iddo fo. Llenwodd y tecell a'i roi ar y stôf.

'O ia,' meddai Colin, 'dach chi 'di cael delivery.'

'Be?'

'Llond trelar o'r stwff. Mae o 'di'i roi o rownd y cefn.'

'Be?' Ond roedd hi wedi brysio allan i'r ardd cyn i Colin fedru ateb. Wedi eu gosod yn daclus ar y lawnt, roedd 'na fageidiau o ddail gwartheg. Chwarddodd Siwsi'n uchel. Diwrnod llwyddiannus, yn bendant.

Ond yna, dechreuodd rywbeth ei phoeni. Aeth yn ôl i'r gegin at Colin.

'Ddeudodd o rwbath?'

'Fel be?'

'Dwn im. Neges i mi?'

'Na, jest deud bod gynno fo rwbath i chi a holi lle dyla fo eu gadal nhw.'

'Dim byd mwy?'

'Na. 'Di Rhys Dolddu ddim yn un am hel clecs. Ti'n

lwcus o gael gair allan ohono fo. Deud gwir, ti'n lwcus o gael uffar o'm byd gynno fo. Be naethoch chi? Rhoi wad o gash iddo fo?'

'Naddo fel mae'n digwydd. Dach chi'n ei nabod o'n o lew felly?'

'Nacdw, jest gwbod ei hanes o.'

'A?'

'Mae'r tecell yn berwi . . .'

Argol, roedd eisiau mynedd efo'r boi 'ma. Tywalltodd y dŵr berwedig i mewn i'r tebot a'i sodro o'i flaen.

'Ia? Felly be ydi'i hanes o?'

'Dow, ma gynnoch chi ddiddordeb mawr ynddo fo, goelia i byth,' gwenodd Colin, 'ond dach chi 'di anghofio'r siwgwr . . .'

Trodd Siwsi yn fud i chwilio am y bowlen siwgwr a cheisio'i rhwystro ei hun rhag ei thaflu ato. Cymerodd yntau ddwy lwyaid hamddenol o siwgr a throi ei baned yn fwy hamddenol fyth. Caeodd Siwsi ei llygaid. Fiw iddi agor ei cheg neu –

'Ia, boi digon rhyfedd ydi o,' meddai Colin, ar ôl cymryd llwnc swnllyd o'i de. 'Tawel, cadw fo'i hun iddo fo'i hun. Byth allan yn dre. Oedd o'n wahanol pan oedd *hi* o gwmpas.'

'Pwy?'

'Ei wraig o. Rwbath o ffwrdd oedd hi, Lerpwl neu rwla. Gododd hi'r goes ryw bum mlynedd yn ôl rŵan, trio deud ei fod o'n ei thrin hi'n wael, wedyn oedd hi'n mynnu hanner bob dim doedd, fel maen nhw. Bron iddo fo golli Dolddu meddan nhw.'

'Ac oedd o'n wir, ei fod o'n ei thrin hi'n wael?'

'Dwn i'm duw. Oedd 'na rai'n deud ei fod o wedi'i dal hi yn gwely efo ryw foi arall, ond do'n i'm yno, felly be wn i? Ond mi nath hi bres reit ddel allan ohono fo. Y creadur wedi gorfod gwerthu bron i hanner ei dir meddan nhw.'

Roedd hynna'n egluro'r golwg ar y lle, a'i ymateb i weld dynes yno mae'n siŵr. Ond doedd o ddim yn egluro pam ei fod o wedi dod â'r tail iddi mor sydyn ar ôl iddo gael ei . . . daro'n wael. Penderfynodd Siwsi ei bod hi wedi holi digon ar Colin am y tro.

'Wel, well i mi neud rwbath ynghylch y tail 'ma ta,' meddai, gan gychwyn am ei llofft i newid, 'a sa'n syniad i chitha neud rwbath i ennill eich cyflog hefyd.' Gwenodd yn ddel arno cyn troi am y grisiau. Clywodd o'n rhegi dan ei wynt.

'Glywis i hynna!' gwaeddodd hithau, a chwerthin. Roedd yn rhaid iddi ddangos pwy oedd y bòs, rhag iddo gymryd mantais ohoni, ond roedd o fudd iddi ddangos nad oedd hi'n gwbl ddihiwmor chwaith, rhag iddi ei bechu. Ffin denau oedd hi bob tro gyda dynion fel hwn. Gyda phob dyn, o ran hynny.

Newidiodd i'w dillad garddio, ac aeth allan i'r ardd. Wrth balu'r tail i mewn i'r pridd, pendronodd dros Rhys Dolddu. Pam oedd o wedi dod â'r llwyth tail iddi wedi'r cwbwl? Oedd o wedi cael tröedigaeth ar ôl noson o boen ac yn teimlo'n euog am y ffordd roedd o wedi ei thrin hi? Neu oedd o'n gwybod rhywbeth na ddylai? Doedd yr esboniad cyntaf ddim yn taro deuddeg o gwbwl. Ac roedd hi'n teimlo'n anghyfforddus iawn ynglŷn â'r llall. Doedd y peth ddim yn bosib; sut yn y byd allai o wybod be a phwy oedd hi mewn gwirionedd? Roedd 'na gymaint o flynyddoedd wedi pasio . . . Ond eto, roedd 'na groen gŵydd yn codi drosti. Efallai ei bod hi wedi gwneud camgymeriad. Byddai'n rhaid iddi fod yn ofalus efo'r boi yma o hyn allan, jest rhag ofn.

Bu'n palu am awr a hanner solat cyn sylweddoli ei bod hi bron â llwgu. Aeth i'r gegin a pharatoi brechdan gaws iddi hi ei hun. Gallai glywed Colin yn waldio a chwibanu i fyny'r staer, ac roedd y sŵn yn mynd dan ei chroen. Aeth yn ôl allan i'r ardd ac eistedd ar hen fainc wrth fôn y dderwen. Roedd y coesau wedi breuo braidd, ac roedd y cefn fel pwdin. 'Well i mi chwilio am fainc newydd arall,' meddyliodd, wrth gnoi ei brechdan. 'A dwi isio cysylltu efo'r adeiladwr 'na. A threfnu i gael llinell ffôn er mwyn gallu ei ffonio fo. Beryg ei bod hi'n amhosib byw heb ffôn y dyddiau yma. Pawb yn rhy ddiog i alw heibio'u cymdogion, wedi mynd.'

Oedodd wrth edrych ar y pentwr bagiau 'Pero' gwag lle bu hi'n palu. 'Sgwn i ddylwn i yrru neges i Rhys Dolddu yn diolch am y tail?' meddyliodd. 'Neu yrru'r pres? Neu alw heibio eto?' Penderfynodd na fyddai galw i'w weld yn beth doeth ar hyn o bryd. Os oedd o'n digwydd gwybod mwy nag y dylai, fe allai hynny ei rhoi hi mewn twll. Na, camau bychain oedd eu hangen. Fe allai hi ei anwybyddu'n llwyr, wrth gwrs, a derbyn y tail fel anrheg syml gan ŵr trist ac unig oedd yn difaru gweiddi ar ddynes ifanc ddiniwed. Ond gwyddai Siwsi na allai hi byth anghofio'r peth jest fel'na. Roedd yn rhaid iddi gael gwybod pam roedd o wedi dod â'r tail iddi mor sydyn. Fe allai hi wneud chydig o ymholiadau, wrth gwrs, a gyrru neges bach o ddiolch iddo yn y cyfamser. Ia, dyna fyddai orau.

Aeth yn ôl at y palu, nes bod pob sach yn wag, a'r pridd yn dechrau edrych fel y dylai. Cerddodd yn ôl at y tŷ a chyfarfod Colin yn dod i lawr y grisiau.

'Wedi gorffen?' gofynnodd gan gyfeirio at y cloc oedd yn dangos 3.30.

'Am heddiw,' gwenodd yntau. 'Wela i chi fory. A taswn i'n chi, swn i'n cael bàth reit dda rŵan. Ogla'r diawl arnoch chi. Hwyl!'

Brathodd Siwsi ei thafod. Mae'n siŵr ei bod hi'n drewi, a doedd hi ddim yn ffansïo cymryd bàth tra oedd Colin yn dal yn y tŷ. Er, mi allai hynny fod wedi bod yn hwyl, hefyd. Rhyw dro arall, falle.

Wedi golchi'r tail allan o'i gwallt a'i hewinedd, dringodd yn ôl i lawr y grisiau i sgwennu nodyn at ei chymydog.

Garth Wyllt
Medi 15fed

Annwyl Rhys,
   Diolch am y tail. Faint sydd arna i ?
         Yn gymdogol,
            Siwsi.

Rhoddodd y nodyn mewn amlen. Byddai'n ei bostio'n nes ymlaen. Roedd 'na flwch wrth y groesffordd ryw filltir i ffwrdd, yn ogystal â blwch ffôn. Gallai wneud ymholiadau am linell ffôn yr un pryd.

Roedd hi'n gosod teils i gyfeiliant 'Lawr ar y Gwaelod' Meic Stevens y noson trannoeth, pan sylweddolodd fod rhywun yn cnocio ar y drws. Pwy ar y ddaear allai fod yn galw yr adeg yma o'r nos? Yna, gwenodd. Roedd ganddi syniad go lew pwy oedd o. Golchodd ei dwylo yn y sinc, twtio ychydig ar ei hun yn y drych, a cherdded i lawr y grisiau yn hamddenol.

'Sumai Dewi,' meddai, wedi agor y drws, 'ti 'di bod yn cnocio ers meitin, do?'

'Wel . . .' atebodd Dewi'n chwithig.

'Ddrwg gen i. Ro'n i i fyny staer, clywed dim. Tyd mewn.'

Dilynodd hi i'r gegin.

'Gymri di banad? Neu rwbath cryfach?'

'Dwi'n gyrru . . .'

'Neith un ddim drwg i ti. Ti'n ddyn gwin coch?'

'Mwy o ddyn lager.'

'Sgen i'm lager, ddrwg gen i. Ond mae'n bryd i ddyn soffistigedig fatha chdi ddysgu gwerthfawrogi gwin 'sti. Mae gen i St Emilion bach bendigedig fan hyn, a finna'n ysu am esgus i'w hagor hi . . .'

'Y . . . ia, iawn. Jest un bach ta.'

Botel yn ddiweddarach, roedd Dewi Jones wedi ymlacio'n llwyr, yn gorwedd yn ôl ar y soffa, ei goesau ar led, a'i drowsus am ei fferau. Cododd Siwsi ei phen i wenu arno. Agorodd yntau ei lygaid.

'Paid â stopio,' chwyrnodd.

'Rŵan, rŵan, sy'm isio bod yn hunanol,' gwenodd Siwsi. 'Nhro i rŵan dwi'n meddwl.'

Doedd o ddim yn garwr celfydd o gwbwl, a bu'n rhaid i Siwsi ddysgu cryn dipyn arno. Ond mi ddoth. A hithau hefyd yn y diwedd.

'Oedd hynna'n grêt,' sibrydodd Dewi i mewn i'w chlust; 'oes 'na jans am action replay?'

'Pryd sgen ti mewn golwg?'

'Fory? Amser cinio?'

'Ddim yn fa'ma, mae'r dyn trydan yma. Be am dy swyddfa di?'

'Asu, dwn i'm, braidd yn risgi.'

'O'n i'n meddwl bo chdi'n ddyn oedd yn licio byw'n beryglus . . .'

Chwarddodd, a chytuno i'w derbyn yn y swyddfa am hanner awr wedi hanner dydd.

Rhoddodd gusan hir, wlyb iddi wrth y drws, cyn troi am ei gar. Cododd hithau ei llaw arno wrth iddo yrru i ffwrdd. Yna caeodd y drws a sychu'r gwlybaniaeth oddi ar ei gwefusau â'i llawes. Cam tri, rhan un wedi ei gyflawni'n ddidrafferth. Roedd y pysgodyn ar y bachyn. Doedd y snichyn bach salw yn gwneud dim iddi; a deud y gwir, roedd o'n troi arni, ond roedd hi'n werth yr aberth er mwyn gwneud i'r diawl ddioddef yn nes ymlaen. Aeth i fyny'r grisiau i molchi'n drwyadl cyn noswylio.

Sylwodd hi ddim ar y llygaid yn ei gwylio'n ofalus o'r coed y tu allan.

7

Aeth Siwsi i'r dre yn gynnar, er mwyn cael paned gyda Wendy cyn gorfod wynebu Dewi Jones. Roedd y ddwy fam fyglyd yno eto, ond neb arall. Eisteddodd wrth y bwrdd agosaf at y cownter.

'Haia,' meddai Wendy wrth ddod ati, 'cadw'n iawn?'

'Yndw diolch, chditha?'

'Dal i fynd, 'de. Coffi du a sgonsan?'

'Ia. Wyt ti wastad yn cofio be mae dy gwsmeriaid di'n licio?'

'Fydda i'n trio. Mae'n haws os ydyn nhw'n bobol dwi'n licio, cofia. Bobol tafarn 'run peth sti. Os nad ydyn nhw'n cofio be ydi dy regular tipple di, garantîd bod gynnyn nhw'm lawer o feddwl ohonat ti.'

'Ia, erbyn meddwl, mae dynion yn tueddu i gofio be dwi isio a genod ddim.'

Chwarddodd Wendy'n uchel ar hyn, wrth iddi gerdded yn ôl y tu ôl i'r cownter i dywallt y coffi.

'Ia, alla i ddallt hynna. Sut mae'r ast 'na'n y Torrent efo chdi?'

'Wel, a deud y gwir, dwi'm 'di bod allan 'ma gyda'r nos eto.'

'Naddo? Pam ddim?'

'Neb wedi gofyn i mi.'

'Dos o 'ma! Wel, ti'm yn colli llawer, achos does 'na fawr iawn o fywyd yma, ond os ti ffansi peint efo fi ryw dro, dwi'n gêm i ddangos y sights i ti.'

'Iawn. Ddo i.'

Felly trefnodd y ddwy i gyfarfod y nos Wener honno. 'Tyd draw i'r tŷ gynta,' meddai Wendy, 'sbario i chdi ista fatha cloman wrth y bar, achos dwi wastad yn hwyr.'

Teimlai Siwsi'n hapus iawn ei byd wrth gerdded tuag at swyddfa Dewi Jones. Roedd hi ddeg munud yn hwyr, felly mi fyddai'r slebog wedi gweithio ei hun i fyny bellach. Roedd hi'n iawn. Pan agorodd hi'r drws, fe neidiodd fel dyn hanner ei oed allan o'i sedd.

'O'n i'n meddwl bo chdi 'di newid dy feddwl!' meddai, gan gamu y tu ôl iddi i gloi'r drws.

'Ddrwg gen i,' meddai hi, gan droi ato a dechrau agor botymau ei grys, 'ond mi wna i'n iawn am y peth, dwi'n addo.'

O fewn munudau, roedd y ddau'n noethlymun gorn a'r papurau ar ddesg Dewi'n cael eu plygu bob sut oddi tanynt.

'Ti'n gorjys, ffycin gorjys,' chwyrnodd Dewi gan dylino ei brestiau.

'Sugna nhw,' gwaeddodd Siwsi, 'rŵan!'

'Sh! Paid â gweiddi fel'na!'

'Gwna be dwi'n ddeud ta!' Ufuddhaodd Dewi yn syth. Doedd yr un ferch wedi meiddio ei drin fel hyn o'r blaen, ac roedd o'n dechrau mwynhau'r profiad. Yn arw. Roedd ganddi gorff anhygoel, coesau hirion, bronnau mawrion a chroen fel melfed, a blydi hel, roedd hi'n dda. A phan oedd ei geilliau ar fin ffrwydro, prin oedd o'n sylweddoli ei bod hi'n claddu ei hewinedd yn ddwfn i mewn i gnawd ei gefn.

'O, Siwsi,' meddai toc wedyn, yn chwys diferol, 'dwi 'di gwirioni efo chdi.'

'Finna efo chditha Dewi,' meddai Siwsi, gan edrych ymlaen yn arw at gael bàth cyn gynted â phosib.

'Ga i ddod draw heno?' gofynnodd wrth chwilio am ei grys.

'Heno? Na, ddrwg gen i.'

'Nos fory?'

'Dwi'n mynd allan. Ond dwi'n rhydd nos Sadwrn.'

'Damia, dwi'n mynd â'r Musus allan am bryd o fwyd. Ond be am y pnawn?'

'Ia, tyd draw tua dau, ffor'na. Mi fydda i wedi paratoi sypreis bach neis i chdi.'

'Fedra i'm disgwyl. Fydda i'm yn gallu cysgu winc nos Wener.'

'Well i ti drio. Mi fyddi di angen dy nerth i gyd, Dewi bach . . . Hwyl rŵan!'

Cyrhaeddodd nos Wener. Roedd Siwsi wedi golchi ei gwallt yn y pnawn er mwyn rhoi digon o amser iddo sychu'n naturiol. Doedd Colin byth wedi gorffen gosod y trydan.

'Dydd Mercher, garantîd, iawn? Hwyl!' oedd ei eiriau olaf wrth iddo adael am dri.

Ond roedd hi'n anodd bod yn flin efo'r hogyn, ac a bod yn onest, roedd Siwsi'n eitha mwynhau ei gwmni erbyn hyn. Ac o leia roedd ganddi ffôn bellach. Roedd y boi bach hwnnw wedi bod yn sydyn iawn, chwarae teg.

Doedd hi ddim yn siŵr beth i'w wisgo ar gyfer nos Wener yn y dre. Yn bendant, doedd hi ddim eisiau tynnu sylw ati'i hun, felly câi'r dillad wisgodd hi yn Aberdyfi aros yn y wardrob. Ar y llaw arall, doedd hi ddim yn bwriadu gwisgo fel pawb arall; roedd ganddi ei steil ei hun a dyna fo. Felly gwisgodd sgert hir Sipsïaidd at ei thraed a blows ddu gyda chadwen aur, syml. Gwisgodd ychydig o golur, a minlliw fymryn cochach na'i minlliw bob dydd, yna aeth i'r gist dan ei gwely i stwffio mwy o bapurau ugain punt i mewn i'w phwrs. Roedd hi'n barod.

Gyrrodd i'r dre a pharcio y tu allan i 2, Stryd Elsi. Canodd y gloch, a chlywodd sŵn ci yn cyfarth. Ychydig funudau'n ddiweddarach, daeth Wendy at y drws yn dal yn ei chôt godi, ffon fascara yn un llaw a'r llall yn dal ci bychan gwyn yn ôl gerfydd ei goler.

'Haia, tyd mewn. Sori, dwi ar ei hôl hi eto. Blydi hoples. Benji, callia.'

Dilynodd Siwsi hi a Benji i mewn i'r gegin. Roedd yn lle'n fach, yn lliwgar, ond fel pìn mewn papur. Roedd yr oergell yn fagnedau i gyd, ond roedd hyd yn oed y rheiny wedi eu gosod mewn cylchoedd taclus.

'Mae gen i gwpwl o boteli Bud yn y ffrij os ti ffansi,' meddai Wendy. 'Helpa dy hun, fydda i'm chwinciad. A paid â bod ofn Benji, mae o reit glên.' A diflannodd i fyny'r grisiau.

Wedi rhoi mwytha i Benji er mwyn cau ei geg, agorodd Siwsi ddrws yr oergell. Roedd hyd yn oed y tu mewn yn sgleinio. Allai hi ddim peidio ag astudio'r cynnwys: dau botyn iogwrt blas mefus, chwech fromage frais bychan, pecyn o facwn rhad, darn o gaws coch, tomatos, letysen, moron, jar o fayonnaise a photel o salad crîm, powlen fawr o ffa pob gyda chling-ffilm wedi ei dynnu yn daclus drosti, peint o laeth semi-sgim a dwy botel o Budweiser. Os oedd hi'n wir bod rhywun yn gallu dadansoddi cymeriad rhywun allan o gynnwys eu hoergell, yna roedd Wendy'n berson trefnus, glân a syml, oedd yn hoff o ffa pob. Tynnodd Siwsi un o'r poteli Bud allan a chwilio am declyn i'w hagor. Agorodd rai o'r drorsys. Pob un yn berffaith a di-friwsion, a phan ddaeth o hyd i'r drôr cyllyll a ffyrc, dyna lle roedd y teclyn agor poteli yn daclus o amlwg. Agorodd rai o'r cypyrddau i chwilio am wydryn. Cwpwrdd bwyd oedd y cyntaf, yn llawn o focsys Corn-fflêcs, Ricicles a Choco Pops. Edrychodd o'i chwmpas eto a sylwi ar luniau plentynnaidd wedi eu gosod yn daclus ar y wal. Tywalltodd hanner y Bud i mewn i'w gwydryn a chyda Benji'n rhedeg rhwng ei fferau, aeth drwadd i'r stafell nesaf. Lolfa glyd a chynnes gyda waliau melyn a soffa werdd, a lluniau o ferch fach yma ac acw: yn fabi ar y ffenest, tua dwy neu dair oed ar y dresal, ac yn ôl y llun ar y silff ben tân, roedd hi bellach tua chwech, ac yn dlws ryfeddol.

Doedd Wendy'n amlwg ddim yn ariannog, ond roedd hi wedi llwyddo i ddodrefnu ei thŷ heb i hynny fod yn rhy amlwg. Roedd 'na hi-fi bach syml wrth y ffenest, a rhes o CDs yn daclus wrth ei ymyl. Rhai Elvis Presley – bob un.

Roedd Siwsi wrthi'n cosi bol Benji pan glywodd sŵn carlamu i lawr y grisiau a daeth Wendy i mewn yn gwisgo trowsus lledr du rhyfeddol o dynn a blows wen oedd yn dangos y wonderbra du oddi tano.

'Dwi'n edrych yn iawn?' gofynnodd. 'Ddim yn rhy tarty?'

'Tarty?'

'Ia, ti'n gwbod, fatha . . . ym . . . hwren?'

'O. Na, dwi'n meddwl bo chdi'n edrych yn ddel ofnadwy, a dwi'n meddwl y bydd y dynion yn glafoerio drostat ti.'

'A dyna be 'dan ni isio 'de! Nice one. Reit, 'dan ni'n barod?'

'Un peth bach: dy ferch di ydi hon?'

'Ia, Leah. Mae hi'n aros efo Mam heno. Del, tydi?'

'Fel doli fach. Wyt ti'n briod?'

'Nacdw. Gei di'r hanes dros beint, yli. Tyd, clec i hwnna, awê. Ta-ra Benji, bydda'n hogyn da i Mam.'

Cerddodd y ddwy drwy'r strydoedd culion am ganol y dref. Rhyfeddai Siwsi at allu Wendy i gerdded yn ei sgidiau sodlau uchel heb droi ei ffêr.

'Dydyn nhw'm yn brifo dy draed di?' gofynnodd, gan bwyntio at y sodlau.

'Na, ti'n dod i arfer. Pam? Ti rioed 'di gwisgo sodla fel hyn?'

'Naddo.'

'Wel ia, tasa gen i goesa fatha chdi, swn i'm yn boddran efo sodla fel'ma chwaith. Short-arse fatha fi angen y modfeddi ecstra 'na.' Astudiodd Wendy ddillad ei chyfaill newydd. 'Ti 'rioed 'di bod yn slave to fashion fatha fi naddo?'

'Wel, naddo. Dwi'n tueddu i wisgo pethau dwi'n teimlo'n gyfforddus ynddyn nhw.'

'Ti sy galla, debyg. Ti'n edrych yn stunning bob amser eniwe.'

'Diolch!'

Gwenodd y ddwy ar ei gilydd.

'Reit, mae 'na drefn i noson o yfed yn dre,' eglurodd Wendy wrth iddyn nhw gyrraedd y sgwâr. 'A dan ni'n dechra'n y Cross, iawn? Doubles yn rhatach yno 'radeg yma.'

'Swnio'n iawn i mi.'

Roedd y Cross yn llawn o ddynion ifanc wedi tyrru o amgylch y bar, gydag ambell grŵp o ferched yn eistedd wrth y byrddau.

'Pam fod y dynion yn sefyll a'r merched yn eistedd?' gofynnodd Siwsi. Chwarddodd Wendy.

'Drycha ar eu sgidia nhw.'

Roedd y dynion i gyd mewn trainers cyffordus, a'r merched mewn pethau uchel, miniog, digon tebyg i rai Wendy.

'O. Dallt rŵan.'

'Be gymri di?' gofynnodd Wendy.

''Run fath â chdi,' atebodd Siwsi.

'Iawn, double vodka a Red Bull felly. Dos i ista, ddo i ata chdi rŵan.'

Chwiliodd Siwsi am fwrdd gwag. Roedd 'na un wrth ymyl y jiwc bocs, felly anelodd amdano, gan wau ei ffordd drwy'r dynion ifanc. Cafodd ambell edrychiad glafoeriog wrth basio, ond sylwodd hi ddim. Ond fe sylwodd y merched ifanc oedd yn eistedd gyferbyn.

'Sbia ar honna. Pwy mae hi'n feddwl ydi? Gwisgo fyny fatha hipi.'

'Pwy 'di hi? Di'm yn lleol.'

'Dwi 'di gweld hi o'r blaen yn rwla.'

'Faint 'di'i hoed hi ti'n meddwl?'

'Tua 40 yn ôl y ffordd ma' hi'n gwisgo.'

'Na, tua 32 swn i'n deud.'

'Sai'n gallu bod yn ei late twenties.'

'No way, ma' hi efo Wendy Rowlands, felly ma' hi tua 'run oed tydi?'

'Faint 'di Wendy?'

'Tua 33 – 34 dwi'n meddwl. Oedd hi'n 'rysgol tua 'run pryd â Mam eniwe. A sbia be ma' hi'n wisgo!'

'God. Mutton dressed as lamb.'

Daeth Wendy at y bwrdd gyda dau wydryn o hylif oren. Cymerodd Siwsi lwnc gofalus ohono.

'Be goblyn ydi hwn?!' pesychodd.

'Yfa fo!' chwarddodd Wendy, 'roith o flew ar dy chest di.'

Ar ôl tri gwydraid dwbl mewn tair tafarn wahanol, roedd Siwsi wedi ymlacio braidd. Roedd hi wedi dod i nabod nifer fawr o bobl leol o bob oed: teulu Wendy, ffrindiau Wendy, plant ffrindiau Wendy (oedd yn taeru eu bod nhw'n ddeunaw oed) a ffrindiau rhieni Wendy. Roedd un ohonyn nhw'n dipyn o gymeriad: Elsie Jên – wardrob o ddynes efo chwerthiniad ceffyl a dannedd i fatsio.

'Fiw i mi chwerthin gormod sti,' meddai Elsie wrth Siwsi, 'mae 'nannedd gosod i'n tueddu i fflio allan o 'ngheg i. Aru nhw landio ym mheint Wil Llaeth wsnos dwytha. Yndo Wil?' meddai gan godi ei pheint o meild i gyfeiriad Wil Llaeth. Rhoddodd yntau ei law dros ei beint yn syth a throi ei gefn atyn nhw.

'Hen foi sych,' sibrydodd Elsie yng nghlust Siwsi, 'sa ti'n taeru ei fod o 'di cael ei eni efo procar i fyny'i din. Ta waeth, felly ti sy 'di prynu Garth Wyllt ia?'

'Ia.'

'Pam?'

'Ddrwg gen i?'

'Pam brynist ti fan'no o bob man?'

Edrychodd Siwsi arni'n hurt. Penderfynodd roi cwestiwn yn ateb.

'Be sy o'i le efo fo?'

'Wel, ti'm 'di clywed y straeon?'

'Pa straeon?'

'O, lle od uffernol sti. Dim ond merched ar eu penna'u hunain sy 'di byw yno 'rioed. Rhyfedd bod chdi'n cadw'r traddodiad i fynd, tydi? Ta waeth, does 'na neb 'di byw yna ers blynyddoedd, synnu bod y lle'n dal ar ei draed, deud gwir, ac mi ddudodd Nain wrtha i ryw dro bod 'na rywun wedi'i ladd yno.'

'Dow. Pwy?' Cymerodd Siwsi sip gofalus o'i diod. Roedd Wendy wedi dod draw erbyn hyn ac yn gwrando ar eu sgwrs.

'Dwn i'm, doedd Nain ddim yn cofio'r manylion yn iawn. Ond maen nhw'n deud bod ei gorff o'n dal yna yn rwla.'

'Rioed. Sut oeddan nhw'n gwbod ei fod o 'di ca'l 'i ladd os fethon nhw ddod o hyd i'r corff?'

'Cwestiwn da! Aros di rŵan . . . be ddeudodd Nain dwa? Oedd 'na ddynes yn y caws, dwi'n cofio hynny. Rhywun wedi gweld y boi'n cael ei ladd ganddi dwa? Ia, rwbath felly ddigwyddodd, wedyn dyma fo'n deud wrth y cwnstabl a hwnnw'n mynd draw yno ond oedd y ddynas 'ma wedi diflannu. Pacio'i bagia a diflannu, jest fel'na.'

'Be? Welodd neb byth mo'ni wedyn?' gofynnodd Wendy.

'Naddo. Byth.'

'Be oedd ei henw hi?' gofynnodd Wendy, yn amlwg wrth ei bodd efo'r stori.

'Diaw, dyna be oedd yn rhyfedd sti – doedd 'na neb yn siŵr iawn. Ond roedd hi'n ddynes ddigon rhyfedd, mae'n debyg, cadw ei hun iddi hi ei hun, golwg wyllt arni, gwisgo ryw ddillad rhyfedd . . .'

'Pryd oedd hyn ta?'

'Aros di rŵan . . . tua diwedd y 1700s, rwla ffor'na.'

'Ew, difyr 'de!' meddai Wendy gan droi at Siwsi, 'pwy sa'n meddwl bod 'na ffasiwn hanes am dy dŷ di!'

'Ynde hefyd . . .' meddai Siwsi, 'ond isio gwybod mwy amdanat ti a Leah ydw i. Nest ti ddeud 'sa ti'n deud yr hanes wrtha i.'

'O ia, do 'fyd. Wel . . . does 'na'm llawer i'w ddeud rîli. O'n i 'di gwirioni 'mhen am y boi 'ma ers blynyddoedd, ac ynta'n gwbod hynny ac yn fy nhrin i fel lwmp o gachu, yn rhoi un i mi ar ôl stop tap os oedd o 'di methu ffendio neb gwell, ac yn gwbod 'mod i'n ddigon blydi stiwpid i fod yn ddiolchgar am hynny.'

Edrychodd Siwsi'n hurt arni.

'Ti? Ti'n tynnu 'nghoes i. Alla i'm dy weld ti'n bod yn fat llawr i neb.'

Chwarddodd Wendy'n uchel.

'Ti'n amlwg yn un o'r genod lwcus. Gallu troi dynion rownd dy fys bach erioed dwyt? Ond mae 'na filoedd o ferched fel fi. Wel, fel ro'n i ta.'

'Dwi'm yn dallt. Pam fysat ti'n fodlon iddo fo gyffwrdd bys ynat ti os oedd o'n dy drin di fel baw?'

'Ti'm 'di bod mewn cariad erioed, Siwsi?'

Oedodd Siwsi cyn ateb.

'Do. Flynyddoedd yn ôl.'

'Felly ti'n cofio sut deimlad ydi o? Byw am ei weld o, methu meddwl am ddim byd arall, dy stumog di'n gneud triple back somersaults dim ond iddo fo wenu arnat ti?'

'Yndw . . . ond –'

'Ddim yn siarad mwy na dau funud efo neb ar y ffôn rhag ofn iddo fo dy ffonio di. Claddu dy wyneb yn y pilw ar ôl iddo fo fynd, jest er mwyn clywed ei ogla fo; peidio golchi'r blât ddefnyddiodd o, y cwpan fuodd o'n yfed ohoni, am ddyddia, achos ti jest isio cadw rwbath ohono fo yna efo ti. Methu cysgu winc pan mae o'n y gwely efo chdi, achos ti jest isio sbio ar ei wyneb o drwy'r nos.'

Gwenodd Siwsi. Oedd, roedd hi'n cofio'r teimlad yn iawn. Ond roedd hi, yn wahanol i Wendy, wedi dysgu ei gwers. Roedd y greadures yma'n amlwg yn dal mewn cariad.

'Cariad ti'n galw hynna? Ta salwch?' gofynnodd.

''Run fath ydi o yn y bôn, ia ddim?' atebodd Wendy. 'Mae'n iawn os ydi o mewn cariad efo chdi hefyd, ond os 'di o ddim . . .'

'Dyna pryd mae o'n dy neud di'n sâl.'

'Fel ci. A mwya'n byd oedd o'm isio fi, mwya'n byd o'n i isio fo. Oedd o'n mynd efo'n ffrindia fi reit o mlaen i –'

'Ffrindia ti'n galw nhw?!'

'Doeddan ni'm yn canlyn, nagoeddan? Doedd gen i'm claim arno fo, felly be fedrwn i neud? Felly es i off y pil yndo.'

'O, Wendy . . .'

'Meddwl 'sa fo'n gwirioni ar ôl gweld y babi. Mi nath yn diwedd, ond ddim efo mabi fi.' Llyncodd Wendy waddod ei gwydryn. 'Oedd Sandra Hughes wedi cael clec gynno fo 'fyd, ac mae'i thad hi'n fildar, ac yn Freemason. Fues i'n ddigon dwl i fynd i'w gweld nhw'n dod allan o'r eglwys. Oedd o'n edrych yn ffantastic. Ond welodd o mo'na i, oedd o'n rhy brysur yn sbio i lygaid Sandra – a'r camera. Es i draw i Bermo wedyn. Fues i'n ista ar y bont am hir, hir yn sbio lawr ar y dŵr yn bomio oddi tana i, yn sgrechian crio. Ddim fi fysa wedi bod y cynta i neidio. Ond nes i ddim. Oedd Leah f'angen i, doedd? Felly ddois i adre, a dyna fo rîlî.'

Ysgydwodd Siwsi ei phen. Be oedd ar bobol fel Wendy, yn gadael i'w hunain gael eu bwyta fel'na? Astudiodd hi'n ofalus. Roedd ei llygaid yn sgleinio'n ormodol ac roedd hi'n amlwg yn brwydro i beidio crio o flaen pawb.

'Ti'm 'di dod drosto fo, naddo?'

'Dwi'n well nag o'n i. 'Di cael chwe mlynedd i arfer yndo?'

'Mae o'n dy helpu di'n ariannol gobeithio.'

'Weithia.'

'Be ti'n feddwl "weithia"?'

'Dwi'n cael chydig ganddo fo Dolig, a mae o 'di deud neith o drio helpu os bydd hi'n troi allan i fod yn glyfar ac isio mynd i'r coleg neu rwbath.'

'Felly tydi o'm wedi cydnabod yn swyddogol mai fo ydi'r tad.'

'Naddo. Chwara teg, fi ath off y pil heb ddeud wrtho fo, fi oedd isio babi, ddim y fo, a nath o rioed addo dim i mi'n lle cynta, felly pam ddyla fo dalu?'

'Achos fo ydi'i thad hi!' Roedd Siwsi'n gallu teimlo'i gwaed yn dechrau berwi. 'Wendy, dwi'n amau 'mod i newydd glywed ei eiria fo'n dod allan o dy geg di . . . yndo? Dyna be mae o wedi bod yn ei bregethu wrthat ti ynde? Gneud i chdi deimlo'n euog.'

'Ond dwi *yn* euog,' protestiodd Wendy mewn llais plentyn. ''Mai i oedd o . . .'

Sylweddolodd Siwsi ei bod wedi mynd yn rhy bell. Roedd y dagrau yn llygaid Wendy ar fin byrlymu. Gafaelodd yn ei llaw.

'Yli, ddrwg gen i dy ypsetio di fel hyn. Doedd gen i'm hawl. Anghofia fo am rŵan. Ga i rownd arall i mewn, ia?'

Nodiodd Wendy ei phen a cheisio gwenu. Gafaelodd yn ei bag a chodi ar ei thraed.

'Dwi jest isio piciad i'r lle chwech,' meddai, a diflannu drwy'r drws.

Brathodd Siwsi ei gwefus yn galed, yna chwiliodd am ei phwrs er mwyn codi'r rownd. Pan gododd ei phen, sylwodd bod Elsie Jên yn edrych arni. Roedd hi'n amlwg wedi bod yn gwrando ar y sgwrs.

'Halen y ddaear, rhen Wendy,' meddai gan dynnu'n ddwfn ar ei Mayfair. 'A choc oen ydi o.'

'Swnio felly,' cytunodd Siwsi.

'Mae hi'n dal i'w weld o sti,' ychwanegodd Elsie. 'Mae o'n mynd draw 'na'n hwyr yn nos, yn gwbod y ceith o groeso. Dyna sut mae o'n gallu cadw ei cheg hi ar gau, a'i waled o hefyd o ran hynny. Rhen sinach iddo fo. A mae gynno fo'r cheeks i fod yn flaenor yn y capel, cofia.'

'Rheiny 'di'r gwaetha'n amal,' meddai Siwsi, 'pobol sy'n cymryd ryw rôl barchus mewn cymdeithas i guddio sut rai ydyn nhw go iawn.'

'Wel ia'n de,' meddai Elsie, 'fel ambell i MP allwn i ei enwi!'

Awr yn ddiweddarach, roedd pawb fu yn y tafarndai wedi ymgynnull mewn un siop fach mewn stryd gefn, mewn sgrym o freichiau a choesau yn ceisio archebu kebabs. Dyma oedd y drefn bob nos Sadwrn, yn ôl Wendy, a dyma'r lle a'r amser gorau i gael bachiad. Edrychodd Siwsi ar y wynebau plorod-lawn, chwil ulw rhacs o'i chwmpas, a phenderfynu nad oedd y syniad o fachu unrhyw un o'r rhain yn apelio rhyw lawer. A dweud y gwir, doedd hi ddim yn siŵr a oedd ganddi awydd kebab chwaith, a dywedodd hyn wrth Wendy.

'Does gen inna'm llwchyn o awydd,' meddai Wendy.

'Be 'dan ni'n neud yma ta?'

'Fan'ma mae pawb yn dod ar ôl i'r pybs gau ynde? Jest . . . dilyn pawb arall 'dan ni am wn i.'

'Fydda i'm yn gneud petha felly,' meddai Siwsi, 'gawn ni fynd o 'ma?'

'Wel . . .' Doedd Wendy'n amlwg ddim yn rhy awyddus i adael mor sydyn.

'Chwilio am rywun wyt ti?' holodd Siwsi, wedi sylwi ar lygaid Wendy yn neidio o un wyneb i'r llall y tu ôl iddi.

'Fi? Nacdw. Wel . . . ella. Ond dio'm yma. Ia, tyd, awn ni adre. 'Na i baned i ni.'

Wrth nyrsio llond mŵg o de poeth yng nghegin Wendy, mentrodd Siwsi ofyn pwy roedd hi wedi disgwyl ei weld yn y lle kebabs.

'Tad Leah, ia?'

'Ia. Mae o allan weithia. Nid ei fod o'n cymryd llawer o sylw ohona i os oes 'na bobol eraill o gwmpas.'

'Ond mae o'n rhoi sylw mawr i chdi pan mae o'n gwbod ei fod o'n saff, mwn.'

'Yndi. Mae o'n angen i.'

Teimlodd Siwsi ei hun yn dechrau colli amynedd.

'Wendy, ti rioed yn coelio hynna?! Mae o'n briod, ac yn rêl sglyfath. Mi ddeudist di hynny dy hun! Sa'm yn well i chdi ffendio rywun arall?'

'Dwi'm isio neb arall nacdw? A tydi o'm yn sglyfath chwaith! Mi nath o fistêc, dio'm yn caru Sandra, ond . . . ond mae petha'n anodd iddo fo.'

'Swnio'n hawdd uffernol i mi! Cael ei wraig i dendio arno fo bob dydd a chditha fel ryw side salad bach bob hyn a hyn pan mae ganddo fo awydd newid bach! Mae o'n dy ddefnyddio di, Wendy!'

'So?! Dwi'n licio cael fy nefnyddio ganddo fo! A be ydio o dy fusnas di p'un bynnag? Ti prin yn fy nabod i a dwyt ti'n bendant ddim yn ei nabod o! Felly cau hi!'

Edrychodd y ddwy yn hurt ar ei gilydd am rai eiliadau. Dim ond sŵn y cloc yn tipian oedd i'w glywed, a dim ond y tawelwch sydyn oedd yn gwneud iddyn nhw sylweddoli pa mor uchel roedden nhw newydd fod yn gweiddi ar ei gilydd. Sylweddolodd Siwsi, â thon o euogrwydd, fod 'na ddagrau wedi cronni eto yn llygaid Wendy.

'Ti'n iawn. Doedd gen i'm hawl busnesu fel'na,' meddai'n frysiog, 'ddrwg gen i.'

Oedodd Wendy cyn ymateb. Yna:

'Mae'n iawn,' meddai, 'dwi'n gwbod mai chdi sy'n iawn, dwi jest . . . wel, yn gwylltio efo fi'n hun am fod yn gymaint o gadach, ond wedyn dwi'n gwylltio'n rhacs efo unrhyw un sy'n trio deud yn blaen be dwi'n wbod yn barod.'

Chwarddodd yn sych. 'Sa shrinc yn cael modd i fyw efo fi'n bysa?'

'Beryg,' gwenodd Siwsi.

'Ti'n gwbod be dwi ffansi rŵan?' meddai Wendy gan godi ar ei thraed.

'Dwn i'm. Toi boi?'

'Rwbath lot neisiach. Darn mawr o dôst efo llwyth o driog melyn arno fo. Ti ffansi?'

'Swnio'n hyfryd.'

Bu'r ddwy'n sglaffio ac yn sgwrsio am awr arall cyn mynd i'w gwelyau. Fel roedd hi'n rhoi'r ddau fŵg yn y sinc, digwyddodd Wendy sôn eto am berchennog y caffi.

'Ar ôl y sgwrs 'na efo chdi, nes i ofyn iddo fo os oedd o'n meddwl gwerthu'r lle. No wê Jose, medda fo.

A hyd yn oed tasa fo, fysa ryw bwtan fach o single mother fel fi byth yn gallu'i fforddio fo.'

'Crinc.'

'Ti'n deud wrtha i. Blydi Dewi Jones. Geith o fynd i grafu.'

'Dewi Jones?' meddai Siwsi ar ôl eiliad o oedi.

'Ia. Ti'n nabod o?'

'Yndw, os mai fo ydi'r Dewi Jones werthodd Garth Wyllt i mi.'

'Wel ia siŵr, dyna ydi'i job o. Rêl hen sglyf, tydi?'

'Llyffant o ddyn.'

'Yndi! Mae o reit debyg!' chwarddodd Wendy. 'Eniwe, dwi'n mynd am y ciando. Ti'n llofft Leah, iawn? Gobeithio bo chdi'n licio pinc . . .'

Gorweddodd Siwsi dan y cwilt 'Barbie' a'i meddwl yn mynd fel trên. Roedd hi'n mynd i allu helpu Wendy wedi'r cwbwl. Dewi Jones bnawn fory, a'r llall . . . ryw dro eto. Syrthiodd i gysgu gyda gwên ar ei hwyneb.

8

Penderfynodd wneud ychydig o siopa cyn mynd adre. Doedd hi ddim wedi bod yn y dre mor gynnar ar fore Sadwrn o'r blaen. Synnai at y prysurdeb. Roedd yn ei hatgoffa o'r hen ddyddiau, pan fyddai'r sgwâr yn ferw gwyllt o bobol yn sgwrsio a siopa, bargeinio a chega drwy'r dydd, bob dydd. Bellach, roedd bron pawb yn gwnued eu siopa yn yr archfarchnadoedd ar gyrion y dref. Haws parcio fan'no, meddyliodd Siwsi, a hynny am ddim hefyd. Ychydig iawn o le oedd yno i barcio yn y stryd. Dim rhyfedd bod pawb yn heidio i'r archfarchnadoedd.

Roedd 'na fwy o hwyl i'w gael erstalwm, meddyliodd Siwsi, hyd yn oed os oedd byw o ddydd i ddydd yn anos. Nid 'mod i wedi cael bod yn rhan o'r gymdeithas hwyliog honno'n hir iawn, meddyliodd wedyn, ddim ar ôl iddyn nhw ddechrau f'amau i, amau 'ngallu i i wella cleifion a gwireddu dymuniadau gyda pherlysiau a swynion. Roedd pawb yn ddigon hapus i ddod ata i a 'nhebyg, doedden, nes iddyn nhw ddechrau credu fod unrhyw un ac unrhyw beth oedd yn wahanol i drefn yr eglwysi, yn addoli'r diafol. Lol botes maip.

Sylweddolodd ei bod newydd weiddi 'Lol botes maip' yn uchel, ac roedd pawb yn y siop fara'n edrych yn rhyfedd iawn arni. Ceisiodd wenu ymddiheuriad atynt, a brysiodd yn ôl at ei char a'i thorth dan ei chesail. Roedd cofio'r gorffennol wedi codi ei gwrychyn eto. Damia, byddai'n rhaid iddi weithio ar gadw ei thymer dan reolaeth yn well na hyn, neu byddai hanes yn ei ailadrodd ei hun, a'i holl waith yn mynd yn ofer eto. Câi fàth llawn lafant heno a swyn bychan i'w lleddfu cyn noswylio. Ond yn y cyfamser, doedd dim ots ganddi gadw ei gwylltineb at y prynhawn, pan fyddai Dewi Jones yn galw heibio – am y tro olaf. Roedd ganddi waith paratoi trylwyr i'w wneud ar ei gyfer, felly brysiodd adref, heb edrych i'r dde wrth ymuno â'r ffordd fawr. Oni bai am ei frêcs newydd, byddai'r lorri wedi ei tharo, ond sylwodd hi ddim. Sylwodd hi ddim chwaith ar y sgwarnogod oedd yn ei gwylio'n cyrraedd o dywyllwch y gwyllt.

Brysiodd i mewn i'r tŷ. Aeth ati'n syth i baratoi'r holl offer y byddai arni ei angen. Bu wrthi am ddwyawr.

Yna, wedi iddi dywallt paned iddi hi ei hun, cerddodd drwadd gan fwriadu ymlacio ar y soffa, a dyna pryd y sylwodd hi ar y llythyr ar lawr y cyntedd. Plygodd i'w godi. Roedd 'na stamp arno, a'i henw a'i chyfeiriad mewn inc du ac ysgrifen daclus. Eisteddodd ar y soffa cyn rhwygo'r amlen yn agored ag ewin hir ei bys.

Dolddu
Medi 20fed

Annwyl Siwsi,

Does dim tâl am y tail. Ac mae croeso i chi alw eto os byddwch chi angen mwy.

Yn gymdogol iawn,
Rhys.

Gwenodd Siwsi, a phwyso'n ôl i fwynhau ei phaned. Wel, wel. Pwy feddyliai? Rhys Dolddu yn bod yn annwyl! Neu o leia'n ymddangos felly.

'Be ydi dy gêm di, gyfaill?' meddai'n uchel wrthi ei hun. Roedd 'na nifer o resymau posib pam yrrodd o'r tail a'r llythyr:

1. Roedd o'n difaru ymddwyn fel y gwnaeth o, ac yn ceisio cymodi oherwydd ei fod o'n Gristion ac yn teimlo'n euog.
2. Roedd o'n difaru ymddwyn fel y gwnaeth o oherwydd ei fod o'n ei ffansïo hi.
3. Roedd o'n ddyn busnes fyddai isio rhywbeth ganddi hithau yn y dyfodol.
4. Roedd o'n gwybod rhywbeth, ac yn amau mai hi oedd yn gyfrifol am ei salwch y noson honno.

Doedd ganddi fawr o ffydd yn y rheswm cyntaf. Roedd yr ail yn bosib; dyn oedd o wedi'r cwbl. Doedd 'na'm golwg dyn busnes craff arno, oedd felly'n gwneud y rheswm olaf yn annifyr o debygol. Efallai ei bod hi wedi bod yn rhy fyrbwyll wedi'r cwbwl; fe ddylai fod wedi aros a phrofi'r dyfroedd cyn meiddio gwneud dim i unrhyw un o deulu Dolddu. Penderfynodd mai'r peth callaf fyddai anwybyddu'r llythyr am y tro.

Ar ôl cinio ysgafn o gawl panas a thafell o'r dorth ffres, hyfryd o feddal, aeth i fyny'r grisiau i molchi a newid ar gyfer ei hymwelydd. Twriodd yn ei drôr dillad isaf a thynnu allan *basque* du a sanau duon. Taenodd ychydig o gynnwys y botel fechan ddu ar ei garddyrnau, y tu ôl i'w chlustiau a rhwng ei bronnau. A mymryn yn y mannau pwysicaf. Yna gwisgodd y *basque*. Wedi bachu'r sanau yn y sysbendars, gwisgodd bâr o fwtsias duon oedd yn cyrraedd dros ei phengliniau. Yna, cododd ei gwallt yn llac a ffwrdd-â-hi ar dop ei phen. Edrychodd ar ei llun yn y drych. Roedd y *basque* wedi codi a gwasgu ei bronnau fel eu bod nhw'n edrych fel petaen nhw ar dân eisiau dianc o'u caethiwed. Roedd ei gwasg wedi ei dynnu i mewn fwy nag erioed ac roedd ei choesau'n edrych yn hirach fyth. Perffaith. Mi fyddai Dewi Jones yn does yn ei dwylo. Yna, gwisgodd ffrog fer goch dros y cwbl, un oedd yn disgyn yn bentwr sidan i'r llawr dim ond iddi lithro'r strapiau dros ei hysgwyddau. Doedd hi ddim yn ffrog newydd o bell ffordd, ond roedd hi'n gweithio bob tro. Dechreuodd wisgo colur ar ei hwyneb, ac yna chwarddodd.

'Pam dwi'n mynd i'r fath drafferth? Mi fysa'r sglyfath yn glafoerio hyd yn oed taswn i mewn côt oel a welintyns a 'ngwallt mewn cyrlars!' Bodlonodd ei hun gydag ychydig o *khol* a mascara ar ei llygaid a minlliw coch ar ei gwefusau. Gwenodd o gofio fod rhai seicolegwyr yn credu mai ymgais i adlewyrchu gwefusau eraill y corff benywaidd oedd y weithred o wisgo minlliw. Efallai'n wir!

Roedd hi'n chwarter i ddau. Roedd popeth yn ei le yn ei llofft. Cerddodd yn ôl i lawr y grisiau a thywallt gin a thonic mawr iddi hi ei hun. Byddai angen bob cymorth ar gyfer yr orchwyl o'i blaen. Yna, agorodd y drws ffrynt ychydig, ac aeth i'r lolfa. Cyneuodd y dwsinau canhwyllau o gwmpas yr ystafell, yna rhoddodd Ddawns Slavonic rhif 10 Dvorak i chwarae'n uchel, a gorwedd yn ôl ar y soffa i aros.

Am ddau ar y dot, cyrhaeddodd 4x4 Dewi Jones o flaen y tŷ. Edrychodd arno'i hun yn y drych a thwtio ei wallt yn ofalus. Chwistrellodd 'Crystal Blast the natural breath spray' i'w geg, gafaelodd yn y bwnsiad anferthol o flodau oedd ar y sedd arall, a mentrodd allan o'i gerbyd. Cerddodd at y tŷ. Petrusodd fymryn o weld fod y drws yn agored. Yna clywodd nodau Dvorak yn ei suo o'r lolfa. Gwenodd. Cnociodd yn ysgafn ar y drws, rhag ofn, a chamu i mewn i dywyllwch y tŷ. Roedd drws y lolfa'n gilagored. Sbeciodd i mewn, a gweld Siwsi, ei Siwsi wyllt, rywiol yn gorwedd yn foethus ar y soffa, ei llygaid ar gau a'i choesau fymryn, dim ond mymryn, yn agored. Bu bron iddo ollwng y blodau. Llyncodd ei boer a chamu i mewn i'r lolfa.

Agorodd Siwsi ei llygaid yn araf a'u hoelio arno.

'Helô, Dewi,' meddai mewn llais melfedaidd.

'Y . . . helô,' atebodd, gan ddamio'r llyffant oedd newydd lamu i mewn i'w gorn gwddw. 'Ti'n . . . ti'n edrych yn ffantastic.'

Atebodd Siwsi ddim, dim ond codi ei bys ac amneidio'n araf iddo ddod ati. Ufuddhaodd yntau'n syth. Yna cofiodd am y blodau a'u dal o'i flaen yn sydyn. Pwysodd Siwsi ymlaen i arogli'n ddwfn o'u persawr.

'Diolch,' meddai, a'u rhoi o'r neilltu fel bod Dewi yn cael llond llygaid o'i bronnau yn brwydro allan o dop ei ffrog sidan. Yna cododd ar ei thraed yn osgeiddig fel eu bod yn wynebu ei gilydd. Roedd hi'n dalach nag o ar y gorau, ond oherwydd y bwtsias roedd o'n gorfod edrych i fyny arni. Rhedodd Siwsi ei dwylo'n araf dros ei freichiau, ei ysgwyddau, i lawr ei gefn, ac oedi wrth ei ben-ôl, cyn dod â'i bysedd i'r blaen. Cododd Siwsi ei hael chwith. Roedd y creadur bron â ffrwydro allan o'i drowsus yn barod. Yn sydyn, er mawr sioc i Dewi, roedd hi wedi ei daflu ar y soffa. Edrychodd yn hurt arni'n sefyll uwch ei ben. Doedd o ddim wedi disgwyl iddi fod mor gryf. Yna, i gyfeiliant nodau hudol Dvorak, roedd hi'n dawnsio o'i flaen, yn troelli, yn nadreddu, yn ei hudo'n llwyr. Llyncodd ei boer eto. Mi fu droeon mewn bariau amheus ar ymweliadau â Llundain gyda'r hogia, ac roedd dwsinau o ferched wedi lapddawnsio o'i flaen, ond doedd yr un o'r pethau silicon, coman hynny'n cymharu â hon. Roedd hi'n dod â gwahanol rannau o'i chorff o fewn milimedrau iddo, yna'n tynnu'n ôl, jest fel roedd o'n estyn amdani. Yna roedd hi'n dechrau llithro strapiau ei ffrog dros ei hysgwyddau, yna'n troi ei chefn ato, ac yn ei wynebu drachefn. Roedd o'n ysu am gyffwrdd ynddi, ond bob tro y byddai'n ceisio codi ar ei draed, câi ei wthio'n ôl ar y clustogau gan waden y bwtsias hir du.

O'r diwedd, roedd y ffrog yn swp ar y llawr, ac roedd y wyrth o'i flaen yn ddigon i wneud iddo ddechrau glafoerio. Sychodd ei ên â'i lawes. Yna, roedd hi wrth y drws ac yn codi ei bys arno. Roedd hi am iddo ei dilyn. Erbyn iddo gyrraedd y drws, roedd hi hanner ffordd i fyny'r grisiau, yn dal i godi bys arno gyda gwên hudol a'r llygaid hypnotaidd, bendigedig 'na. Brysiodd ar ei hôl. Dilynodd hi i mewn i'w llofft.

Roedd hi'n gorwedd ar ei hochr ar gynfasau duon y gwely, arogl cryf Ylang ylang yn llenwi ei ffroenau, a nodau Bolero Ravel yn tarannu yn ei glustiau. Teimlai Dewi'n chwil gyda'r fath ymosodiad ar ei synhwyrau. Camodd yn gyflym at y gwely, a chyda chwip o'i chorff, roedd o ar ei gefn a hithau ar ei ben o, a'i ddillad yn cael eu rhwygo oddi amdano. Ceisiodd ei chusanu, ond roedd hi'n rhy sydyn iddo, a chyn iddo allu deall beth oedd wedi digwydd, roedd o'n griddfan yn noethlymun gorn, hithau â'i dwy ben-glin yn gwasgu ei goesau, a'i dwylo fel gefeiliau yn dal ei arddyrnau uwch ei ben. Roedd ei bron chwith wedi disgyn allan o gaethiwed y *basque* ac yn hofran o'i flaen. Cododd ei ben a llwyddo i ddal y dethen yn ei wefusau. Griddfanodd hithau gyda phleser. Teimlodd ei llaw dde hi'n gollwng ei gafael yn ei arddwrn. Bachodd ar ei gyfle i ryddhau'r fron arall. Roedd o mewn paradwys, a balchder yn llenwi pob gwythïen, balchder o wybod ei fod yn dal yn ddigon o foi i allu cael merch fel hon yn ysu amdano. Prin y sylwodd o fod ei law dde wedi ei chloi mewn rhywbeth metel, ac roedd o'n rhy brysur yn sugno i sylwi pan lusgwyd ei law chwith y tu ôl i'w ben i gael ei chloi yn yr un modd. Pan neidiodd hi oddi arno i wneud yr un peth i'w fferau, cododd ei ben a sylweddoli beth oedd yn digwydd. Diaw! S&M! Chydig o bondej! Doedd o erioed wedi profi hyn yn y cnawd, dim ond ar sgrin neu mewn cylchgrawn. Fyddai Tracy byth yn fodlon chwarae unrhyw gêmau, ar wahân i strip poker pan oedden nhw'n canlyn, ac mi wrthododd dynnu ei nicer bryd hynny. O, pe byddai ganddo wraig fel hon, mi fyddai ei fywyd yn llawn.

Roedd o wedi dechrau crynu, allai o ddim disgwyl mwy am hyn. Roedd y miwsig yn dal i fynd, yn ei fyddaru, ac roedd hi'n cropian drosto, fel cath, yn nesáu at ei wyneb a'i cheg ar agor.

'Dim marcia plis,' meddai yn sydyn, 'rhag ofn i Tracy ama-AAAAAAAAAAAA!!!!'

Roedd y boen yn echrydus. Be aflwydd? Edrychodd yn hurt ar ei hwyneb yn gwenu i lawr arno. Roedd 'na waed ar ei dannedd, a hwnnw'n diferu oddi ar ei gwefus isaf, ac roedd ei wddw'n llosgi. Teimlodd ofn yn llifo'n oer drwy ei wythiennau.

'Dim ond brathiad bach oedd o,' meddai Siwsi. 'Ti'm yn hen fabi, wyt ti Dewi? Hogyn mawr fatha chdi? W, ac yli mawr wyt ti rŵan . . .'

Ac rŵan roedd hi'n gwneud rhywbeth iddo fo lawr fan'na, rhywbeth hyfryd, arallfydol. Dechreuodd ymlacio eto, gêm oedd hyn siŵr dduw, sens yn deud bod S&M yn mynd i frifo chydig. Yna sgrechiodd eto. Roedd hi wedi tywallt gwêr berwedig drosto, yn chwerthin wrth ddal cannwyll anferthol ar ei hochr dros rannau mwyaf sensitif ei gorff. Gwaeddodd, rhuodd, brwydrodd i ddod allan o'r gefynnau, ond roedden nhw'n dynn amdano. Ceisiodd droi ei gorff, codi ar ei sodlau, ond roedd hi wedi ei glymu fel na allai symud fawr mwy nag ychydig fodfeddi.

'Yr ast!' poerodd arni.

'Be sy'n bod, Dewi bach? Methu cymryd chydig o boen? Ddoi di i arfer. sti,' meddai'r ast mewn llais maleisus. 'Aros funud, gwena'n ddel . . .' Dallwyd Dewi'n sydyn gan fflach o olau. Roedd gan y sguthan gamera! Rhythodd arni'n hurt. Gwyliodd hi'n pilio'r papur du oddi ar y llun polaroid.

'Yli del! Ti'n reit ffotojenic, dwyt? Mae o mor dda, dwi ffansi cymryd un arall . . .'

Caeodd Dewi ei lygaid yn dynn, gan weddïo mai hunllef erchyll oedd y cyfan. Ond pan blannodd hi sawdl yn ei geilliau, roedd y boen yn arteithiol o real.

Pan ddaeth ato'i hun, roedd hi'n sefyll ar droed y gwely a chwip ledr ddu yn ei llaw.

''Dan ni'm 'di gorffen eto, 'ngwas gwyn i . . .'

Dechreuodd wylo. Udo fel babi. Allai o ddim cymryd mwy o hyn.

'Be sy'n bod, Dewi? Ti'm isio chwara efo fi ddim mwy? Isio i mi roi'r gora iddi wyt ti?'

'Yndw, yndw plîs . . . dwi'm yn lecio hyn . . .'

'O, bechod. Dewi druan. Ond 'di petha ddim mor hawdd â hynna, mae arna i ofn.'

'Y?'

'Os wyt ti isio i mi roi'r gora iddi, mae'n rhaid i chdi neud un neu ddau o betha i mi'n gynta. Ti'n gweld, dwi'n digwydd gwbod dy fod ti wedi bod yn hogyn drwg . . . wedi bod yn cymryd petha sy ddim yn perthyn i chdi . . .'

Dechreuodd Dewi deimlo'n sâl, yn wirioneddol sâl. Roedd y cyfog yn codi i'w gorn gwddw.

'Ia Dewi, y cwpwrdd. Y cwpwrdd gymrist ti o 'nghegin i. Twt twt. Hogyn drwg . . . hogyn drwg iawn.' Sgrechiodd Dewi wrth i'r chwip gracio dros ei stumog.

'Doedd gen i'm dewis ond dy gosbi di, nagoedd? Dyna be ma rywun fod i'w neud efo hogia drwg, yndê?' Gwingodd Dewi wrth deimlo'r lledr yn brathu i mewn i gnawd ei glun chwith.

'Sori!' rhuodd. 'Dwi'n sori, reit?'

'Swn i feddwl 'fyd. O, a dwi isio 'nghwpwrdd i'n ôl hefyd. Heddiw.'

'Heddiw?!'

'Ia. Mae 'na fan ar ei ffordd i'w nôl o rŵan. Mewn deg munud a deud y gwir,' meddai Siwsi gan dynnu ffôn symudol Dewi allan o boced ei drowsus a dechrau deialu.

'Be? Ond be ddeudith Tracy?'

'Be ti'n mynd i ddeud wrth Tracy ydi'r peth . . . hwda. Mae o'n canu,' meddai Siwsi'n swta a dal y ffôn wrth ei glust.

'Be? Ond be fedra i – helô? O, haia Tracy . . . ym . . . na, dwi'n iawn . . . jest – gwranda. Mae 'na fan ar ei ffordd i nôl y cwpwrdd 'na'n yr 'hall' . . . stori hir . . . ddeuda i wrtha chdi eto . . . listen love, it's out of my hands . . . jest gad y bois mewn . . . be? Ddeuda i wrthat ti eto, iawn?! Jest gad nhw mewn!'

Cymerodd Siwsi y ffôn oddi arno a'i ddiffodd.

'Da iawn ti, Dewi. Dwi'n siŵr y bydd hogyn clyfar fatha chdi wedi gallu meddwl am eglurhad erbyn . . . wel . . . erbyn i ti ei gweld hi nesa. Ti'n gweld, 'mabi del i, mae 'na fwy.'

'Ond chymris i'm byd arall! Wir yr!'

'Dwyt ti heb orffen talu am ddwyn fy nghwpwrdd i eto, ti'n gweld. Na, dwi'n meddwl mai'r ffordd orau i chdi dalu am dy gamwedd ydi drwy fod yn hael efo rhywun arall. Ti pia'r caffi 'na yn dre, yndê?'

'Y? Ia, ond –'

'Ond ti'm yn ei haeddu o. Be 'di enw'r ferch 'na sy'n ei redeg o i chdi 'fyd?'

'Wendy?'

''Na chdi. Dwi isio i ti ei werthu o iddi – am bris teg. Ugain mil.'

82

'Ugain mil?! Ond mae o werth tair, bedair gwaith hynny!'

Gwelodd y chwip yn disgyn, a sgrechiodd.

'Ydan ni'n cytuno ar ugain mil?' gofynnodd Siwsi'n hynod glên.

'Yndan! Iawn! Ugain mil!'

'A ti'n mynd i drefnu'r cwbwl peth cynta fore Llun.'

'Yndw, iawn.'

'Neu,' meddai Siwsi, gan dynnu llun arall ohono, 'mi fydd rhain yn mynd i'r *Cambrian News* . . . neu at Tracy. Ac os wyt ti'n meddwl gneud unrhyw beth gwirion, cofia 'mod i'n gallu profi mai fi pia'r cwpwrdd 'na. Dwi hefyd yn digwydd gwbod am fisdimanars eraill yn dy hanes di. Un gair yng nghlust yr heddlu, a . . . Ond ti'n gweld, swn i'n lecio i ni aros yn ffrindia. Felly, wedi i mi gael fy nghwpwrdd yn ôl, ac i Wendy gael deeds y caffi, glywi di'm mwy am y peth. Pawb yn hapus ac yn llawen. Ydan ni'n dallt ein gilydd?'

'Yndan,' griddfanodd Dewi, 'yndan, dallt yn iawn. Plîs ga i fynd rŵan?'

'O, na, ddim eto. Mae'n rhaid i ni aros am y cwpwrdd. A dwi'n gwbod am ffordd hyfryd o dreulio'r amser tra 'dan ni'n aros.' Bron nad oedd hi'n canu grwndi. 'Mae hyn i gyd wedi 'nghynhyrfu i braidd, ti'n gweld, ac os dwi isio rwbath, dwi'n ei gael o, hyd yn oed os mai cynhronyn o beth fatha chdi sy'n ei roi o i mi.'

Roedd hi wedi dechrau tynnu amdani, ac er ei waetha, ni allai Dewi rwystro ei gorff rhag ymateb.

Wedi i'r dynion osod y cwpwrdd yn ôl yn ei le a gyrru i ffwrdd, aeth Siwsi yn ôl i fyny'r grisiau. Gorweddai Dewi yn swp chwyslyd, gwaedlyd a llipa o gnawd gwyn a marciau coch a phiws lle bu'r chwip a'r gwêr cannwyll berwedig. Gwenodd Siwsi. Fyddai o'n dda i ddim i Tracy am wythnosau, ac os na fyddai o'n bihafio, fyddai o byth yn gallu codi i'r achlysur eto chwaith.

'Barod i fynd adre'n hogyn da?' gofynnodd.

'Yndw! Plîs, isio mynd adre . . . yn ofnadwy.'

Aeth adref ar ei union. Gyrrodd yn wyllt i lawr yr wtra am y ffordd fawr, heb sylwi ar y sgwarnogod yn gwenu arno o gysgodion y coed. Anwybyddodd brotestiadau ei wraig wrth gerdded i fyny'r grisiau, cloi drws y stafell molchi a chamu ar ei ben i mewn i'r gawod, lle bu'n wylo fel babi am amser hir.

9

'Cwpwrdd newydd?' holodd Colin wrth hwfro ei baned fore Llun.

'Mm,' meddai Siwsi'n ddiamynedd. Oedd raid iddo fo wneud sŵn mor ofnadwy wrth yfed ei goffi?

'Hyll, tydi?'

'Pawb a'i farn,' meddai Siwsi ar ôl cyfri i dri.

'Ei gael o'n y mart wnest ti?'

'Naci.' Oedodd. Ers pryd roedd o wedi dechrau ei galw'n 'ti?' Ystyriodd ei roi yn ei le, ond na, roedden nhw'n nabod ei gilydd yn eitha da bellach, siawns. Ond roedd hi'n dal eisiau ei roi yn ei le ar gownt arall. 'Yli, pryd wyt ti'n meddwl y byddi di wedi gorffen gneud llanast o 'nhŷ i? Dwi'n dechrau cael llond bol.'

Llyncodd Colin waddod ei fŵg yn bwdlyd.

'Pifish heddiw, dwyt? Amser y mis, yndi?'

'Nacdi, y cena bach digywilydd! Ac os dwi'n gofyn cwestiwn, dwi'n disgwyl ateb!'

'Iawn, ocê, keep your hair on,' gwenodd Colin yn ddi-hid. 'Yli, dwi jest â gorffen, reit? Cwpwl o betha bach heddiw, fel rhoi golau yn y selar 'na – mae 'na ogla od uffernol yna gyda llaw – a ddo i 'nôl fory i glirio. A finna'n meddwl bo chdi'n mwynhau 'nghwmni i.'

'Oeddet ti 'fyd?'

'Wel, wsti, dynas ar ei phen ei hun . . .' gwenodd Colin yn slei, 'rhaid bo chdi'n mynd yn unig weithia.'

'Ti'n byw ar dy ben dy hun, Colin . . . ti'n siŵr mai ddim chdi sy'n unig?'

'Wahanol i ddyn, tydi.'

'Os ti'n deud. Ond paid ti â phoeni amdana i,' meddai Siwsi, 'dwi wrth fy modd efo 'nghwmni'n hun.' Ond doedd ei llais hi ddim mor gras bellach. Roedd 'na rywbeth am wên Colin weithiau . . .

'Ia, ia, dyna maen nhw i gyd yn ei ddeud,' meddai Colin yn chwareus.

'O? Pwy ydyn "nhw", felly?'

'Merchaid sy'n byw ar eu pennau'u hunain. Ond mae gan y rhan fwya ohonyn nhw gath neu fwji neu rwbath i gadw cwmni iddyn nhw. Ti'n wahanol. Sgen ti'm byd.'

'Fel ddeudis i, paid ti â phoeni amdana i. A cer i neud be dwi'n dalu i chdi neud.'

'Mynd rŵan, bòs. Os ti'n deud. Fydda i'n licio bod yn submissive weithia . . .' a cherddodd yn hamddenol am y selar, gan roi gwên ddrwg iddi wrth basio. Ceisiodd Siwsi gadw ei gwên dan glo, a methu. Chwarddodd Colin a chwibanu'n fodlon wrth ddechrau ar ei waith.

Wedi clirio'r llestri a sgubo, pwysodd Siwsi yn erbyn y sinc i edmygu ei chwpwrdd. Roedd hi wedi treulio'r

Sul yn ei lanhau'n ofalus, yn sicrhau fod popeth yn ei le, popeth fel y dylai fod. Trueni mai dyma'r dodrefnyn olaf a wnaeth y creadur fu wrthi mor ddiwyd yn ei gerfio iddi. Efallai ei fod o'n ffŵl, ac yn hanner y dyn roedd ei hynafiad, ond roedd o'n chwip o saer.

Craffodd ar y gwaith cerfio cywrain eto, y sgwarnogod a'r ceirw, yr adar a'r bleiddiaid. Yna aeth yn agosach fyth i astudio'i ffefrynnau'n fanwl. Rhedodd ei bysedd yn araf drostyn nhw, y cyrff nwydus wedi eu clymu yn ei gilydd, yr wynebau â'r llygaid caeedig a'r gwefusau oedd yn griddfan mewn pleser mud. Mor hawdd fyddai treulio awren o bleser felly gyda'i thrydanwr bach digywilydd. Doedd o ddim yn anatyniadol o bell ffordd, a doedd hi ddim wedi methu sylwi ar siâp y cefn cyhyrog drwy'i grys, na'r ffaith fod ganddo fysedd hirion, celfydd – fel bysedd gwneuthurwr y cwpwrdd, erbyn cofio. Wrth wylio Colin yn plethu weiars a delio'n ddeheuig â'r sgriws bychain 'na, allai hi ddim peidio â dychmygu'r bysedd hynny'n plethu a sgriwio ei gwallt a'i chnawd hithau. Roedd ei hanadl wedi dechrau cyflymu wrth iddi deimlo cnawd y carwyr gwyllt dan ei bysedd. Yna, trodd yn sydyn. Safai Colin yn y drws, yn amlwg wedi bod yn ei gwylio ers tro. Doedd o ddim yn gwenu bellach.

Neidiodd y ddau ar ei gilydd; roedd o'n gryf, yn galed, a hithau fel pwti yn ei ddwylo. Rhwygodd ei dillad oddi amdani, a brathodd hithau ei war. Anadlodd y chwys dynol, hyfryd ar ei groen a chladdu ei hewinedd i mewn i gnawd ei gefn. Roedd hi'n noeth ac ar ei hyd ar y bwrdd, y derw'n oer a chadarn oddi tani, a'i thrydanwr yn danbaid a chadarnach y tu mewn iddi. Gwaeddodd Siwsi gyda'r pleser o deimlo ei bod mewn dwylo mor hyderus. Griddfanodd wrth iddo ei throi a'i thaflu i mewn i safleoedd a olygai ei fod yn ddyfnach, ddyfnach, a'i phleser yn ddwysach, ddwysach.

'Mae'n bleser plwgio'ch sockets chi, madam,' sibrydodd Colin yn ei chlust.

'Dwi'n mynd i chwythu ffiws unrhyw eiliad rŵan,' ochneidiodd hithau, gan daflu ei phen yn ôl gyda bloedd.

'Chwytha di, del,' griddfanodd Colin, a ffrwydrodd ffiwsiau'r ddau yn wenfflam.

'Waw,' meddai Colin rai munudau chwyslyd yn ddiweddarach. ''Nes i fwynhau hynna.'

Ddywedodd Siwsi yr un gair, dim ond tanio sigarét yn ddiog.

'Ti'm isio i mi orffen heddiw, nagoes?' gofynnodd Colin yn slei, gan chwarae gyda'i bron chwith. 'Digon hawdd i mi ffendio rwbath o'i le yn rwla . . . neu ffendio esgus i ddod 'nôl 'ma, anghofio cwpwl o sgriws yma ac acw . . .'

Trodd Siwsi i edrych i fyw ei lygaid.

'Gwranda Colin, dwi isio gorffen y tŷ 'ma, iawn? Ac os wyt ti isio dy bres, gorffenna fo – heddiw. Mi wna i dy ffonio di os fydda i angen rwbath arall.'

Syrthiodd wyneb y trydanwr.

'Be? Don't call me, I'll call you . . .?'

'Ia, dyna 'sa ora, rhag ofn i chdi losgi dy fysedd,' meddai Siwsi, gyda gwên swta. Yna stwmpiodd ei sigarét a chodi ar ei thraed. 'Reit, dwi'n mynd am gawod. ' Cyrhaeddodd y drws a throi i'w wynebu eto. 'O, a diolch. Roedd hynna'n neis.'

Syllodd Colin yn hurt ar y cwpwrdd o'i flaen. Gallai

dyngu bod y sgwarnog gerfiedig yn crechwenu arno. Trodd ar ei sawdl a stompio i lawr grisiau'r selar gan regi dan ei wynt.

Wrth disgwyl i'r gawod o ddŵr pwerus gynhesu, trodd Siwsi at y drych i godi ei gwallt i fyny rhag iddo wlychu. Digwyddodd hanner sbio drwy'r ffenest i'w chwith, a gwelodd rywbeth tywyll yn symud drwy'r goedwig. Craffodd, ond roedd wedi diflannu. Wfftiodd. Anifail neu gysgod o ryw fath, dyna i gyd. Efallai bod ei hen gyfeillion wedi sylweddoli ei bod hi'n ei hôl o'r diwedd. Roedd yn hen bryd.

Gwenodd ar ei hun yn y drych a chamu i mewn i'r gawod. Gwyddai ei bod hi wedi bod fymryn yn greulon gyda Colin druan, ond doedd hi ddim wedi bwriadu cael rhyw efo fo fel'na, ddim rŵan. Doedd dynion sengl ddim mor barod i gau eu cegau, a doedd hi ddim am i bawb wybod ei hanes. O leia fyddai o ddim mor barod i rannu'r profiad gyda'i gyfeillion dros beint rŵan, ddim wedi iddi ei fychanu o fel'na. Sgrechiodd yn sydyn. Roedd y dŵr yn rhewi! Brysiodd i gau'r tap. Be goblyn?

'Sori,' meddai llais o waelod y grisiau, llais oedd ddim yn swnio'n edifar o gwbwl.

'Clyfar iawn Colin,' gwaeddodd yn ôl.

'Honest mistake, guv!' meddai Colin wedyn. 'Mi ddyla fod yn iawn rŵan.'

Ysgydwodd Siwsi ei phen gan wenu. Doedd hi ddim yn ei feio fo, ac erbyn meddwl, wrth iddi edrych ar effaith y dŵr oer ar ei thethi, roedd 'na awydd wedi codi eto, mwya sydyn.

'Tyd fyny i wneud yn siŵr ta,' galwodd mewn llais chwareus. Roedd o yno fel shot.

Cafodd y ddau gawod bleserus iawn. Ac yna, wedi

rhoi'r arian iddo, rhoddodd Siwsi gusan hir ar ei wefusau, ac fe adawodd Colin yn gymharol fodlon ei fyd. A dyna hynna drosodd, meddyliodd Siwsi. Roedd ganddi ffansi picio i'r dre am ginio.

Daeth Wendy ati'n syth, gyda gwên.

'Helô . . . a be ti 'di bod yn neud?!' meddai wedyn, gan edrych arni'n lled-amheus.

'Ddrwg gen i?'

'Golwg da, ond gwyllt arnat ti. Fel sa ti newydd gael dy damad neu rwbath . . .'

Gwenodd Siwsi'n ôl.

'Fel'na fydda i'n edrych bob amser, Wendy.'

'Yeah! Right! Wel? Isio cinio wyt ti? Sŵp blydi lyfli gen i, pumpkin.'

'Iawn, perffaith. Pwmpen ydi o'n Gymraeg, gyda llaw.'

'Dos o 'ma! Ia wir? Wel . . . ella bod o'n rhoi gwynt i mi erbyn meddwl.'

'O, Wendy . . .' Roedd gan Wendy gymaint i'w ddysgu, meddyliodd.

'Sori. A' i i gnesu powlenaid i ti, wedyn . . . have I got news for you!' Chwarddodd Wendy fel merch hanner ei hoed, a bron nad oedd hi'n sgipio am y gegin.

Eisteddodd Siwsi'n ôl a chynnau ei sigarét yn hamddenol. Roedd 'na bleser garw i'w gael allan o wneud pobl yn hapus, oedd, yn bendant. Doedd hi ddim wedi cael cyfle i godi calonnau ers amser maith, er mai dyna oedd ei phrif ddiddordeb ar y dechrau. Gwella afiechydon, cael gwared o boenau a phroblemau. Ac arferai pobol fod yn ddiolchgar bryd hynny, gan adael anrhegion iddi, talu iddi hyd yn oed.

Hanner dwsin o wyau fan hyn, hwyaden neu ddarn braf o gig mochyn fan draw. Ambell geiniog neu sofren yn ôl gallu'r rhoddwr i roi – ac yn ôl maint y broblem wrth gwrs. Ond doedd arni ddim angen y tâl mewn gwrionedd; roedd y sglein yn eu llygaid yn ddigon, y wên ddiolchgar a'r ysgwyd llaw diffuant. Ond gwyddai hefyd am yr angen dynol i ddiolch gyda rhywbeth pendant, er iddi amau droeon mai math o yswiriant oedd o yn y bôn. Anrheg fach i'w chadw'n hapus, rhag i'r broblem ddod yn ôl. Gallai weld yr ofn yng nghefn llygaid ambell un, yr ofn y gallai rhywun oedd â'r ddawn i wella, fod â'r ddawn i frifo a chwalu hefyd.

Roedd ei mam wedi ei rhybuddio, a'i nain cyn hynny, wedi ei siarsio i ddewis yn ofalus, wedi ceisio egluro nad oedd pawb yn mynd i ddeall ei doniau, ond roedd Siwsi wedi mynnu dal ati, yn gwneud ffafr i bawb oedd yn galw, waeth pwy oedden nhw, ac wedi gadael i'w hemosiynau ei rheoli. Mi ddysgodd ei gwers. O, do.

Ond, y tro yma, o ddewis yn ofalus, roedd hi am ddal ati i wneud bywyd yn haws i bobol. Pobol fel Wendy. Ond am bob Wendy, roedd 'na Ddewi Jones. Ac am bob tro da, mi fyddai 'na dro gwael. Llygad am lygad, dant am ddant. Tegwch, dyna'r cwbl oedd o.

Daeth Wendy yn ei hôl gyda phowlenaid o gawl pwmpen lliw aur, a chyrlen o hufen a deilen o goriander yn ei ganol.

'Bon appetit,' meddai Wendy, gan eistedd gyferbyn â hi a phwyso ymlaen yn eiddgar i adrodd ei hanes. 'Reit, ti'm yn mynd i goelio hyn, ond mae Mr Jones wedi cynnig y lle 'ma i mi! Yn uffernol o rad! Ac es i heibio'r banc bore 'ma, ac maen nhw'n mynd i fenthyg y pres i mi, dim problem! Fedri di goelio'r peth?!'

'Anhygoel,' gwenodd Siwsi.

'Yntydi? Dwi mor ecseited, dwi prin yn gallu byta! Bòs arna i fy hun, meddylia! Fi! Wendy Rowlands!'

'Tydi o m'ond be ti'n haeddu,' meddai Siwsi wrthi.

'Ai. Ti'n iawn. Dwi'n blydi wel haeddu fo, reit siŵr. Ond dwi dal methu dallt be ddoth drosto fo. Doedd o'm yn edrych rhy dda, deud gwir. Ella mai sâl ydi o. Isio bod yn neis efo pobol cyn iddo fo'i phegio hi.'

Chwarddodd Siwsi. 'Bosib iawn, ond paid ti â phoeni am hynny.'

'Tydw i ddim! Asu, dwi'n edrych ymlaen cofia. Fyddi di'm yn nabod y lle 'ma wedi i mi ddechra. Hei – ti ffansi dod allan nos Sadwrn nesa? I ddathlu?'

'Yn bendant.'

'Grêt!' gwenodd Wendy, gan godi eto. 'Reit, ffonia fi. Well i mi adael i chdi fwynhau dy gawl pwmp mewn llonydd.'

'Pwmpen.'

'Ia, hwnnw. Hwyl!'

Oedd, roedd 'na bleser mawr i'w gael o weld pleser bobol eraill.

Gadawodd Siwsi y caffi gan deimlo'n gynnes fel tôst tu mewn, a dechreuodd gerdded ar draws y sgwâr at ei char. Ond bu'n rhaid iddi gamu'n ôl ar y palmant wrth i gar yrru'n wyllt rownd y gornel. Daliodd lygaid y gyrrwr, a chododd law arno'n gwrtais. Rhythu'n syth yn ei flaen wnaeth Dewi Jones, gan esgus nad oedd wedi ei gweld o gwbl. Trodd llaw Siwsi yn un bys am eiliad, yna gwenodd, a rhoi ei llaw yn ôl yn ei phoced cyn i neb sylwi arni. Oedd, roedd 'na bleser mawr i'w gael o weld pobol yn diodde hefyd. Chwarddodd yn dawel iddi hi ei hun.

10

Drannoeth, wedi bwrw golwg fanwl dros waith Colin, gwaith rhyfeddol o daclus chwarae teg, penderfynodd Siwsi ei bod hi'n hen bryd iddi fynd ar ôl yr adeiladwr 'na. Roedd hi wedi rhoi'r cerdyn gyda'r rhif ffôn gafodd hi gan Dewi Jones yn rhywle. Ie, yn rhywle. Doedd taclusrwydd a threfn ddim yn un o gryfderau Siwsi. Roedd ei gwaith cyfrinachol yn hynod drefnus bob amser – mater o raid – ond doedd pethau bach bob dydd fel cadw'r gegin yn daclus a chadw rhifau ffôn ddim yn dod yn naturiol, rywsut.

Wedi chwilota ymhob drôr, pob bocs a photyn, daeth o hyd i'r darn papur yng ngwaelodion ei phwrs. Adrian Pritchard oedd yr enw. Pritchard? Prydderch yn Gymraeg, wrth gwrs. Ond doedd hwn yn amlwg ddim wedi teimlo'r angen i newid ei enw'n ôl i'r ffurf Gymraeg wreiddiol. Ond y gwreiddiol go iawn oedd 'ap Rhydderch' wrth gwrs. Ap Rhydderch? Teimlodd ei chalon yn cyflymu. Tybed oedd o'n perthyn i'r ap Rhydderch hwnnw a gofiai Siwsi yn rhy dda o lawer?

Brysiodd i edrych o dan 'P' yn y llyfr ffôn. Doedd 'na 'run ap Rhydderch na Prydderch yn yr ardal, a doedd 'na ddim llawer o dan Pritchard chwaith. Diddorol . . .

Cododd Siwsi y ffôn a deialu'r rhif. Merch atebodd. Ei wraig. Merch gwrtais iawn, a threfnus. Roedd Adrian allan ar y pryd, ond roedd croeso i Siwsi adael ei rhif ffôn ac mi fyddai'n siŵr o'i ffonio hi i drefnu galw draw cyn gynted â phosib. Rhoddodd Siwsi y ffôn yn ôl yn ei grud yn fodlon, ac yna aeth i wneud paned o de mafon duon iddi hi ei hun.

Doedd ganddi ddim cynlluniau penodol ar gyfer y

dydd. Roedd hi'n bwrw glaw, a'r gwynt yn chwythu'n oer, felly doedd ganddi fawr o awydd garddio, a doedd ganddi fawr o awydd mynd i focha efo'r bali seler 'na chwaith. Roedd hi wedi bod yn gwylio'r teledu'n achlysurol, ond ar wahân i ambell ffilm, a'r gyfres Gymraeg 'na am dîm pêl-droed, dim ond sgrwtsh oedd ymlaen. Yna cofiodd fod nifer o bobol erbyn hyn wedi dechrau ei holi ynglŷn â sut roedd hi'n gwneud ei bywoliaeth. Roedd hi wedi sôn yn hynod ffwrdd-â-hi am hen fodryb wedi gadael celc go lew iddi yn ei hewyllys – oedd ddim yn rhy bell o'r gwir – ond roedd hi wedi sylweddoli y dylai ymddangos fel pe bai'n cael arian gonest o rywle.

Bu'n pendroni am sbel dros ei phaned. Doedd hi'n bendant ddim isio swydd naw tan bump. Rhywbeth y gallai ei wneud o gartref, dyna fyddai gallaf. Ond beth? Wedi'r cwbwl, roedd ganddi gymaint o dalentau. Gwerthu planhigion efallai – ond na, byddai pobol eisiau galw draw i weld yr ardd a ryw lol fel'na, felly na, dim planhigion. Rhywbeth mwy creadigol, rhywbeth y gallai werthu – am bris da. Rhywbeth y byddai'n ei fwynhau . . .

Crwydrodd o amgylch y tŷ a'i phaned yn ei llaw, gan edrych ar yr holl enghreifftiau o'i chreadigrwydd. Gallai osod blodau, wrth gwrs, ond prin fod hynny'n yrfa. Gallai wneud canhwyllau reit ddel, a byddai'r rheiny'n siŵr o werthu'n dda. Ond pres mân oedd canhwyllau. Mwclis, efallai? Gallai drin arian gystal â neb, ac roedd pobol wastad yn tynnu sylw at ei chlustdlysau cywrain. Ond, na, doedd ganddi ddim awydd soldro a ffidlan felly drwy'r dydd. Ochneidiodd.

'Tyd laen, Siws!' meddai'n flin wrthi ei hun. 'Mae'n rhaid bod 'na rwbath fedri di neud!'

Aeth i'r llofft ac estyn ei braich o dan y gwely. Tynnodd y gist fawr allan, a'i datgloi. Tynnodd bron bob dim allan yn ofalus, ac yna, yn y gwaelodion, gwelodd y llun bychan mewn ffrâm ddu. Llun olew o gysgodion mewn coedwig ganol nos, cymysgedd o ddu a glas, a glas tywyll oedd mor dywyll, bron nad oedd yn ddu. Hi oedd wedi paentio hwn flynyddoedd yn ôl, yn ystod y cyfnod hir felltith 'na pan fu'n rhaid iddi guddio am fisoedd a chicio ei sodlau o fore gwyn tan nos mewn selar oer. Ac roedd hi wedi dechrau paentio er mwyn cadw ei hun yn gall. Mi weithiodd iddi hi, ond aeth sawl un o'r lleill yn orffwyll, druan ohonyn nhw. A dyma ganlyniad ei phaentio cudd: atgof o'i rhyddid, y cyfnod cyn i bethau chwerwi, cyn iddi orfod gadael.

Craffodd ar bob modfedd ohono, a gwenu. Roedd hi'n ei hoffi. Fel gyda phopeth arall, roedd ganddi'r ddawn. Ia, bywyd artist wnâi'r tro yn iawn. Gallai werthu ei lluniau'n lleol, ond gallai hefyd esgus bod pobol o bell wedi talu miloedd iddi am ei lluniau. Yr eglurhad perffaith dros ei chyfoeth. Neidiodd yn ystwyth ar ei thraed, rhedodd i chwilio am forthwyl a hoelen, a chyn pen dim, roedd y llun uwch ben y silff ben tân yn y lolfa.

'Reit ta, at waith!' meddai wrthi ei hun. Tynnodd wad o bapurau ugain allan o'r stôr arian, yna rhoddodd weddill cynnwys y gist yn ei ôl yn ofalus cyn ei chloi eto a'i gwthio o dan y gwely. Newidiodd yn sydyn, heb drafferthu gwisgo colur na thynnu brwsh drwy ei gwallt, a neidiodd i mewn i'r car.

Awr yn ddiweddarach, roedd cefn y car yn llawn o bob dim y byddai arni ei angen i fod yn arlunydd: canfasau bach, canolig a mawr, stand arlunio, tiwbiau o baent olew, dyfrlliw ac acrylic, brwshys paent o bob siâp a maint, llyfrau sgetsio, llond bocs o bastels a golosg. Roedd perchennog y siop wedi gwirioni.

'Nadolig wedi dod yn gynnar! Diaw . . . cash?! Ro i ddisgownt reit neis i chi, ylwch.'

Treuliodd Siwsi weddill y prynhawn yn gwagu'r llofft bellaf er mwyn ei throi'n stiwdio. Roedd 'na fwy o olau yma nag yn unrhyw un o'r stafelloedd eraill: dwy ffenest, un yn wynebu'r gorllewin a'r ardd, a'r llall yn wynebu'r gogledd a'r gwyllt. Gosododd ei hoffer ar y silffoedd yn erbyn y wal, a rhoi'r stand rhwng y ddwy ffenest. Doedd hi ddim yn stafell fawr iawn, a chyda'r holl geriach ynddi roedd hi'n edrych hyd yn oed yn llai, ond roedd 'na deimlad cynnes, braf iddi, fel math o nyth neu gocŵn. Gosododd Siwsi ganhwyllau yma ac acw, a photiau i losgi olew â phersawr fyddai'n deffro ei doniau creadigol.

O feddwl mai dim ond esgus oedd y busnes arlunio 'ma i fod, roedd Siwsi wedi cynhyrfu drwyddi.

'Dwi'n mynd i fwynhau hyn,' meddyliodd, 'ac mae o dipyn mwy diogel na'r ffyrdd eraill sydd gen i o ymlacio.' Chwarddodd yn uchel.

Aeth i nôl potel o Merlot o'r gegin, a thywallt gwydraid iddi hi ei hun. Yna eisteddodd o flaen canfas go fawr ar y stand, a brwsh paent yn ei llaw.

Eisteddodd yno am hir, yn syllu ar y canfas gwyn, gwag. Doedd ganddi ddim syniad lle i ddechrau.

'Tyd 'laen, Siws!' meddai'n uchel, 'mae'n rhaid bod 'na syniad yn dy ben di'n rwla. Paentia rywbeth – unrhyw beth!' Ond roedd ei meddwl mor wag â'r canfas. Gallai weld y goedwig tu allan, ond doedd ganddi fawr o awydd dechrau ffidlan efo dail a brigau. A phun bynnag, doedd hi ddim eisiau bod yn arlunydd bach saff yn tynnu lluniau del o goed a blodau.

Gallai deimlo ei thymer yn codi, ac roedd hynny ynddo'i hun yn ei gwylltio. Ceisiodd gau ei llygaid a chanolbwyntio ar ymlacio. Ond y munud roedd hi'n eu hagor eto i weld y canfas yn gwgu arni, roedd ei phen yn dechrau berwi a'i dannedd yn cloi. Sgrechiodd mewn cynddaredd. Roedd hyn yn bathetig! Taflodd y canfas ar y llawr a neidio arno. Rhwygodd y defnydd yn syth.

Sgrechiodd eto, a throi at y silffoedd. Rhoddodd swaden i gynnwys y silff ganol a chwyrlïodd y tiwbiau paent a'r pot llawn brwshys drwy'r awyr. Gafaelodd yn y bocs pastels a'i daflu'n wyllt yn erbyn y wal. Ffrwydrodd y pastels yn shwrwd i bobman, a disgyn i'r llawr fel conffeti o gynhron. Syrthiodd Siwsi i'r llawr yn beichio crio ac yn rhwygo ei dwylo drwy'i gwallt, gan dynnu talpiau poenus o'i chyrls allan o'r cnawd.

Gorweddodd yno am hir, yn igian crio. Be oedd yn bod arni? Doedd hi ddim yn arfer bod fel hyn. Fyddai hi byth yn gwylltio efo neb na dim; arferai fod yn berson bodlon, wastad yn gweld yr ochr orau o bethau – person pwyllog, rhadlon, yn barod i ymddiried yn llwyr ym mhawb a phopeth. Ond dyna fo, erstalwm oedd hynny. Flynyddoedd lawer yn ôl, cyn iddo Fo ei bradychu, cyn iddyn nhw droi arni a'i hel allan o'i chartref a'i chynefin. Dim rhyfedd ei bod hi wedi chwerwi. A chwerwi mwy bob tro y ceisiodd ddychwelyd. Doedd y diawlied yn gwella dim. Oedd, roedd 'na ambell unigolyn diniwed fel Wendy yn eu mysg, ond tybed sut fyddai hithau'n ymateb pe tai Siwsi'n dweud y gwir wrthi?

'Dwi'n wrach, Wendy.'

'O? Rîli? Grêt, pasia'r siwgwr.' Go brin.

Ond fe allai ddweud yr hanes i gyd wrthi, egluro ei hochr hi o'r stori, rhywbeth na chafodd gyfle teg i'w wneud erioed. Siawns na fyddai'n deall wedyn. Ie, efallai, rhyw ddiwrnod, ond nid ar hyn o bryd. Rhy gynnar. 'Pwyll pia hi,' meddai Siwsi wrthi ei hun yn uchel, gan godi ar ei thraed.

Aeth at y drych yn y stafell molchi, a syllu ar ei hadlewyrchiad. Golwg y diawl: gwallt wedi ei dynnu drwy'r drain, llygaid fflamgoch a thrwyn yn diferu. Ymolchodd yn ffyrnig a chladdu ei hwyneb yn y lliain. Yna anadlodd yn ddwfn a'i llygaid ar gau. Ceisiodd ymresymu â hi ei hun.

'Mae hyn yn hurt bost, Siws,' meddyliodd. 'Mae dy bŵer di wedi dod yn ei ôl, yn gryfach rŵan nag y buodd o rioed. A phan fydd y lleill yn ôl, mi fydd dy bŵer di deirgwaith, bedair gwaith yn gryfach; mi fyddi di'n gallu gwneud unrhyw beth fynni di. Unrhyw beth. A defnyddio'r cwpwrdd . . . Ond fel mae petha, ti'm hyd yn oed yn gallu cadw trefn arnat ti dy hun. Mae'r blydi tymer wirion 'ma'n dy adael di – a phawb arall – i lawr bob blydi tro.'

Roedd hi wedi arbrofi gyda phob swyn dan haul i geisio rheoli ei thymer, ond er fod rhai'n gweithio dros dro, doedden nhw ddim yn para. Felly, dro yn ôl, daeth i'r casgliad mai dim ond drwy gryfder ei meddwl, drwy rym ei hewyllys, y gallai hi ddysgu ei rheoli. Ac fe ddylai rhywbeth fel arlunio ei helpu i ymlacio, neno'r dyn! Rhoddodd slap iddi ei hun, ysgwyd ei phen, edrych arni'i hun yn y drych eto, a sythu. Tynnodd grib drwy ei gwallt, yna aeth yn ôl i'r stafell arlunio a dechrau clirio'r llanast.

Pan oedd popeth yn ôl yn ei le, aeth i nôl ei bocs hud a threulio deng munud yn mynd drwy seremoni i agor llifddorau ei chreadigrwydd. Doedd hi ddim am wneud swyn i dawelu ei thymer, wedi'r cwbwl; onid oedd yr artistiaid gorau, yn llenorion a cherddorion, yn cyflawni eu gweithiau gorau pan oedden nhw wedi gwylltio? Neu o leiaf allan o'u pennau am ryw reswm neu'i gilydd.

Sianelu ei thymer, dyna oedd yr ateb.

Yna, gosododd ganfas arall ar y stand, ac agor rhai o'r tiwbiau olew. Cododd frwsh, a dechreuodd baentio. Doedd ganddi ddim syniad be'n union fyddai hi'n ei baentio, ond doedd dim ots. Gadawodd i'r brwsh a'r lliwiau ei harwain. Chydig o goch fan hyn, cyrlen o ddu fan'na. Ac yn araf, sylweddolodd fod rhywbeth oddi mewn iddi bellach yn arwain y brwsh a'r lliwiau, yn gyflym, yn wallgo o gyflym. Prin y gallai hi ddal i fyny â'r syniadau. Roedden nhw'n llifo allan ohoni, yn byrlymu, yn rhaeadru, yn afon wyllt o emosiynau amryliw. Dechreuodd chwerthin a gweiddi yn uchel a thaflu'r paent ar y canfas cyn ei chwyrlïo'n batrymau diarth – a chyfarwydd. Doedd hi ddim yn gallu stopio, ac fe ddaliodd ati i baentio nes bod y goedwig tu allan yn ddu bitsh.

O'r diwedd, gwyddai ei bod hi wedi gorffen. Roedd y llun yn barod. Sychodd y chwys oddi ar ei thalcen â'i llawes, a chododd ar ei thraed. Teimlai'n sigledig. Cerddodd i ben pella'r ystafell a throi i edrych ar ei llun gorffenedig. A gwenodd.

Bron nad oedd hi eisiau dechrau ar lun arall yn syth, ond gwyddai nad oedd ganddi'r egni. Bwyd. Roedd arni angen bwyd. Doedd hi heb fwyta briwsionyn ers amser brecwast. Aeth i'r stafell molchi i gael gwared ag ôl y paent oddi ar ei dwylo, ei breichiau a'i hwyneb, ac yna aeth i lawr y grisiau i'r gegin.

Roedd hi ar ganol sglaffio mynydd o frechdan gaws pan ganodd y ffôn.

'Adrian Pritchard,' meddai'r llais dwfn. ''Aru chi adael eich rhif efo Sandra'r wraig 'cw bore 'ma?'

'O ia, yr adeiladwr,' sylweddolodd Siwsi, 'diolch i chi am ffonio'n ôl. Ia, meddwl y bysech chi'n gallu picio draw i gael golwg ar be sy angen ei neud i'r to 'ma? A'r tŷ i gyd o ran hynny.'

'Dim problem. Bore fory'n iawn? Tua'r hanner awr wedi wyth 'ma?'

'Yndi tad. Garth Wyllt . . . dach chi'n gwbod lle mae o?'

'Yndw. Dwi'n meddwl 'mod i,' atebodd Adrian Pritchard yn araf. 'Iawn, wela i chi bore fory ta, Mrs Owen.'

'Miss.'

'Ddrwg gen i. Miss Owen. Edrych ymlaen at eich cwarfod chi. Hwyl rŵan.'

Rhoddodd Siwsi y ffôn yn ôl yn ei grud a dal i edrych arno am sbel. Llais dyn hyderus, siŵr iawn iawn ohono'i hun. Llais oedd wedi troi hyd yn oed yn fwy melfedaidd wedi iddi gywiro'r 'Mrs'. Bron na allai weld yr olwg yn ei lygaid cyn hyd yn oed ei gyfarfod. Dyn genod. Dyn oedd yn disgwyl, nage, yn gwybod, y gallai droi merched o amgylch ei fys bach. Gawn ni weld am hynny, 'ngwas i, meddyliodd Siwsi. Ac yna rhewodd. Sandra. Roedd o wedi deud mai Sandra oedd enw ei wraig. Ble oedd hi wedi clywed yr enw yna o'r blaen? Onid dyna ddywedodd Wendy? Mai ryw Sandra Hughes oedd wedi priodi'r coc oen 'na – tad Leah?

Cafodd ei themtio i ffonio Wendy i ofyn ai Adrian Pritchard oedd o, ond penderfynodd beidio. Câi wybod bore fory, ryw ffordd neu'i gilydd.

11

Roedd Siwsi wedi codi, brecwasta a dechrau ar lun newydd pan glywodd sŵn car yn dod am y tŷ. Edrychodd ar ei horiawr: 8.30 ar y dot. Aeth i ffenest y llofft i wylio Adrian Pritchard yn dod allan o'i Landrover Discovery newydd sbon danlli. Dyn tal gyda phâr o ysgwyddau llydan, a cherddediad diog. Cadwai ei gefn yn syth a'i ben yn uchel, ond roedd ei goesau hirion yn swagro jest fymryn gormod. Penderfynodd Siwsi bedwar peth yn syth:

1. Doedd hi ddim yn hoffi Adrian Pritchard.
2. Hwn, yn bendant, oedd coc oen Wendy.
3. Roedd ei hynafiaid yn cerdded fel yna'n union.
4. Byddai'n sicr yn ei gyflogi.

Clywodd y gnoc ar y drws ac aeth i lawr y grisiau i'w agor.

'Sumai,' gwenodd yr adeiladwr.

'Helô,' gwenodd y wrach, 'dewch i mewn.'

Roedd ganddo'r un llygaid a'r un trwyn â'i hynafiad hefyd.

Gwrthododd Adrian y baned, gan fod ganddo waith yn galw, ond dangosodd ddiddordeb mawr yn y to, y tŷ, y cynnwys, a'r perchennog. Cymerodd ugain munud i roi mesuriadau manwl i lawr yn ei lyfryn bach poced, pum munud i fyseddu ei dodrefn, yn enwedig y cwpwrdd yn y gegin, a phum munud arall i ddigwydd cyffwrdd ei bron chwith wrth wthio heibio iddi yn y cyntedd.

'Ddrwg iawn gen i,' gwenodd.

'Nac ofnwch niwed,' gwenodd Siwsi'n ôl.

'Ha! Ia, da rŵan,' chwarddodd, 'gwbod eich Beibl, ydach chi?'

'Digon,' atebodd, 'a chitha felly?'

'Mater o raid. Dwi'n flaenor.'

'Dow. Blaenoriaid yn mynd yn iau bob dydd, felly, fel plismyn,' meddai Siwsi. A dyna brofi'n derfynol mai hwn, yn bendant, oedd y dyn yr hoffai Siwsi ei weld mewn poen arteithiol cyn gynted â phosib. Dyn fyddai'n talu am yr hyn wnaethpwyd i Wendy, ac am yr hyn wnaethpwyd i Siwsi ei hunan gan hen, hen berthynas iddo. Gwyddai mai'r un gwaed oedd yn llifo drwy wythiennau hwn. Roedd pŵer y genynnau'n ddigon i godi dychryn ar rywun weithiau.

Dywedodd y Blaenor y byddai'n gyrru ei amcangyfrif iddi cyn diwedd yr wythnos, ac y gallai ddechrau ar y to a'r plastro cyn y Nadolig, yn dibynnu ar y tywydd. Ond doedd Siwsi'n poeni dim am hynny. Gallai reoli tymhorau hyd yn oed os na allai reoli tymer. Ysgydwodd ei law wrth iddo adael. Llaw fawr, gref gydag ewinedd rhyfeddol o lân a thaclus o ystyried ei swydd. Dyn gofalus iawn, mae'n amlwg. Gwenodd wrth godi llaw arno'n gyrru'n hamddenol yn ôl am y ffordd fawr. Ond y funud y diflannodd y car o'r golwg, diflannodd y wên hefyd.

Safodd Siwsi ar stepen y drws am amser hir. Byddai unrhyw un fyddai wedi digwydd ei gweld wedi meddwl ei bod hi mewn perlewyg. Yn sicr, roedd cyfarfod Adrian Pritchard wedi cael cryn effaith arni. Y cwbl allai hi ei weld oedd Wendy'n sefyll ar ben pont Bermo, yn beichio crio, ei chalon ar dorri. Wendy'n rhoi genedigaeth unig, boenus. Wendy'n wylo'n dawel ganol nos yn ei gwely oer, yn ysu am glywed cnoc ar y drws. Wendy a'r sglyfath yn cael rhyw. Caru oedd

Wendy, ond cael rhyw oedd Adrian. Rhyw hunanol, hunanfodlon, yn trin Wendy fel cadach llawr a Wendy'n rhy ddiolchgar i sylwi. Neu yn dewis peidio.

Dim ond pan deimlodd hi rywbeth yn llifo i lawr ei dwylo y sylweddolodd Siwsi lle roedd hi. Edrychodd yn hurt ar y gwaed yn llifo drwy ei bysedd. Roedd hi wedi bod yn gwasgu ei hewinedd i mewn i gledrau ei dwylo mor galed nes torri'r cnawd. Ac roedd hi'n flin, yn ofnadwy o flin.

Cerddodd yn araf i'r gegin i olchi ei dwylo yn y sinc a thrin y clwyfau. Yna gafelodd yng ngoriadau'r car.

Gyrrodd yn wyllt i lawr yr wtra, heb sylwi ar sŵn y cerrig yn crafu gwaelod y car. Stopiodd wrth y ffordd fawr yn ôl ei harfer ac edrych i'r chwith a'r dde cyn troi i gyfeiriad y dre. Roedd hi wrthi'n newid i'r trydydd gêr pan sylwodd hi bod fan wen yn ei thin, yn fflachio a chanu corn fel ffŵl.

Roedd y fynedfa am yr wtra ar gornel, ond doedd hi ddim yn rhy beryglus os oedd gyrwyr yn cadw o dan y cyflymder cyfreithiol. Ond weithiau, byddai pobol yn sgrialu rownd y gornel jest fel roedd hi'n tynnu allan. Doedd hi heb gael damwain hyd yma, a doedd pobol yn canu corn arni ddim wedi ei gwylltio ryw lawer – tan heddiw. Pan welodd hi'r gyrrwr yn codi dwrn arni yn y drych, ffrwydrodd ei thymer yn rhacs. Cododd ddau fys dros ei hysgwydd, yna rhoddodd ei throed i lawr ar y sbardun, gwnaeth yntau'r un modd, a bu'r ddau yn sgrechian rownd y corneli am y dre am ryw hanner milltir. Doedd o byth lai nag ychydig fodfeddi y tu ôl iddi, a gallai weld fod ei wyneb yn fflamgoch mewn cynddaredd.

'Dyna chdi boi, dal di i ddod fel'na,' gwenodd arno yn y drych, 'jest un gornel fach arall . . .'

Welodd neb y ddamwain, ar wahân i Siwsi wrth gwrs. Ond yn ôl adroddiadau'r heddlu, roedd yr olwyn flaen wedi cael 'blow out', a'r gyrrwr, oherwydd ei fod yn gor-yrru, wedi colli rheolaeth yn llwyr. Doedd dim bai ar neb ond y gyrrwr ei hun. Roedd wedi mynd dros yr ochr ac i lawr y dibyn i'r afon, y creadur bach gwirion. Gwastraff arall o fywyd dyn ifanc.

Wrth wylio'r fan yn troi ar ei dwy olwyn am y dibyn, roedd Siwsi wedi codi llaw ar y gyrrwr.

'Ta ta!' roedd hi wedi canu'n uchel, cyn tynnu ei throed yn ôl oddi ar y sbardun fel ei bod yn gyrru'n hamddenol unwaith eto. Roedd hi wedi dechrau teimlo gymaint gwell yn syth.

Erbyn iddi barcio a cherdded i mewn i gaffi Wendy, roedd hi'n mwmian canu iddi hi ei hun.

'Pam wyt ti mor hapus?' gofynnodd Wendy, oedd ar ganol clirio llestri oddi ar un o'r byrddau. Roedd y lle'n wag.

'Dwn i'm. Wedi dechrau cael blas ar bethau eto am wn i,' atebodd Siwsi.

'Ar be 'lly?'

'Chydig o bob dim . . . bywyd . . . gwaith.'

'Gwaith? A finna'n meddwl mai lady of leisure oeddat ti, yn byw ar bres dy hen fodryb.'

'O'n. Ond sa ti'n synnu pa mor ddiflas ydi peidio gorfod gneud dim. Gwaith yn cadw rhywun yn iach, tydi?'

'Am wn i. Dwi rioed wedi gallu fforddio bod yn sâl,' meddai Wendy'n sych gan gario'r hambwrdd at y cownter a dychwelyd gyda chlwtyn yn ei llaw.

'Ches inna mo 'ngeni efo llwy arian yn 'y ngheg sti,' meddai Siwsi, oedd wedi nodi'r tinc yn llais Wendy. 'Mi fues inna'n dlawd uffernol unwaith.'

'O? Be ddigwyddodd?'

'Stori hir. Ddeuda i wrthat ti rywbryd.'

'Ffêr inýff,' meddai Wendy, oedd yn gwybod wrth reddf y byddai Siwsi'n dweud pan fyddai'n barod i ddweud a dyna fo. 'Be ydi dy waith di ta?'

'Arlunydd.'

'Be? Artist?'

'Ia.'

'Paentio llunia a ballu?'

'Ia . . . dyna mae arlunydd yn ei neud fel arfer . . .'

'Ocê!' chwarddodd Wendy, 'paid ti â dechra bod yn snotty efo fi, madam!'

'Gwna baned i mi yn lle busnesa ta!' meddai Siwsi gan dynnu ei chôt ac eistedd wrth un o'r byrddau o flaen y cownter.

'Asu . . . what did your last slave die of?' meddai Wendy gan droi am y gegin.

'Sa ti'n synnu,' meddai Siwsi wrthi ei hun gyda gwên.

Daeth Wendy â dau fŵg o goffi at y bwrdd, eistedd i lawr a chynnau sigarét.

'Ti'n un dda ta?' holodd.

'Ddim os oes gen i ddewis,' gwenodd Siwsi.

'Fel artist, y gloman!'

'O. Wel . . . mater o farn mae'n siŵr. Ond dwi'n meddwl 'mod i.'

'Gneud pres go lew?'

'Fedra i'm cwyno.'

'Ga i weld un o dy luniau di rywbryd ta? Ella 'na i roi un i fyny'n y caffi – rŵan mai fi sy'n cael dewis y decor!'

'Wel ia. Ydi petha wedi mynd drwadd?'

'Do, cofia. Pob dim wedi'i seinio!'

'Dwi mor falch drostat ti, Wendy.'

'Ddim hanner mor falch â fi, mêt. A dwi'n mynd i neud yn blydi siŵr bod y lle 'ma'n gneud proffit rŵan.'

'Be? Doedd o ddim cynt?'

'Wel . . . ddim cymaint ag y dylia fo hwyrach!' gwenodd Wendy'n slei. Wel wel, meddyliodd Siwsi, dydi Wendy bach ni ddim yn gymaint o angel wedi'r cwbl. Falch o glywed.

'Felly dwi'n cael gweld y llunia 'ma ta?' gofynnodd Wendy.

'Cei siŵr. Tyd acw ryw dro.'

'Sut? Sgen i'm car nagoes?'

'Ddo i i dy nôl di ta, neu mae 'na ffasiwn beth â bysys sti.'

'Ti rioed yn deud. Iawn, ddo i. Dwi jest â marw isio gweld lle ti'n byw beth bynnag. Nath yr electrician orffen ei waith byth?'

'Do. Y to sy nesa.' Tynnodd Siwsi yn ddwfn ar ei sigarét cyn ychwanegu: 'Ddoth yr adeiladwr draw bore 'ma fel mae'n digwydd.'

'O?'

Oedodd Siwsi, cyn dweud yn bwyllog:

'Ia, ryw Adrian Pritchard . . .'

Ddywedodd Wendy 'run gair am chydig, dim ond gwylio'r mwg yn chwyrlïo allan o flaen ei sigarét oedd yn hofran uwchben y blwch llwch. Yna, llwyddodd i geisio dweud yn ddi-hid:

'O. Fo.'

'Ia. 'Nes i weithio allan mai Fo oedd o. 'Nes i'm sôn 'mod i'n dy nabod di.'

Cyffrôdd Wendy drwyddi.

'Argol, na, paid. Sa fo'n 'yn lladd i. Does 'na neb fod i wbod.'

'Be? Mai fo ydi tad Leah?' Nodiodd Wendy heb edrych arni. Gallai Siwsi deimlo ei hun yn dechrau corddi eto. 'Ydi Leah yn gwbod ta?'

Oedodd Wendy cyn ateb. Doedd hi'n dal heb godi ei llygaid o'r blwch llwch, a gallai Siwsi weld y cochni'n codi dan ei cholur.

'Nacdi. Geith hi wybod pan fydd hi'n hŷn ac yn ddigon call i gadw'n dawel am y peth.'

'Call? Wendy!'

Torrodd Wendy ar ei thraws cyn iddi allu yngan gair arall, a sbio i fyw ei llygaid.

'Paid â dechra. Dwi 'di deud wrthat ti o'r blaen yndo? Musnes i ydi hyn a neb arall. Dwi'm yn busnesa yn dy orffennol di, dysga di roi'r un parch i mi.'

Bu tawelwch rhwng y ddwy am rai munudau. Wendy'n rhythu i grombil y blwch llwch eto, yn canolbwyntio ar gadw ei dwylo rhag crynu, a Siwsi'n edrych drwy'r ffenest, yn ceisio meddwl beth i'w ddweud nesaf, heb bechu. Brathodd ei gwefus isaf am ychydig, yna mentrodd:

'Yli, mae'n ddrwg gen i. Dim ond isio helpu ydw i.'

'Dwi'n gwbod,' meddai Wendy yn dawel, 'ond does na'm byd fedri di ei neud.' Ceisiodd wenu. 'A sy'm isio i chdi boeni am dy do, mae o'n fildar da, gofalus. Dim ond y gora neith y tro i Adrian.'

Roedd Siwsi ar fin dweud rhywbeth, ond brathodd ei thafod mewn pryd. Trodd y sgwrs at drefniadau nos Sadwrn, ac ymlaciodd y ddwy . . . yn raddol.

12

Fore Iau, galwodd y postmon gydag amcangyfrif Adrian Pritchard am y gwaith adeiladu. Anaml fyddai'r postmon yn gorfod mentro i fyny'r wtra am y Garth, gan mai ychydig iawn o bost fyddai Siwsi'n ei dderbyn, dim ond ambell lythyr gan y banc yn y Swistir.

Roedd Siwsi wedi ei wylio'n dod at y drws o'i ffenest llofft. Gŵr canol oed, diniwed yr olwg, oedd yn amlwg yn rhy brysur i fusnesa. Mae'n siŵr ei fod yn diawlio am orfod dod yr holl ffordd i fyny at y Garth; roedd hynny'n golygu y byddai ar ei hôl hi gyda gweddill ei rownd.

'Paid â phoeni, mach i,' gwenodd Siwsi, 'dwi'm yn disgwyl llawer o gardiau Nadolig.'

Roedd yr amcangyfrif yn ymddangos yn ddigon teg, felly cododd Siwsi y ffôn yn syth a chadarnhau'r gwaith gyda Sandra, oedd hyd yn oed yn fwy cwrtais a phroffesiynol na'r tro diwethaf. Byddai gostyngiad am dalu gydag arian parod, wrth gwrs. Trafodwyd y tywydd a manion tebyg, ond doedd dim sôn am y ffafrau y gwyddai Siwsi y byddai Mr Adrian Pritchard Ysw yn eu disgwyl. Oedd Sandra'n gwybod sut ddyn oedd ei gŵr, neu oedd hithau'n dewis peidio gwybod? Doedd y peth yn poeni dim ar Siwsi beth bynnag. Câi Adrian ddysgu ei wers yn ddigon buan.

'Dim byd fedra i ei neud, nagoes Wendy?' meddyliodd. 'Gawn ni weld.'

Dringodd Siwsi i'r stafell arlunio. Roedd hi wedi bod yn brysur. Pwysai dwsin o luniau yn erbyn y wal, rhai yn ffrwydrad gwyllt o liwiau llachar, rhai eraill yn dawelach, addfwynach.

'Maen nhw bron fel dyddiadur o 'mywyd i,' meddyliodd Siwsi, 'cofnod o sut ro'n i'n teimlo pan ro'n i'n eu paentio nhw.' Er ei bod hi'n berson mwy bodlon ei byd wrth baentio'r lluniau 'tawel,' y lleill oedd orau ganddi. Gwyddai hefyd mai'r rheiny fyddai'n plesio'r gwybodusion, er, roedd hi'n ddigon posib mai'r lleill fyddai'n gwerthu. Yn lleol, o leia.

'Does gen i ddim awydd paentio heddiw,' meddyliodd. Yna chwarddodd yn uchel. 'Eu gwerthu nhw amdani ta!'

Llwythodd y canfasau'n ofalus i gefn y car, a gyrrodd am y dref. Gwyddai am siop ym Machynlleth oedd yn gwerthu lluniau da, drud, ond roedd hi am roi'r dewis cyntaf i Wendy.

'Waw,' meddai Wendy, oedd wedi picio allan drwy gefn y caffi i bori dros gynnwys y car. 'Maen nhw'n grêt, Siws! Rîlî cŵl. Yn enwedig hwn.' Roedd hi'n gafael yn un o'r canfasau mwyaf. Un oedd yn gybolfa gymhleth o ddelweddau, lliwiau ac emosiynau. 'Oeddat ti ar rwbath pan baentiest ti hwn, dwa?'

'Cym o,' meddai Siwsi, 'anrheg.'

Edrychodd Wendy arni'n hurt.

'Paid â bod yn wirion – mae hwn werth ffortiwn, siŵr!'

'A bod yn hollol onest efo ti, sgen i'm syniad be 'di'i werth o,' meddai Siwsi, 'ond 'swn i'n licio i chdi'i gael o. Ar un amod.'

Cododd Wendy ei haeliau.

'O?'

'Ia, ar yr amod dy fod ti'n ei roi o'n y caffi, ac yn rhoi ffling i'r cwningod a'r daffodils.'

'Done!' chwarddodd Wendy.

'Ac os roi di ffrâm ffrili amdano fo, mi ladda i di.'

108

Aeth yn ei blaen i Fachynlleth. Doedd perchennog y siop ddim yn siŵr o gwbwl ohoni hi na'r lluniau i ddechrau, ac yn gwneud hynny'n berffaith amlwg gyda'i ffroenau. Felly gofynnodd Siwsi a allai hi bicio i'r lle chwech am eiliad. Yno, tynnodd botel fach felen allan o'i bag llaw, a thaenu dafnau ohono dros ei garddyrnau, ei gwallt a'i dillad. Perfformiodd ddefod fechan o flaen y drych, gan gadw ei llais yn isel rhag i rywun ei chlywed. Yna dychwelodd at y perchennog, oedd bellach yn gwerthu cerdyn pen-blwydd i gwsmer canol oed. Pan gerddodd Siwsi tuag atyn nhw, cyrhaeddodd y cwmwl anweledig o gynnwys y botel felen eu ffroenau. Nid arogl mohono, ond emosiwn. Trodd y perchennog at Siwsi a gwenu arni.

'Helô eto,' meddai'n serchus. 'Lle roedden ni, dwedwch? Ia, y lluniau 'ma yndê, wel, dwi'n meddwl eu bod nhw'n fendigedig cofiwch. Ac mi fyddan nhw'n siŵr o apelio at ein cwsmeriaid ni hefyd. Be dach chi'n feddwl, Mrs Roberts?'

Tynnodd sylw ei chwsmer at y lluniau, ac agorodd llygaid honno fel soseri.

'O! Am wonderful! Yn enwedig yr un gwyrdd 'ma. Wyddoch chi be? Mi fysa'n edrych yn stunning yn fy mharlwr i! Faint ydi o?'

Hanner awr yn ddiweddarach, roedd deg o luniau Siwsi'n perthyn i berchennog y siop, a'r un gwyrdd yn nwylo Mrs Roberts. Roedd gan Siwsi siec am £500 yn ei phoced (y pris y mentrodd hi ei ofyn am y llun gwyrdd), cytundeb gyda'r siop i dderbyn canran uchel iawn o werth y gweddill, ac archeb am ragor o luniau cyn gynted â phosib.

Gwenodd yr holl ffordd adre. Roedd hi wedi teimlo'n euog am eiliad, ond dim ond eiliad. Byddai, mi fyddai wedi bod yn braf gallu eu gwerthu heb orfod troi at y botel felen, ond dyna fo. A phe bai Mrs Roberts yn ddynes dlawd, fyddai hi byth wedi gofyn y fath bris. Ond roedd hi'n amlwg o'i dillad a'r aur am ei gwddf a'i garddyrnau, heb sôn am y diemwntiau ar ei bysedd, nad oedd Mrs Roberts yn brin o geiniog neu ddwy.

Brysiodd adref er mwyn gallu dechrau paentio eto yn syth bìn. Roedd o'n fwy na hobi, yn fwy na ffordd o wneud incwm gonest (wel, cymharol onest) – roedd paentio'n ei chadw'n hapus, yn rheoli ei thymer. Doedd hi ddim wedi teimlo fel hyn erstalwm iawn, iawn. Roedd o'n well na rhyw, hyd yn oed.

Oedodd am eiliad i ystyried a ddylai hi fod wedi bwrw ei gwylltineb ar ganfas yn hytrach nag ar yrrwr y fan wen y bore o'r blaen. Mae'n siŵr y dylai hi. Roedd hi wedi bodloni drwyddi o weld y fan yn hedfan am y ceunant; a deud y gwir, roedd yr effaith arni wedi bod yn ddigon tebyg i awren dda o baentio. Ond doedd neb yn gorfod diodde pan oedd hi'n paentio, nagoedd? Ond ar y llaw arall, doedd y bwbach yn y fan ddim yn haeddu cael byw, ddim os oedd o'n trin pawb ar y ffordd fel'na. Na, roedd y byd yn well lle hebddo fo. 'Non, je ne regrette rien!' canodd Siwsi, gan redeg i fyny'r grisiau i gyfeiriad y stafell arlunio.

Wedi teirawr o baentio caled, roedd ganddi lond canfas mawr o gampwaith arall. Llun bodlon oedd hwn, yn chwyrliadau o wyrdd a melyn. Gadawodd y llun i sychu, ac edrychodd drwy'r ffenest. Roedd hi'n brynhawn heulog. Byddai'r haul yn diflannu dros y gorwel ymhen rhyw awr, ond roedd hynny'n ddigon o amser iddi fynd am dro bach sydyn drwy'r goedwig. Efallai y câi hi ysbrydoliaeth yno. Felly newidiodd i'w esgidiau cerdded, gafael mewn côt drwchus, a chamu allan i'r oerfel braf.

Anadlodd yn ddwfn. Roedd y deiliach dan draed wedi dechrau pydru. Fe âi i'w casglu gyda hyn, er mwyn creu mwy o gompost. Dringodd yn gyflym i fyny'r allt er mwyn i'w chalon bwmpio'n gynt. Er ei bod hi'n chwysu dros ei darluniau, doedd ei chluniau a'i phen-ôl ddim yn cael fawr o waith symud, a doedd y ffordd newydd 'ma o fyw, pawb a'i gar, yn gwneud dim lles i'r corff.

Cerdded bob cam i'r dre fyddai hi a phawb arall erstalwm. Gallai wneud hynny rŵan hefyd, wrth gwrs, ond gyda'r holl draffig a ffyliaid fel boi y fan wen yn sgrialu rownd bob cornel, doedd hynny ddim yn syniad da. Ambell geffyl a throl yn achlysurol fyddai'r unig draffig erstalwm, a'r gyrrwr fel arfer yn codi llaw a chyfarch pawb ar droed yn hytrach na gwgu arnyn nhw am fod yn ddigon twp i gerdded ar y ffordd fawr. Wfftiodd ati ei hun am fod mor sentimental am yr hen amser. Roedd y dyddiau hynny wedi mynd, a dyna fo. Teimlo'n flin oherwydd na chafodd hi fyw y dyddiau hynny'n llawn roedd hi, dyna i gyd. Yr hen hunandosturi felltith 'ma eto.

Gorfododd y meddyliau hynny allan o'i phen, a chanolbwyntio ar gerdded yn bwrpasol am y giât ar dop yr allt. Yna gwelodd sgwarnog ar fonyn hen dderwen o'i blaen, a stopiodd yn stond. Edrychodd y ferch a'r anifail ar ei gilydd gyda diddordeb. Roedd 'na rywbeth mor gyfarwydd am edrychiad y sgwarnog.

'Ys gwn i?' meddyliodd Siwsi.

Cododd y sgwarnog ar ei thraed ôl yn herfeiddiol.

'Megan?' meddai Siwsi'n uchel. 'Megan Tyndrain? Ti sy 'na?'

Cododd y sgwarnog ei phawennau, yna neidiodd yn agosach ati.

'Dwi'n iawn, tydw? Ti ydi hi!' gwenodd Siwsi, gan fynd i'w chwrcwd a dal ei llaw allan yn araf. Daeth y sgwarnog ati'n bwyllog, nes ei bod hi fodfeddi'n unig i ffwrdd o law Siwsi. Yna ffroenodd ei bysedd am rai eiliadau, cyn gwenu'n ôl arni.

'Ti'n dal efo ni felly, rhen chwaer,' meddai Siwsi gan anwesu pen y sgwarnog, 'a finna'n meddwl eich bod chi i gyd wedi hen fynd.' Sythodd yn sydyn. 'Ydi hyn yn golygu bod 'na fwy ohonoch chi?'

Winciodd y sgwarnog arni, ac o fewn eiliadau, daeth tair sgwarnog arall allan o'r cysgodion tuag atyn nhw. Dechreuodd lygaid Siwsi lenwi â dagrau. Edrychodd y sgwarnogod arni'n dawel, a chlosio tuag ati, gan yngan y synau rhyfedda. Roedden nhw'n amlwg yn ceisio siarad efo hi, ond ni allai Siwsi ddeall yr un gair.

'Mae'n ddrwg gen i, genod,' meddai'n frysiog, 'ond mae fy sgiliau cyfieithu i wedi rhydu braidd. Mi fydd raid i mi wneud swyn arbennig i'ch trawsnewid chi – un ges i gan Gymdeithas Gwrachod Ynysoedd Prydain. Dwi wedi'i neud o o'r blaen ryw dro. Dim ond gobeithio bod y cynhwysion i gyd gen i. Dowch adre efo fi, ac mi gawn ni sgwrs gall. Dwi'm yn coelio hyn! Dach chi'n dal yn fyw! Dwi ddim ar fy mhen fy hun!' Roedd hi'n siarad bymtheg y dwsin yn ei chynnwrf, a'r dagrau'n dal i lifo. Roedd y sgwarnogod yn amlwg ar dipyn o frys i gael eu trawsnewid, gan eu bod wedi neidio i lawr yr allt cyn i Siwsi godi'n ôl ar ei thraed. Brysiodd ar eu holau, ond yna, stopiodd yn stond eto.

'Genod!' gwaeddodd. 'Dwi newydd gofio be ydi'r cynhwysion!'

Roedd y sgwarnogod mewn hanner cylch o'i blaen o fewn chwinciad.

'Mae pob dim gen i heblaw am un peth,' meddai Siwsi, 'blew ci.' Edrychodd y sgwarnogod arni mewn braw. 'Ia, dwi'n gwbod bod na'm disgwyl i chi fynd i chwilio am beth i mi, ond mae'n rhaid bod 'na . . .' Cofiodd Siwsi yn sydyn lle roedd y cŵn agosaf. 'Dolddu . . .' meddai dan ei gwynt.

Dechreuodd y sgwarnogod wichian yn betrusgar.

'Peidiwch â phoeni,' meddai Siwsi, 'fydda i ddim chwinciad, a cynta'n byd i ni allu deall ein gilydd, gora'n byd yndê? Arhoswch amdana i fan hyn.'

Dechreuodd Siwsi redeg i gyfeiriad Dolddu, tra edrychai'r sgwarnogod ar ei gilydd mewn ofn. Wedi ymgynghori, penderfynwyd y dylai'r sgwarnog a alwyd gan Siwsi yn Megan Tyndrain ei dilyn – o bellter diogel.

13

Roedd popeth yn dawel iawn yn Nolddu. Doedd dim mwg yn dod drwy gorn y simdde, a doedd dim sôn am sŵn peiriannau o unrhyw fath. Cerddodd Siwsi'n ofalus i fyny'r ffordd am yr hen fan lle gwelodd y ci gyntaf. Roedd y danadl poethion wedi gwywo bellach, a'r fan yn fwy amlwg a rhydlyd nag erioed. Gallai weld y ci yn gorwedd yn ddigalon ar y sedd flaen, a gallai arogli ei faw oedd yn pydru'n bwdin o'i amgylch. Camodd yn dawelach ac arafach.

Ond yna, dechreuodd y ci chwyrnu. Roedd o wedi ei chlywed. Neidiodd ar ei eistedd a'i gweld, droedfeddi oddi wrtho. Dechreuodd gyfarth a chwyrnu'n fileinig am yn ail, gan ddangos ei ddannedd a'r cnawd pinc o'u hamgylch. Ceisiodd Siwsi fwmian canu fel o'r blaen, ond y cwbl a wnâi'r ci oedd cyfarth yn uwch a cheisio ymosod arni. Neidiai tuag ati, a chael ei dynnu'n ôl yn greulon gan y gadwyn bob tro. Caeodd Siwsi ei llygaid yn dynn a chanolbwyntio ar ei chanu, ar y geiriau, ar y nodau. Fe ddylai weithio. Doedd dim rheswm pam na ddylai weithio. Ond roedd y ci'n mynd yn fwy gwyllt bob eiliad.

'Be sy, Caradog?' gofynnodd yn dyner, 'be sy wedi digwydd i ti, ngwas i? Ti'm yn fy nghofio i?'

Tawelodd y ci ac edrych yn rhyfedd arni am eiliad, ond pan geisiodd hi gymryd cam petrusgar tuag ato, aeth yn wallgo eto.

Doedd Siwsi ddim wedi arfer gydag ymddygiad fel hyn mewn cŵn. Roedden nhw wastad yn mynd yn gwbl ddof yn ei chwmni, wastad. Teimlai'n anniddig iawn. Doedd hyd yn oed mwmian canu'r swyn dofi ddim wedi gweithio, a doedd o erioed wedi methu o'r blaen. Roedd 'na rywbeth rhyfedd yn mynd ymlaen yma.

Yna, sylwodd ar gwdyn bychan wedi'i glymu wrth do y car. Gallai daeru nad oedd yno y tro cynt. Ffroenodd yr awyr yn ddwfn. Roedd hi'n anodd arogli dim drwy ddrewdod y baw ci, ond na, roedd 'na rywbeth cryf arall yn gymysg â'r drewdod. Camodd Siwsi fymryn yn agosach, mor agos nes bod dannedd Caradog o fewn modfeddi iddi bob tro y ceisiai daflu ei hun arni. Brwydrodd i beidio â chrynu a hoeliodd ei llygaid ar y cwdyn. Canolbwyntiodd â'i holl synhwyrau. Ac yna, camodd yn ôl. Gwyddai beth oedd yn y cwdyn: cymysgedd o lafant a rhosmari, aeron celyn, dail cerddinen, darn bychan o bren ysgawen, sypyn o fwng ceffyl – a charreg a thwll ynddi. Gwelwodd drosti. Roedden nhw'n gynhwysion digon diniwed ar eu pennau eu hunain, ond wedi eu cymysgu fel hyn, roedden nhw'n negydu effaith ei swynion yn llwyr.

Ond doedd y peth ddim yn gwneud synnwyr. Wyddai neb am hyn ers blynyddoedd lawer, collwyd yr wybodaeth dros y canrifoedd, fel cymaint o wybodaeth debyg. Roedd rhai o'r werin yn cofio rhywfaint ohono tan yn weddol ddiweddar, ond nid y cwbwl. Cofiai Siwsi fel y byddai pobol yn plannu coed celyn neu gerddinen yn ymyl eu tai, neu forderi o lafant a rhosmari ar hyd llwybrau eu gerddi, ac weithiau'n hoelio cudynnau o fwng ceffyl ar eu drysau, gan gredu y byddai hyn yn cadw gwrachod draw. Y creaduriaid bach twp, anghofus. I ddechrau, doedd y cynhwysion unigol yn effeithio dim ar bŵer gwrach, ac yn ail, doedd ganddyn nhw ddim rheswm i ofni gwrach – oni bai eu bod nhw wedi pechu'n ei herbyn yn y lle cynta wrth gwrs. Llygad am lygad oedd hi wedyn. Ond roedd 'na rywun fan hyn yn gwybod am yr hen gyfrinachau. A Rhys Dolddu oedd hwnnw, yn amlwg. Aeth ias i lawr cefn Siwsi, ac am y tro cyntaf ers amser maith, roedd arni ofn – ofn go iawn.

Penderfynodd anghofio am y blew ci, a mynd adre ar ei hunion. Ond wedi cymryd cam neu ddau, oedodd. Byddai'r sgwarnogod yn gwybod mwy am Rhys Dolddu, ac roedd arni angen gwybod y cwbwl ar fyrder. Pendronodd, ond ni allai feddwl am unrhyw ffordd i gael gwared â'r cwdyn. Yna, sylwodd ar beipen rydlyd ynghanol y brwgaitsh wrth ei thraed. Gafaelodd ynddo a'i godi. Roedd o'n drwm, ond nid yn rhy drwm iddi hi. A rhywbeth trwm oedd arni ei angen. Cododd y beipen uwch ei phen a llygadu'r ci. Yna trodd ar ei sawdl, ddwywaith, dair i ennill momentwm, nes bod y beipen yn torri drwy'r awyr fel cyllell, a daeth â hi i lawr fel mellten ar gefn y ci. Disgynnodd hwnnw i'r llawr, ei dafod yn hongian allan o'i geg, a'r poer yn llifo dros ei safnau. Roedd y tawelwch yn sioc am eiliad. Ond daeth Siwsi ati'i hun, gan gamu'n sydyn at y ci, a thorri cudyn o'i flew â'i chyllell boced. Rhoddodd y blew yn ofalus yn ei phoced, gafaelodd yn y beipen a'i thaflu'n ôl i ganol y brwgaitsh. Yna rhedodd nerth ei thraed yn ôl am y goedwig.

Wrth iddi redeg yn wyllt drwy'r coed, y cwbwl a glywai oedd y canghennau'n chwipio heibio a'i chalon yn pwmpio. Ond yn sydyn, clywodd sŵn arall, sŵn yn diasbedain yn y pellter. Sŵn tebyg i wn yn saethu. Rhedodd yn gyflymach. O'r diwedd, gallai weld y giât. Taflodd ei hun drosti, ac yno roedd y sgwarnogod yn disgwyl amdani.

'Y tŷ!' gwaeddodd, heb oedi am eiliad. Roedd y sgwarnogod wrth y drws o'i blaen. Hedfanodd drwy'r drws, a'r sgwarnogod yn chwipio heibio ei choesau, yna clodd y drws y tu ôl iddi, a phwyso ei chefn yn ei erbyn i gael ei gwynt ati.

Cerddodd am y gegin, lle roedd y sgwarnogod yn gorwedd yn grynedig o dan y bwrdd. Roedd hi eisiau siarad efo nhw'r eiliad honno, ond byddai'n rhaid iddi wneud y swyn yn gynta. Rhegodd, a brysio i nôl ei hoffer. Yna, sylweddolodd mai dim ond tair sgwarnoges welai hi. Ond roedd 'na bedair i fod. Brysiodd yn ôl i'r gegin a mynd lawr ar ei phedwar o flaen y bwrdd i edrych i fyw llygaid y sgwarnogod. Roedd 'na ofn go iawn yn eu llygaid ac roedden nhw'n gwneud y synau rhyfedda.

'Dim ond tair ohonoch chi?' meddai Siwsi. 'Be ddigwyddodd? A phwy sy ar goll?' Syllodd ar bob sgwarnoges yn ei thro, ac yna sylweddolodd. Doedd Megan Tyndrain ddim efo nhw. Cofiodd am y sŵn saethu yn y goedwig a dechreuodd deimlo'n sâl. Sythodd yn sydyn. Doedd 'na ddim amser i'w wastraffu.

'Ylwch,' meddai wrth y sgwarnogod, 'dwi'n addo y bydd y swyn 'ma'n gweithio, ond dim ond dros dro. Dach chi'n fodlon efo hynny?' Roedd hi'n amlwg eu bod nhw, felly rhedodd Siwsi yn ôl am yr ardd. Doedd hi ddim eisiau mynd drwy'r ddefod y tu allan, felly cariodd y cerrig gwynion i mewn i'r gegin a gwneud cylch ar y llawr llechi. Fe wnâi stôl dderw yn iawn fel allor am y tro.

Pan oedd popeth yn barod, golchodd ei hwyneb a'i dwylo yn y sinc. Doedd dim amser i gael bàth. Edrychodd ar y sgwarnogod a neidiodd bob un i mewn i'r cylch cyfrin. Taflodd Siwsi bedwar pinsiaid o halen i'r pedwar gwynt, a chynnau'r canhwyllau i gyd. Taflodd y cynhwysion i mewn i'r llond crochan o ddŵr glân ar yr allor, ac ychwanegu'r blew ci yn olaf. Cododd y gwydraid o win coch o'i blaen ac yna tywallt ychydig ddafnau ar y llechi o'i chwmpas. Doedd llechi ddim cystal â phridd, ond dyna fo, fe wnaent y tro yn iawn. Yfodd beth o'r gwin, ac yna agorodd y bocs pren wrth ei thraed a thynnu ei hudlath allan ohono. Saethodd y gwefrau drwy ei chorff yn syth. Trodd yr hudlath mewn un cylch hir uwchben y crochan ac, yn raddol, dechreuodd y gymysgedd droi hefyd, nes bod y cyfan yn chwyrlïo'n gyflym. Siglodd Siwsi ei chorff yn ôl a 'mlaen gan fwmian canu y geiriau hud. Cododd ei llais yn uwch ac uwch a siglodd yn gyflymach, nes bod ei gwallt yn chwyrlïo'n wyllt o'i hamgylch. Yna stopiodd yn stond, a than barhau i ganu, rhoddodd ei bysedd yn y crochan, yna plygodd i lawr at bob sgwarnoges yn ei thro, a thaenu'r hylif dros eu pennau a'u cefnau, drosodd a throsodd nes eu bod nhw'n wlyb domen, y blew yn dywyll a'r dafnau'n diferu ar y llawr. Cododd ar ei thraed eto, a thywallt llond llaw o'r hylif dros ei phen hithau, a'i daenu'n drwyadl dros ei hwyneb. Yna, gyda gwaedd, saethodd yr hudlath i'r awyr.

Dechreuodd y golau yn yr ystafell newid yn raddol, ac er gwaetha'r canhwyllau, trodd popeth yn dywyll. Ond dim ond dros dro. O fewn eiliadau, llanwyd y gegin â golau rhyfeddol o lachar, a dechreuodd Siwsi anadlu eto. Teimlai'n wan a swrth. Roedd y swyn ar ben, ond yn ei holl frys, doedd hi ddim yn siŵr o bell ffordd a oedd o wedi gweithio. Trodd yn ofalus i edrych ar y sgwarnogod. Roedd y tair yn edrych i fyny arni, gyda golwg dorcalonnus o drist yn eu llygaid. Doedd dim wedi digwydd.

Ond yna, dechreuodd un ohonynt ochneidio a chrynu. Disgynnodd ar ei chefn ar y llawr gan wingo a nadreddu ar y llechi. Digwyddodd yr un peth i'r ail, a'r drydedd.

Gwyliodd Siwsi nhw'n araf dyfu a lledu. Trodd y blew yn groen, trodd y clustiau'n walltiau hirion, blêr, ac ar ôl deng munud, safai tair merch noeth o'i blaen, yn crynu gan ofn ac yn ofni agor eu llygaid.

'Peidiwch â phoeni,' meddai Siwsi'n flinedig, 'mae o wedi gweithio.'

Edrychodd y tair ar ei gilydd, yna cofleidio'n dynn gan wylo'n dawel.

'Genod, does na'm llawer o amser, cofiwch,' meddai Siwsi, 'rhyw ddwyawr ar y mwya.'

Trodd y tair tuag ati a siom yn eu hwynebau.

'Mae hynny'n well na dim. Diolch i ti Siwsi,' meddai Lowri, y wrach felynwallt, 'dwi wedi bod yn ysu am hyn. Tydi hi'n fawr o hwyl bod yn sgwarnog y dyddie yma.'

'Croeso siŵr,' meddai Siwsi, gan eistedd yn swrth ar gadair. 'Fedra i ddim ond ymddiheuro na fedar o fod yn barhaol.' Yna cofiodd yn sydyn: 'Ble mae Megan? Glywis i sŵn . . .' Ond doedd dim rhaid iddi orffen y frawddeg. Gallai weld ar eu hwynebau bod rhywbeth erchyll wedi digwydd. 'Pwy?' gofynnodd yn syml.

'Rhys Dolddu,' meddai Ann, y wrach leiaf o'r tair, 'welis i o. Roedd o'n disgwyl amdani dros y wal. Welodd hi mono fo.'

'Ond nath o'i lladd hi?' gofynnodd Siwsi'n syth. 'Ella mai jest ei brifo hi nath o a'i bod hi allan yna'n gwaedu a'n hangen ni –'

'Na,' ysgydwodd y wrach fach ei phen, 'mae hi 'di marw. Mi chwythodd hanner ei phen hi i ffwrdd. Ac aeth un o'r cŵn ar ei hôl hi'n syth. Welis i'r sglyfath peth yn ei chario hi'n ei geg yn ôl at Rhys Dolddu. Wel, yr hyn oedd ar ôl ohoni.' Aeth cryndod drwyddi o gofio'r olygfa a dechreuodd y dagrau lifo.

'Y diawl iddo fo!' sgrechiodd Dorti Ddu, y wrach a'r gwallt hir du at ei phengliniau. 'Roedd o'n gwbod yn iawn! Mae o'n gwbod bob dim, Siwsi. Watsia fo. Mae o'n beryg. Mae o wedi bod yn dy wylio di – o'r goedwig – ganol nos.'

'Ond sut fedar –' cychwynnodd Siwsi, nes i Lowri roi ei llaw ar ei hysgwydd.

'Mi eglurwn ni'r cwbwl i ti,' meddai, 'ond 'dan ni'n fferru fan hyn.'

'Ddrwg gen i,' meddai Siwsi, 'a'i i nôl rwbath i chi

roi amdanoch rŵan. Ann, dyro'r tecell ar y stôf, gewch chi baned hefyd.'

'Stwffio paned,' meddai Dorti, gan afael mewn potel o win coch, 'hwn dwi isio. Dwi wedi hen laru ar fyw ar ddŵr ffos. Dwi wedi breuddwydio'r holl amser am hyn . . .'

Pan ddaeth Siwsi'n ôl i lawr y grisiau gyda llond ei breichiau o ddillad cynnes, roedd y tair gwrach wedi rhoi llond sosban o win coch ar y stôf ac wedi ychwanegu dyrnaid o berlysiau. Roedd Dorti wrthi'n glafoerio dros y sosban gyda lletwad yn un llaw a gwydryn mawr o win yn y llall. Roedd ei gwefusau'n biws yn barod. Ond pan welodd y dillad, neidiodd at Siwsi, a rhwygo'r dilladach allan o'i breichiau.

'Paid â bod mor ddigywilydd!' protestiodd Ann.

'Yli Ann,' atebodd Dorti, 'does gen i m'ond dwyawr i deimlo fel fi fy hun eto, a dwi isio gneud y gora o bob eiliad, sy'n golygu mod i isio edrych ar fy ngora hefyd, iawn?!'

'Pwy welith chdi?!' chwarddodd Lowri.

'Uffar o bwys gen i am hynny,' meddai Dorti, 'fi sy'n bwysig, a fi sydd isio teimlo'n dda. Fyswn i'm yn disgwyl i chdi ddallt.'

'O? Na fasat? A be ti'n drio'i awgrymu?' gofynnodd Lowri'n bigog, gan roi ei dwylo ar ei gwasg a chreu trionglau yr un mor bigog â'i breichiau.

'Hei! Genod!' meddai Ann, 'does na'm amser i gega. Jest gwisgwch yn dawel 'newch chi, a byddwch yn ddiolchgar am gael dwyawr heb flew.'

'Ti'n iawn,' cytunodd Lowri, gan droi at Siwsi, 'ac o'n i jest yn meddwl . . . bechod rhoi'r dillad neis 'ma am gyrff budron sydd ddim wedi gweld sebon ers . . . faint sy dwch?'

'1645,' atebodd Dorti.

'I bob un ohonan ni,' meddai Ann gan godi ei gwydr, 'a Megan.'

Aeth y pedair yn dawel eto wrth gofio am Megan. Hi oedd yr addfwynaf ohonyn nhw i gyd, y gallaf a'r ddewraf. Hi oedd wedi dysgu'r gweddill sut i gadw allan o drwbwl cyhyd. Roedd cannoedd o'u chwiorydd wedi cael eu saethu dros y canrifoedd, a gwyddai Ann, Lowri a Dorti mai i Megan roedd y diolch eu bod hwy ill tair yn dal ar dir y byw.

Siwsi oedd y gyntaf i ddod allan o'r myfyrydod.

'Iawn, brysiwch ta, mae gen i gawod fyny staer, a bàth, a digon o ddŵr poeth.'

'Be ydi cawod?' gofynodd Dorti.

'Ddangosa i i ti yli,' meddai Siwsi gan wenu.

Cafodd Siwsi gryn drafferth i lusgo'r gwrachod allan o'r gawod a'r bàth. Roedden nhw wedi mopio'n lân. Prin y gallai Siwsi weld Ann ynghanol y cymylau o swigod yn y bàth, dim ond ei chlywed yn canu'n fodlon ei byd, ac roedd Lowri a Dorti'n chwerthin yn braf yn y gawod, yn cael y pleser rhyfedda yn taenu hylifau o bob math dros ei gilydd.

'Dowch 'laen genod,' meddai am y pedwerydd tro, 'mae amser yn prysur fynd.'

Ochneidiodd y tair. Ond roedd ochneidio Dorti dipyn mwy dwfn na'r ddwy arall. Craffodd Siwsi drwy'r gwydr, a gwenu. Edrychai fel pe bai'r ddwy wedi eu clymu yn ei gilydd. Roedd Lowri'n cusanu gwar Dorti, ei llaw chwith yn tylino ei bronnau, a'i llaw dde o'r golwg. Roedd Dorti'n ddiymadferth gyda phleser amlwg.

'Bihafiwch . . .' meddai Siwsi, gan estyn lliain i Ann, a edrychai fel dyn eira yn codi o'r bàth.

Bloedd o ryddhad ddaeth o'r gawod.

'Haleliwia,' chwarddodd Siwsi. 'Iawn, ddowch chi allan rŵan?'

'Na, 'nhro i rŵan,' ochneidiodd Lowri.

'Gad lonydd i ni, Siwsi,' meddai Dorti mewn llais dyfnach nag arfer, gan dylino bronnau ei chyfaill. 'Dan ni'm 'di cael rhyw call ers canrifoedd. Wham bam ydi'r cwbwl fedar y blydi sgwarnogod 'na'i neud. Maen nhw 'di dod cyn i ti ddallt eu bod nhw yna.'

'A sut ti'n meddwl oeddan ni'n teimlo yn dy weld ti efo'r holl ddynion 'na ti 'di cael yn ddiweddar, y?' ychwanegodd Lowri, yn fyr ei hanadl.

'Digon teg,' meddyliodd Siwsi, gan fethu tynnu ei llygaid oddi ar yr olygfa drwy wydr y gawod. Roedd Dorti ar ei phengliniau bellach, a Lowri'n griddfan a chrynu. Yna sylweddolodd fod Ann yn sefyll y tu ôl iddi, yn gwylio'r un olygfa dros ei hysgwydd, ac roedd ei dwylo bychain wedi dod yn araf amdani, un o dan ei chrys a'r llall i lawr ei sgert. Caeodd Siwsi ei llygaid a gadael i'r cyfan ddigwydd.

14

Eisteddai'r pedair o amgylch y bwrdd yn y gegin. Roedd gwalltiau tair ohonynt yn dal yn wlyb, roedd Ann fach ar goll braidd yn nillad Siwsi, a dim ond awr o'r swyn oedd ar ôl, ond roedd 'na wên ar bob wyneb. Codai niwl o stêm o'u gwydrau gwin poeth ac ochneidiodd Dorti gyda phleser wrth gymryd cegaid arall ohono.

'Bendigedig,' meddai.

'Diolch,' meddai Lowri, 'doeddat ti'm yn rhy ddrwg dy hun.' Chwarddodd y bedair wrth gofio anturiaethau'r hanner awr ddiwethaf.

'Mae'n wir ddrwg gen i mai dim ond dros dro mae hyn,' meddai Siwsi, 'ond dwi'n addo i chi y gwna i 'ngora glas i gael swyn digon cry i chwalu'r hen felltith 'ma unwaith ac am byth.'

Dyn Hysbys lleol oedd wedi rhoi'r felltith arnyn nhw bob un. Gŵr o'r enw Tudur ap Rhydderch, y gŵr â'r cerddediad diog, a chyfaill i Morgan Hopkins, y dyn ddaeth yn enwog a chyfoethog am arteithio a lladd cannoedd ar gannoedd o wrachod dros y ffin yn Lloegr. Roedd Tudur wedi dysgu cryn dipyn o gastiau gan y gŵr hwnnw, ac ar ôl iddo ddychwelyd i Gymru, aeth ati gydag awch i droi'r werin yn erbyn gwrachod, gan honni eu bod yn ymhél â'r diafol a phwerau'r fall a honiadau eraill cwbl ddisylwedd. A phob tro y byddai gwrach yn llwyddo i ddianc oddi wrth y torfeydd gwyllt drwy droi'n sgwarnog, byddai Tudur ap Rhydderch yn rhoi'r felltith ar yr anifail. Melltith a olygai na allai unrhyw swyn byth eu troi'n ôl yn wrachod, y byddent yn sgwarnogod am weddill eu hoes. Hyd yma, er gwaethaf holl ymdrechion Cymdeithas Gwrachod Ynysoedd Prydain i ddod o hyd i wrth-swyn, dim ond un fyddai'n para am ychydig oriau ar y tro roedden nhw wedi llwyddo i'w greu.

'Os fedran ni fod o gymorth o gwbwl i ti efo'r gwrth-swyn,' meddai Ann, 'cofia, does ond rhaid i ti ofyn.'

'Mi fyddan ni i gyd yn aros o fewn cyrraedd i ti, rŵan ein bod ni wedi dod o hyd i ti,' ychwanegodd Lowri.

'Aros funud,' meddai Dorti'n sydyn, 'mi fues i a Megan yn trafod hyn ryw dro. Roedd hi wedi clywed am y gwrth-swyn 'ma, a'i fod o ddim yn gweithio'n iawn. Roedd hi wedi gweithio allan mai dim ond un cynhwysyn syml oedd ei angen. Damia, be oedd o hefyd?' Edrychodd y gweddill ar ei gilydd. Roedd Megan ymysg y goreuon yn ei dydd am fathu swynion, a byddai gwrachod o bellteroedd mawr yn dod i ddysgu ganddi.

'Tria gofio,' anogodd Ann.

'Be ti'n feddwl dwi'n neud?!' gwylltiodd Dorti.

'Mwy o hwn ti angen, efo dipyn o risgl derw . . .' meddai Lowri gan bwyntio at ei gwydryn gwin.

'Ia, i glirio dy gof di,' cytunodd Siwsi, gan frysio at y coed yn y fasged o flaen y lle tân. Tynnodd ddarn o'r rhisgl oddi ar un o'r darnau coed, yna aeth yn ôl i'r gegin a'i rwygo'n fân i mewn i'r sosban. Trodd y gymysgedd â llwy bren.

'Neith tro,' meddai Dorti'n ddiamynedd. 'Tyd â fo yma.'

Yfodd Dorti'n farus, yna ceisiodd ganolbwyntio eto. 'Roedd y blew ci yn iawn . . . a'r blawd cnau . . . a'r cywarch a'r cegid fel y gwnest ti heddiw. Ond roedd Megan wedi sylweddoli bod isio rwbath llawer llawer cryfach. Damia uffarn! Mi ddwedodd hi wrtha i be oedd o! Ond roedd hynny oes yn ôl, tua 18-rwbath, neno'r dyn. Ond dydi hynny'n ddim esgus chwaith! Be uffar oedd o?!' Roedd hi'n gwylltio gymaint efo'i hun, nes ei bod hi'n crynu drosti. 'Rwbath hollol blydi syml!' ochneidiodd. 'Rwbath fydda'n golygu'n bod ni i gyd yn gallu bod yn ni'n hunain eto, byth yn gorfod bod yn blydi ffwcin sgwarnogod byth eto, a dwi'm yn gallu cofio be oedd o!'

'Fydd hi'n dda i ddim os gollith hi ei limpyn,' meddai Ann yn dawel wrth Siwsi, 'tueddu i gael ffitia.'

124

Symudodd Lowri'n nes at Dorti ac, yn araf, rhoddodd ei breichiau amdani, a dechrau suo canu. Daliodd ben Dorti ar ei brest a'i siglo'n ôl a 'mlaen fel plentyn.

'Dyna fo . . . mi ddaw, dim isio i chdi boeni . . . mi ddaw yn ei amser, ti'n gwbod hynny . . . dim pwynt gwasgu arno fo, 'na fo . . . 'na chdi . . .'

Yn raddol, peidiodd Dorti â chrynu, ond roedd hi'n wylo'n dawel i frest ei chyfaill.

'Dwi'm yn gallu cofio,' meddai mewn llais plentyn, 'cymaint o betha'n troi yn 'y mhen i . . . cymaint o betha wedi digwydd heddiw . . .'

'Paid â phoeni,' meddai Siwsi, 'anghofia am y peth am rŵan. Mae'r rhisgl angen amser i weithio, a hyd yn oed os na lwyddi di i gofio heddiw, mi ddaw i chdi'n annisgwyl un o'r dyddie 'ma, a phan fydd hynny'n digwydd, tyd ata i'n syth, ac mi wna i dy drawsnewid di eto.'

'Ond fedri di ddim,' meddai Ann, 'ddim yn syth. Ti fod i adael pythefnos rhwng bob trawsnewidiad.'

Roedd hi'n iawn. Cofiodd Siwsi am y stori drist o Gernyw, pan oedd gwrach anffodus oedd yn cymryd rhan yn yr arbrofion cyntaf wedi troi'n swp o lwch oherwydd iddyn nhw geisio ei ail-thrawsnewid yn rhy fuan.

'Iawn, os byddi di'n cofio o fewn pythefnos, gad i mi wybod, ac mi fydd bob dim yn barod, bythefnos union i heddiw, iawn Dorti?'

Ond doedd Dorti ddim yn gwrando. Roedd hi, a'i gwefusau, yn canolbwyntio'n llwyr ar fron chwith Lowri.

Ysgydwodd Siwsi ei phen yn drist. Doedd hi ddim yn ei beio hi. Byddai hithau yr un fath yn union ar ôl bron i bedwar can mlynedd fel sgwarnog, mae'n siŵr.

'Genod . . . os gwelwch chi'n dda . . .' meddai'n amyneddgar. Cododd Dorti ei phen yn anfoddog, a thynnodd Lowri ei siwmper yn ôl i lawr yr un mor anfoddog, ond o leia roedden nhw'n gwrando.

'Rhys Dolddu,' meddai Siwsi, 'be dach chi'n wybod amdano fo?'

'Ddim hanner gymaint ag mae o'n gwybod amdanan ni,' chwyrnodd Dorti.

'Be? Mae o'n gwybod?!' Roedd llais Siwsi'n annaturiol o uchel.

'Yndi,' meddai Ann yn dawel, 'fel pob dyn arall o'i linach o ers cenedlaethau.'

'Mae'r wybodaeth wedi cael ei phasio i lawr o'r tad i'r mab er 1645,' meddai Lowri, gan edrych i fyw llygaid Siwsi.

'A 'dan ni i gyd yn gwbod bai pwy ydi hynny, tydan?' meddai Dorti.

Sylweddolodd Siwsi fod y tair wedi hoelio eu llygaid arni, a doedd dim arlliw o'r hwyl a fu yn edrychiad yr un ohonynt. A dweud y gwir, bron nad oedden nhw'n gwgu arni. Teimlodd ei hun yn cochi, a llyncodd ei phoer.

'O? Felly dach chi'n trio deud mai arna i mae'r bai am hyn i gyd, ydach chi?'

'Ti oedd yn ffrindia mawr efo Dafydd Dolddu,' atebodd Lowri.

'Ti oedd wedi gwirioni dy ben efo fo,' ychwanegodd Ann.

'A chdi oedd yn deud bob uffar o bob dim wrtho fo yndê?' meddai Dorti a'i breichiau wedi eu plethu'n dynn, 'petha ddylai 'run wrach fyth eu deud wrth 'run dyn byw!'

'Heb sôn am Dafydd Dolddu!' meddai Lowri'n chwyrn.

'Ddeudis i rioed 'run gair wrtho fo,' meddai Siwsi, gan deimlo ei hun yn dechrau chwysu.

'Paid â malu,' wfftiodd Dorti.

'Wir yr! Cris croes tân poeth!' protestiodd Siwsi. Ond roedd hi'n dechrau ei hamau ei hun, yn dechrau cofio pethau oedd wedi bod ar glo ers amser maith. Os nad oedd y rhisgl wedi gweithio i Dorti, roedd o wedi gweithio iddi hi.

Wedi rhai eiliadau o dawelwch, ysgydwodd Lowri ei phen yn araf gan wenu'n chwerw.

'Wel . . . cris croes tân poeth. Roedd hynna'n beth anffodus i'w ddeud, doedd?! Neu'n beth addas, falle yn yr achos yma.'

Daeth darluniau erchyll yn ôl i gof y pedair; darluniau o Mari ferch Gruffydd wedi ei chlymu i groes bren a fflamau'r goelcerth oddi tani yn ei rhostio'n fyw; darluniau o wynebau anifeilaidd y dorf o'i chwmpas yn ei rhegi a'i bytheirio ac yn chwerthin am ei phen; gallent ailarogli'r cwbl, ailglywed sgrechiadau Mari, ail-fyw'r ofn a deimlent wrth wylio o bell.

'Nid fy mai i oedd hynna,' meddai Siwsi'n dawel.

'Ddim yn llwyr, ella, ond mi roist ti dy droed ynddi reit siŵr,' chwyrnodd Dorti, 'wrth ddeud wrth Dafydd Dolddu mai gwrach oeddet ti . . .!'

'Mai gwrach oedd Mari,' ychwanegodd Lowri, 'mai gwrachod oedden ni i gyd! Be ddaeth dros dy ben di?'

Ymbalfalodd Siwsi am eiriau, ond roedden nhw wedi clymu'n sownd yn ei chorn gwddw hi ac yn gwrthod dod allan. Teimlai'n sâl.

'Mewn cariad oedd hi, yndê,' meddai Ann yn felfedaidd, 'dros ei phen a'i chlustiau.'

Edrychodd y tair ar Siwsi gyda chwestiwn yn eu haeliau. Roedden nhw'n disgwyl ymateb ganddi.

Anadlodd Siwsi'n ddwfn a phwysodd ei bysedd yn galed i'r asgwrn wrth ochr ei llygaid mewn ymgais ofer i gadw'r cur pen draw. Teimlai ei phenglog fel pe bai ar fin hollti. Roedd hi wedi cofio'r cwbl. Ceisiodd feddwl cyn siarad, ymbwyllo cyn dewis ei geiriau'n ofalus, ond yr eiliad yr agorodd ei cheg, tywalltodd y cwbl allan fel rhaeadr.

'O'n! Ro'n i mewn cariad! Wedi mopio 'mhen yn lân! A dwi'n gwbod 'mod i wedi bod yn ddwl, a does gen i'm esgus, ac mae'n ddrwg uffernol gen i, ond rydan ni gyd wedi diodde –'

'Rhai yn fwy na'i gilydd . . .' meddai Dorti'n bigog.

'Iawn, yndi, mae hynna'n wir hefyd, fi ddoth allan ohoni orau –'

'Ti'n deud wrtha i. Tria di fod yn ffwcin sgwarnog ryw dro!' ffrwydrodd Dorti.

'Gad iddi orffen, Dorti,' meddai Ann yn dawel, cyn ychwanegu: 'be ddigwyddodd i chdi ta, Siwsi? Lle est ti?'

Tywalltodd Lowri ragor o win cynnes i'w gwydrau cyn setlo'n ôl ar ei chadair, gan wybod y byddai hon yn stori hir.

'Waeth i chi gael y stori o'r dechra, ddim,' meddai Siwsi, ar ôl cymryd dracht hir o'i gwin.

'Iawn,' meddai Dorti, 'ond tân dani, mi fyddan ni'n sgwarnogod eto 'mhen dim.'

Aeth Siwsi yn ei blaen yn bwyllog.

'Roedd Dafydd a finna mewn cariad go iawn; roedd o'n ddyn arbennig, un o'r dynion prin 'na mae pawb yn meddwl y byd ohono fo, yn ei edmygu a'i barchu. Roedd o'n gry o gorff a meddwl, yn dynnwr coes, yn gês, ond yn annwyl hefyd. Mi fyddai'n dod draw i Ddôl-y-Clochydd ar ei geffyl bron bob nos, efo llwyth o goed tân neu gwningen neu gyffylog i mi. A'r rhyw . . . roedd o'n anhygoel; ches i rioed ddyn efo dychymyg tebyg. Do'n i byth yn gwybod be i'w ddisgwyl ganddo fo. Un munud roedd o'n gariadus a thyner, yn fy nhrin i fel darn o wydr fyddai'n torri ar ddim, a'r munud nesa roedd o mor ofnadwy o fudur, yn gwneud pethau mor fochynnaidd, dwi'n cochi dim ond wrth feddwl –'

Torrodd Dorti ar ei thraws.

'Dos 'mlaen efo'r stori ta. Ti'n dechra 'nhroi i 'mlaen a fydda i'm yn clywed gair fyddi di'n ei ddweud wedyn.'

Ymddiheurodd Siwsi a brysiodd ymlaen gyda'i stori.

'Roedd gen i ffydd lwyr ynddo fo; fo oedd fy ffrind gorau i hefyd, ac mi fydden ni'n deud bob dim wrth ein gilydd. Ond do'n i'n bendant ddim wedi bwriadu deud wrtho fo mai gwrach o'n i, a wir yr, do'n i ddim yn cofio tan heddiw i mi wneud y fath beth.'

'Sut fedri di anghofio rwbath mor uffernol o dyngedfennol!' wff_tiodd Dorti. Trodd Siwsi i edrych i fyw ei llygaid.

'Dydi dy go ditha ddim yn rhy arbennig, os cofia i'n iawn,' meddai. Gwingodd Dorti, a chau ei cheg yn o handi. 'Ond mae'n gwestiwn digon teg,' meddai Siwsi wedyn, 'a dwi'm yn gwbod yr ateb. Seicoleg am wn i. Rydan ni i gyd yn llwyddo i anghofio am y pethau dwl rydan ni wedi eu gwneud mewn bywyd. Pobol eraill sy'n cofio – y bobol bechon ni ar y pryd.'

'Ond mi gest titha dy frifo,' meddai Ann, 'dy frifo'n ofnadwy . . .'

'Do,' cytunodd Siwsi yn bwyllog, 'ac roedd o'n fy mwyta i'n fyw. Mi fues i'n sâl am yn hir iawn, yn diodde o'r felan mwya uffernol. Bosib mai mater o anghofio neu fygu oedd o. Dwi'm yn siŵr ai fi lwyddodd i gau'r cwbl allan, neu a roddodd rhywun caredig swyn arna i. Beth bynnag, anghofio oedd orau i mi ar y pryd.' Oedodd i danio sigarét, a thynnu'n ddwfn arni.

'Ond, dwi'n cofio'r cwbwl rŵan,' meddai, 'a do, mi wnes i ddeud wrth Dafydd. Roedd hi'n ddiwrnod o haf, a ninnau wedi merlota draw at Lyn Cregennan ar ôl gorffen ein gwaith am y pnawn. Roedden ni wedi dod â llond basged o win, bara ceirch a chaws efo ni, ac ar ôl noson berffaith o feddwi a charu efo fo, dwi'n cofio gorwedd yn noethlymun yn ei freichiau o dan y sêr. Fues i rioed mor hapus yn fy myw.

'A dyna pryd ofynnodd o i mi be'n union oedd yr holl berlysiau oedd gen i yn sychu yng nghegin Dôl-y-Clochydd, be oedd y pethau rhyfedd roedd o wedi eu gweld yn fy nghist fach i, a pam fod cymaint o bobol yn galw i 'ngweld i liw nos. Roedd hi'n berffaith amlwg ei fod o wedi bod yn busnesa ac wedi amau rhywbeth ers tro. Mi wnes i wylltio i ddechrau, a gofyn pa hawl oedd ganddo fo i fusnesa yn fy mhethau personol i. Ond wedyn mi ddeudodd yn dawel, a dwi'n cofio'r geiriau'n iawn:

'"Siwsi, dwi'n dy garu di'n fwy nag unrhyw beth arall yn y byd, ac mi rown i bopeth sy gen i er mwyn gallu treulio gweddill fy mywyd efo ti. Ond, os oes priodas i fod, mi ddylen ni'n dau wybod bob dim sy 'na i'w wybod am ein gilydd. Cardiau ar y bwrdd, o'r cychwyn . . ."

'Wel, ro'n i wedi gwirioni, toeddwn? Roedd o am fy mhriodi i. Fi! Roedd o'n un o'r ffermwyr cyfoethoca yn y plwy a finnau'n neb, yn byw mewn bwthyn bach tlawd ar fy mhen fy hun. Mi ddechreuais i grio, dwi'n cofio. Ro'n i mor hapus, mor falch, ac roedd ei eiriau o'n gwneud synnwyr perffaith i mi. Ac wedyn mi ddwedais i'r cwbwl wrtho fo.'

'Yr het wirion,' chwyrnodd Dorti, gan godi i dywallt mwy o win iddi hi ei hun.

Aeth Siwsi yn ei blaen, gan frwydro i gadw ei llais rhag crygu a'r dagrau rhag cronni.

'Mi ddwedais mai gwrach o'n i, fel fy mam a'i mam hithau, 'mod i wedi cael fy ngeni efo chweched a seithfed synnwyr, ond bod Mam wedi fy nysgu dros y blynyddoedd hefyd, wedi rhannu ei chyfrinachau, ei ryseitiau a'i swynion nes 'mod i'n gwybod llawn cymaint â hi. A phan welodd hi hynny, roedd hi'n gwybod bod ei gwaith hi ar ben. Mi ffarweliodd efo fi, a chusanu fy nagrau, gan egluro mai dyma oedd y drefn erioed. Mi ddigwyddodd yr un peth yn union i chi, yndo?'

Nodiodd y tair gwrach eu pennau'n drist. Roedd y diwrnod y cawsant eu gadael gan eu mamau yn atgof poenus o hyd. Ond roedd gan Ann atgof hyd yn oed yn fwy poenus na hynny.

'Mi ges i fabi sti,' meddai'n dawel wrth Siwsi, 'y peth dela welaist ti erioed. Roedd sylweddoli fod fy nghyfnod i ar y ddaear 'ma ar fin dod i ben yn dipyn o sioc dwi'n cyfadde, ond o'r eiliad y gwelais i hi, ro'n i wedi gwirioni. Ro'n i'n barod, yn edrych ymlaen at gael trosglwyddo bob dim ro'n i'n ei wybod iddi. Ond . . .' Crygodd a dechreuodd ei dagrau lifo.

'Ond mi agoraist ti dy hen geg,' meddai Dorti ar ei rhan, 'a doedd gan Ann ddim amser i wneud dim; roedd y dorf yn dod i fyny'r wtra, yn udo am ei gwaed hi, cael a chael oedd hi, eiliadau gafodd hi i droi'n sgwarnog – jest mewn pryd i Tudur ap Rhydderch roi'r felltith arni.'

'Ac mi gawson nhw afael yn ei babi hi,' meddai Lowri, gan roi ei llaw ar law Ann a chusanu ei thalcen yn dyner.

Caeodd Siwsi ei llygaid. Doedd hi ddim eisiau dychmygu be fu hanes y plentyn.

'Mae'n wir ddrwg gen i, Ann,' meddai Siwsi. 'Taswn i'n gallu troi'r cloc yn ôl . . .'

'Paid â phoeni am y peth,' meddai Ann gyda gwên lesg, 'hen hanes ydi o bellach. Dwi wedi dygymod efo fo. Dos di'n dy flaen efo'r stori. Dwi isio dod 'nôl i gael . . . wel, i gael dechrau eto.'

'Mi wna i bopeth fedra i, dwi'n addo,' meddai Siwsi, gan afael yn dynn yn ei llaw.

'Be ddwedodd Dafydd ar ôl i ti chwydu bob dim allan fel'na?' holodd Lowri.

'Ddwedodd o'm byd am sbel,' atebodd Siwsi, 'ac ro'n i wedi dychryn braidd, yn meddwl 'mod i wedi deud gormod iddo fo allu dygymod efo'r peth, ond wedyn mi ddechreuodd holi mwy: be'n union ro'n i'n gallu ei wneud, os oedd 'na rai eraill tebyg i mi yn yr ardal . . .' Tawodd yn sydyn, a phwyso ei thalcen ar ei dwylo. 'Allai'm credu 'mod i wedi bod mor ddwl.'

'Wel mi fuest ti,' meddai Dorti'n sych, 'ac mi enwaist ti bob un wan jac ohonan ni, yndo?'

'Do. A finna'n meddwl mai isio dod i'm nabod i'n well oedd o, isio gwbod bob dim cyn dechrau trefnu'r briodas. Roedd o'n sbio arna i efo'r llygaid tywyll 'na, yn chwarae efo 'ngwallt i drwy'r cwbwl, yn gwneud i mi feddwl ei fod o wrth ei fodd efo'r ffaith mai gwrach o'n i.'

'A'i dad o'n ffrindia gora efo Tudur ap Rhydderch?!' chwarddodd Dorti. 'Oedd dy ben di wedi troi'n uwd neu rwbath?'

'Do'n i 'rioed wedi clywed am y dyn,' protestiodd Siwsi.

'Wel, os oeddech chi'ch dau i fod i roi'ch cardiau ar y bwrdd, nath o ddim naddo?' meddai Lowri. 'Roedd o'n gwbod yn iawn pwy oedd y sglyfath, a be roedd o wedi'i ddysgu gan y Morgan Hopkins ddiawl 'na.'

'Ac mae'n rhaid ei fod o wedi dysgu'r cwbwl i Dafydd a'i dad wedyn,' meddai Ann. 'Fuon nhw'n sydyn iawn, beth bynnag.'

'Ti'n deud wrtha i,' cytunodd Lowri. 'Torfeydd o ddynion gwallgo yn dod ar ein holau ni i gyd, cyn i ni fedru rhybuddio'n gilydd, cyn i ni fedru gneud dim am y peth, heblaw trawsnewid yn sgwarnogod.'

'Mi lwyddes i i ddianc ar ôl trawsnewid,' meddai Dorti, 'ond es i'm yn bell iawn. Mi gafodd y cŵn afael ynof fi. Ro'n i'n meddwl eu bod nhw'n mynd i fy rhwygo i'n fyw – dyna ydi'r golwg sydd ar fy nghoes i . . .' Dangosodd y creithiau dwfn, diolwg ar waelod ei choes dde. 'A bron nad o'n i'n dymuno marw, ond wedyn mi ddoth Tudur ap blydi Rhydderch yn do, a gorchymyn y dynion i gadw eu cŵn yn ôl. Mi afaelodd ynof fi a rhoi'r felltith arna i. Roedd y diawl yn chwerthin! Wedyn mi adawodd i mi fynd, yn gloff ac yn gwaedu, i fod yn sgwarnog am weddill fy oes. "Fydd hi ddim yn byw'n hir, gyfeillion," meddai o, "fe gaiff eich cŵn gyfle arall 'mhen fawr o dro." Ond chawson nhw ddim,' chwyrnodd Dorti, 'mi lwyddes i gadw allan o'u golwg nhw, a byw i weld pob un o'r diawliaid yn eu beddau.'

'Roedden ni i gyd yn fwy ffodus na Mari ferch

Gruffydd,' meddai Lowri'n dawel. 'Chafodd hi'm cyfle i drawsnewid hyd yn oed.'

Tawelodd y pedair. Llyncodd Siwsi'n galed. Ei bai hi oedd hyn i gyd.

'Be ddigwyddodd i ti, Siwsi?' gofynnodd Ann. 'Sut lwyddest ti i ddianc?'

'Ro'n i'n byw yn Nôl-y-Clochydd ar y pryd, toeddwn,' atebodd Siwsi, 'ac ro'n i'n digwydd bod yn chwynnu tu allan yn yr ardd. Os cofiwch chi, mae Dôl-y-Clochydd mewn lle agored iawn, ac ro'n i'n gallu gweld y dorf yn dod o bell, yn rhedeg o gyfeiriad Llanelltyd efo'u cŵn a'u pastynau a'u picweirch. Ro'n i'n gwybod yn syth mai ar fy ôl i oedden nhw. Mi ddechreuais i redeg yn syth, i fyny'r bryniau, a thrwy'r goedwig, am afon Las. Mi ddois i at y ceunant dwfn 'na, ac ro'n i'n gallu eu clywed nhw'n gweiddi y tu ôl i mi; roedden nhw mor siŵr eu bod nhw wedi 'nal i, ac na allwn i byth neidio drosodd yn ddiogel. Ond mi drawsnewidiais i fy hun yn garw, a hedfan drosodd i'r ochor arall. Mi drois i sbio arnyn nhw'n rhegi a bytheirio, a dyna pryd gwelais i mai Rolant Dolddu, tad Dafydd, oedd yn eu harwain nhw. Tudur ap Rhydderch oedd y dyn diarth yn swagro wrth ei ochor o. Dyna pryd dechreuais i amau Dafydd. Ro'n i wedi cael fy siomi, wedi gwylltio gymaint, do'n i'm yn gwybod be i'w wneud efo fi fy hun. Mi sefais i yno am hir, yn crynu, ond wedyn mi welais i'r dyn ap Rhydderch 'na yn nelu gwn ata i, ac mi redais am y goedwig nerth fy nhraed. Anghofia i fyth sŵn y gwn 'na'n tanio y tu ôl i mi.

'Mi redais i nes ro'n i bron â disgyn, heibio i Abergeirw a Thrawsfynydd, ymlaen ac ymlaen, ond diolch byth, roedd 'na rywbeth wedi fy arwain i at dŷ

Cadi'r Pant. Do'n i heb ei henwi hi. Mi edrychais i drwy'r ffenest, a fan'no oedd hi'n plicio tatws wrth y tân. Mi drodd ei phen a bu bron iddi neidio allan o'i chroen o weld wyneb carw'n sbio arni, y greadures! Dim ond digon o egni i droi fy hun yn ôl yn fi fy hun oedd gen i, wedyn mi lewygais i, yn glewt o flaen y ffenest.

'Mi ofalodd hi amdana i am wythnosau. Efallai ei bod hi'n ddiolwg ddychrynllyd, y greadures, a'i gwynt hi'n drewi na fu'r ratsiwn beth, ond roedd ei chalon hi'n y lle iawn. Ac yn bwysicach na dim, roedd ganddi fodrwy hud. Doedd gen i mo'r egni i droi fy hun yn ddim, ond efo'r fodrwy yna, roedd Cadi'n gallu fy ngwneud i'n anweledig. Mi ddoth criw o ddynion draw fwy nag unwaith yn chwilio amdana i. A'r tro olaf, roedd Dafydd a Rolant Dolddu efo nhw.'

'A dyna pryd –' dechreuodd Ann, a'i llygaid fel soseri.

'Gad iddi ddeud y blydi stori!' gwaeddodd Dorti, oedd wedi dechrau cnoi ei hewinedd.

'Ia Ann,' meddai Siwsi, 'dyna pryd ges i ddechrau dial. Roedd Cadi wedi eu gweld nhw'n dod o bell, ac erbyn iddyn nhw gnocio'r drws, ro'n i'n anweledig. Y cwbwl allwn i neud oedd edrych ar Dafydd, drwy'r adeg. Allwn i ddim peidio. Ro'n i'n dal i fethu credu y byddai o wedi gallu deud ei fod o'n fy ngharu i, ac wedyn 'y mradychu i, i gyd yn yr un gwynt. Ond roedd o yna, efo nhw, yn chwilio amdana i, yn holi Cadi druan yn dwll, yn ei gwthio hi 'nôl a 'mlaen efo'u pastynau, a hitha mor fusgrell. Feiddien nhw ddim ei chyffwrdd hi efo'u dwylo. Ofn y chwain oedden nhw, meddan nhw. Doedden nhw ddim yn meddwl mai gwrach oedd hi, roedd hi'n rhy gyfrwys i adael iddyn nhw feddwl hynny, ac yn goblyn o actores dda. Iddyn nhw, hen wreigan hanner-pan oedd hi, wedi cael ei gollwng ar ei phen pan gafodd hi ei geni. Ond roedden nhw'n ei thrin hi fel baw. Rolant oedd y mwya milain ohonyn nhw. Roedd Dafydd yn ei ddal ei hun yn ôl, a 'swn i'n taeru ei fod o'n edrych yn euog. Mi fentrais i'n weddol agos ato fo. Roedd 'na olwg flinedig arno fo, ei groen o'n llwyd a'i lygaid o'n bŵl. Roedd o wedi teneuo hefyd. Ro'n i isio meddwl ei fod o'n difaru, ac mi wnes i 'ngorau i drio darllen ei feddwl o, ond doedd o ddim yn hawdd a finna'n gorfod canolbwyntio gymaint ar beidio crio.'

'Ond mi lwyddaist?' gofynnodd Lowri'n dawel.

'Do. Roedd o'n glir fel cloch, y lluniau a'r geiriau i gyd yn rasio trwy'i feddwl o. Roedd o wedi deud wrth ei dad ei fod o'n fy ngharu i ac yn meddwl gofyn i mi ei briodi o. Ond doedd hwnnw ddim yn hapus; do'n i'm hanner digon da i'w fab o, siŵr, ei fab hynaf, etifedd Dolddu! Ac roedd o'n cofio fy mam i, doedd o erioed wedi hoffi'r gnawes, doedd pawb yn amau mai gwrach oedd hi? Genod ifanc boliog yn mynd ati liw nos ac yn dod oddi yno'n fain a gwelw? Roedd synnwyr cyffredin yn deud mai gwrach o'n inna, toedd, wedi swyno Dafydd er mwyn cael fy machau ar ei bres o? Doedd 'na bobol yn mynd a dod yn aml i 'ngweld innau byth a hefyd? Doedd 'na bobol wedi dechrau sôn mai gwrach ro'n inna? Wel, roedd o wedi hau amheuaeth ym meddwl Dafydd yn syth, wrth gwrs, er ei fod o wedi gwneud ei orau i drio egluro mai cenfigen oedd y tu ôl i'r hel clecs amdana i. Mi fynnodd o gael prawf mai gwrach o'n i cyn credu dim, a dyna pam fuodd o'n fy holi i fel'na wrth Lyn Cregennan. Ac eironi'r peth ydi, taswn i ddim mewn

136

cariad efo fo, faswn i'm wedi deud gair! Dyna sy'n brifo.'

Oedodd Siwsi am chydig, a gwasgodd Ann ei llaw hi'n ysgafn heb ddweud dim.

Tywalltodd Lowri ragor o win iddi, ac yna aeth Siwsi yn ei blaen, er fod ei llais yn crygu'n arw.

'Yr eiliad adawodd o fi y noson honno, aeth o at ei dad i ddeud y cwbwl, a beichio crio, a mynd ar ei liniau i ddiolch iddo fo am ei achub o –'

'Dramatig,' chwyrnodd Dorti.

'– a mynnu y dylid gwaredu'r wlad o wrachod rheibus peryglus fel fi, rhag i ddynion eraill gael eu swyno 'run fath. A dyna pryd gysyllton nhw efo Tudur ap Rhydderch.

'Roedd Dafydd yn un o'r criw ddaeth ar eich holau chi, ei gŵn o rwygodd dy goes di fel'na, Dorti. Ond ddaeth o ddim ar fy ôl i. Mi gachodd allan ar y munud ola, ac aros yr ochor draw i'r afon, gan adael i'r lleill fynd i wneud ei waith budur o. Pan glywodd o'r gwn yn tanio, mi chwalodd o'n rhacs a chrio fel babi. Doedd o'm yn siŵr a oedd o wedi gwneud y peth iawn. Achos roedd o'n dal i ngharu i! Ond wedyn roedd o'n trio ymresymu efo fo'i hun, yn deud wrtho fo'i hun drosodd a throsodd mai fi oedd wedi ei swyno fo i feddwl ei fod o mewn cariad efo fi, mai dyna pam roedd o'n teimlo mor uffernol, mai twyll oedd y cwbwl.'

'Y bwbach dwl, dan din,' poerodd Dorti.

'Pan ddalltodd o 'mod i wedi llwyddo i ddianc, roedd o'n falch ar un llaw –'

'Ac yn cachu ei hun ar y llaw arall, mwn,' meddai Dorti, 'ofn y byddet ti'n dial arno fo . . .'

'Rwbath fel'na,' gwenodd Siwsi'n chwerw. 'Felly, tra

oedd o'n sefyll fanna yn hanner gwylio Cadi druan yn cael ei cham-drin, ac ynta'n teimlo mor ofnadwy o hunandosturiol, y peth bach . . . ro'n i'n berwi. Ro'n i wedi bod yn fodlon rhoi bob dim i fyny er ei fwyn o, wedi ymddiried ynddo fo'n llwyr, wedi ei garu o efo pob gronyn ohona i – ac ro'n i'n dal i'w garu o, damia fo! Ro'n i'n ysu am gael ei gyffwrdd o eto, am redeg fy mysedd dros ei wyneb o, dros ei wefusau o. Ro'n i ar dân isio'i deimlo fo y tu mewn i mi eto. Ond roedd o wedi 'mradychu i, ac roedd o'n gorfod talu am hynny.'

'Felly be wnest ti?' gofynnodd Ann. Edrychodd Siwsi arni gan wenu. Trodd ei bys yn araf o amgylch rhimyn ei gwydr, a dechrau chwerthin yn isel.

'Wel, ges i dipyn o help llaw gan Cadi, mae'n rhaid i mi gyfadde . . . er, roedd hi am i ni ladd Dafydd yn syth bìn, ond na, roedd hynny'n rhy hawdd. Ro'n i isio gweld y diawl yn diodde gynta, isio iddo fo wybod 'mod i ar ei ôl o, ei fod o'n mynd i dalu'r pris am fy ngwerthu i – a chitha. Felly, gan 'mod i'n anweledig, ches i ddim trafferth dwyn blewyn neu ddau o wallt ei dad o. Pan aeth hwnnw i'w wely y noson honno, mi gafodd o'r poenau mwya ofnadwy. Roedd ei ben o'n hollti a phob darn o'i gorff o'n llosgi. Roedd o'n sgrechian fel mochyn yn cael ei sdicio, a'i wraig o'n sgrechian mwrdwr wrth ei ochor o, yn methu dallt be oedd yn bod arno fo. Pan ddechreuodd y gwaed ffrwydro allan o'i drwyn, ei geg a'i glustiau, mi ddechreuodd hi sgrechian hyd yn oed yn uwch. A phan ffrwydrodd ei lygaid o allan o'i benglog, mi lewygodd hi. Mi fu Rolant bach mewn poen arteithiol am oriau, yn gweiddi a gwingo a chropian yn ddall o gwmpas y llofft hyfryd 'na, a hithau'n gorwedd fanna'n dda i ddim. Erbyn iddi ddod ati'i hun, roedd Rolant yn gelain, wedi hen oeri, a'i waed o wedi staenio'r llawr pren am byth. Aeth o reit drwy'r styllod, cofiwch, a dim ond pan sylwodd y morynion ar y diferion coch yn disgyn o'r nenfwd fore trannoeth y deallon nhw fod 'na rywbeth o'i le. Mi fuon nhw'n cael hunllefau am flynyddoedd wedyn, yn enwedig y forwyn fach. Hi ddoth o hyd i'w lygaid o dan y dresal, ddyddiau'n ddiweddarach. Fu'r greadures honno byth 'run fath wedyn chwaith.'

'Bendigedig,' meddai Dorti.

'A Dafydd?' gofynnodd Ann. 'Brysia, mae'n hamser ni bron â dod i ben.'

'Iawn. Dafydd . . .' meddai Siwsi, oedd yn dechrau bywiogi drwyddi bellach, a'r sglein yn ei llygaid yn danbaid. 'Pan welodd o 'i dad, mi chwydodd, 'ngwas i. Mi redodd i'w lofft a chloi ei hun i mewn am ddyddiau, yn gweiddi a sgrechian mai fo oedd nesa, bod Siwsi am ei waed o, ei fod o'n difaru, difaru na fu'r ratsiwn beth, ac os o'n i'n gallu ei glywed o, roedd hi'n ddrwg calon ganddo fo, ei fod o'n dal i 'ngharu i, nad oedd hi'n rhy hwyr i ni –'

'Wel! Y crinc bach di-asgwrn-cefn!' wfftiodd Dorti. 'Be wnest ti iddo fo?'

'Mi adewais i lonydd iddo fo am wythnosau. Gadael iddo fo feddwl 'mod i wedi mynd, wedi cael fy modloni efo gwaed ei dad o. Yn y diwedd, mi lwyddodd i berswadio'i hun 'mod i'n dal i'w garu o, a 'mod i wedi methu cyffwrdd blaen bys ynddo fo oherwydd hynny. Chwi ddynion diniwed . . .!'

Chwarddodd y pedair gwrach, ond roedd tair yn ddiamynedd.

'A?!' protestiodd y tair fel un.

'Wel, mi benderfynodd fynd am dro ar ei geffyl ryw fore braf, ond o, bechod, roedd o'n anlwcus cofiwch. Mi gafodd ei geffyl o goblyn o fraw jest o dan Goed Bryn Prydydd yn fanna, a'i daflu fo. Mi graciodd Dafydd ei ben ar garreg ac mi redodd y ceffyl i ffwrdd. Pan ddoth Dafydd bach druan at ei goed, ro'n i'n sefyll o'i flaen o. Roedd o'n rhy wan a chwil i wneud dim, felly mi dynnais ei ddillad o oddi arno fo, bob cerpyn, nes ei fod o'n gorwedd yn noethlymun ar y glaswellt. Ges i fwynhad mawr o fwytho ei gorff bendigedig o unwaith eto, a chwarae teg iddo fo, mi gododd ynta at yr achlysur. Mi steddais i arno fo a'i farchogaeth nes ro'n i'n laddar o chwys ac ynta'n gweiddi fel baedd. Ro'n i'n mwynhau fy hun gymaint, wnes i'm dallt 'mod i'n rhwygo 'ngwinedd i mewn i'w gnawd o, cofiwch, heb sôn am rwygo dyrneidiau o wallt allan o'i ben o. Mi ddois ac mi ddois, genod bach. Profiad bythgofiadwy, a hynod felys.' Oedodd i ail-fyw'r melyster.

'A dyna fo? Fel'na laddaist ti o?' gofynnodd Lowri.

'O nage,' gwenodd Siwsi, 'roedd o'n gorfod talu am be wnaeth o i chi hefyd, felly mi drois i'r hen Ddafydd bach llipa yn sgwarnog. Wedyn mi afaelais ynddo fo gerfydd ei glustiau a mynd â fo adre at Cadi. Mi flingais i o, ac mi ddechreuais i ei dorri o'n ddarnau mân.'

'Ac ynta'n dal yn fyw?!' sgrechiodd Dorti gyda phleser.

'O ia. Dwi'm yn siŵr pryd farwodd o'n union, mi fuodd o'n gwichian am oes. Ond roedd o'n flasus ofnadwy. Y stiw gorau ges i rioed.'

15

Rhannodd Lowri waddod y sosban rhwng y pedwar gwydryn. Edrychodd Siwsi ar y cloc.

'Mae ganddoch chi lai na hanner awr ar ôl.'

'Reit, felly, Rhys Dolddu,' meddai Lowri, 'rydan ni'n gwbod fod yr hanes wedi dod i lawr drwy'r teulu.'

'O'r tad i'r mab,' meddai Dorti, 'ond roedd Dafydd wedi marw'n ddietifedd . . . O, arhosa di funud: roedd gan Dafydd frawd yndoedd?'

'Oedd, Huw. Do'n i'm yn ei nabod o'n dda iawn,' meddai Siwsi, 'ond roedd o'n un o'r giwed ddaeth i holi Cadi y diwrnod hwnnw, un o'r rhai mwya milain hefyd. Ac ar ôl colli ei dad a'i unig frawd, doedd o ddim yn hapus. Mi glywodd Cadi ei fod o'n byw a bod yng nghwmni Tudur ap Rhydderch am gyfnod maith wedyn, ac yn mynd i Amwythig i holi'r Dynion Hysbys yn fanno.'

'Glywais i am rheiny,' meddai Ann. 'Gwybod eu pethau, ac yn fois ofnadwy o beryg.'

'Ti'n deud wrtha i,' meddai Siwsi. 'Pan glywson ni fod Huw yn dod â nhw adre efo fo i chwilio amdana i, es i'n chwys oer drostaf. Fyddwn i ddim wedi poeni'n ormodol fel arfer, ddim tra oeddech chi i gyd o 'nghwmpas i. Ond dim ond Cadi a finna oedd ar ôl. Fyddai'n pwerau ni ddim chwarter digon yn erbyn Tudur ap Rhydderch a'r ddau yna. Felly mi benderfynodd Cadi a finna ei bod hi'n bryd i mi adael, mynd yn ddigon pell a chadw draw am hir. Ond lle? Doedd pethau ddim yn edrych yn rhy dda ar wrachod yn Lloegr a'r Alban, ac roedden ni wedi clywed eu bod nhw'n eu llosgi nhw'n fyw yn Sbaen a'r Eidal. Doedd pethau ddim yn dda yn Ffrainc chwaith, ond doedd hi'm wedi clywed unrhyw newyddion o'r Almaen, felly fanno oedd y lle calla i mi fynd, yn ôl Cadi, gan ei bod hi mewn cysylltiad efo cynulliad reit gry o wrachod yno. Chwarae teg iddi, mi roddodd ei hysgub i mi. Doedd na'm pwynt i mi drio mynd 'nôl i Ddôl-y-Clochydd i nôl f'un i. Roedd Huw wedi llosgi'r lle yn ulw y diwrnod ddaethon nhw o hyd i ddillad Dafydd wrth Goed Bryn Prydydd. A chan 'mod i ddim wedi mentro mynd yn ôl yno cyn hynny, mi gollais i bob dim.

'Beth bynnag, fel y digwyddodd hi, roedd Cadi druan yn gwbl anghywir ynglŷn â'r Almaen. Er eu bod nhw wedi dechrau arni yn hwyrach na phawb arall, roedden nhw wedi gwneud i fyny am hynny wedyn ac yn hela gwrachod fel pethau gwirion yno. Wedi llyncu'r blydi llyfr 'na, y *Malleus Maleficarium* go iawn.'

'Yr *Hammer of Witches*!' ebychodd Ann, 'dwi'n cofio Megan yn dangos copi i mi ryw dro. Roedd o'n ofnadwy. Ges i hunllefau am fisoedd wedyn.'

'Be oedd ynddo fo?' gofynnodd Lowri.

'Llwyth o rwtsh gan ddau hen fynach chwerw o'r Almaen,' meddai Siwsi. 'Cyfarwyddiadau manwl ar sut i hela gwrachod, sut i brofi mai gwrachod ydyn nhw, pa arteithiau i'w defnyddio –'

'Rheiny roddodd yr hunllefau i mi,' meddai Ann.

'Roedden nhw'n honni pob math o sgrwtsh,' meddai Siwsi, 'ein bod ni'n torri pidlenni dynion i ffwrdd, yn lladd babis . . .'

'Rhyfedd de?' meddai Lowri. 'Mae'r busnes lladd babis 'ma'n codi o hyd tydi; dyna dddywedyd am y Cristnogion yn y dechrau, wedyn am yr Iddewon gan y Cristnogion. A tydi hi'm 'run fath bob tro mae 'na ryfel? Doedd yr Almaenwyr ddim yn honni bod y

142

Prydeinwyr yn bwyta babis a'r Prydeinwyr yn deud 'run fath yn union am yr Almaenwyr?'

'Mae 'na enw amdano fo,' meddai Siwsi, 'propaganda. Ac mae hi wastad yn fy synnu i pa mor barod ydi'r ddynolryw i gredu'r gwaetha am bobol.'

'Am eu cymdogion hyd yn oed,' cytunodd Dorti. 'Roedd Leusa drws nesa wedi trio 'nghael i i drwbwl cyn i ti agor dy geg. Trio deud 'mod i wedi witsio ei gŵr hi, jest am bod y creadur wedi gwirioni ei ben amdana i. A finna wedi gneud cymaint iddi! Gwella ei dannodd hi, ei llau hi, bob dim! Ddim 'y mai i oedd o ei bod hi mor hyll, a Morus druan awydd mocha efo hogan ddel am unwaith.'

'A wnest ti'm gwrthod mwn . . .' gwenodd Lowri. Cododd Dorti ei haeliau'n slei a chwerthin.

'Teimlo dros y creadur, doeddwn?'

'Roedden ni'n lwcus uffernol na chymeron nhw fawr o sylw o'r llyfr 'na yng Nghymru, dwi'n deud wrthach chi,' meddai Siwsi, 'neu fod y penboethiaid heb gymryd fawr o sylw o Gymru. Roedd o'n deud bod gan unrhyw ddihiryn yr hawl i roi tystiolaeth yn erbyn gwrach – hyd yn oed os nad oedd ganddyn nhw'r hawl mewn unrhyw achos arall. Roedd y peth yn hurt! Roedden nhw hyd yn oed yn fodlon gwrando ar blant bach!'

'Dow. Petha heb newid, felly,' meddai Dorti. 'Athrawon yn ei chael hi dyddia yma, dyna glywis i. Colli eu swyddi jest am bod 'na blant bach maleisus yn honni eu bod nhw wedi cael eu cam-drin . . .'

'O enau plant bychain – sydd wedi gweld gormod o deledu . . .' meddai Ann. 'Ond pobol sy'n cael eu hamau o fod yn baedoffiliaid ydi'r gwrachod newydd. Sbia ar y ffordd mae'r torfeydd yn mynd ar eu holau nhw, yn udo am waed, cyn i'r peth gael ei brofi hyd yn oed. Mae jest yr amheuaeth, y syniad, yn ddigon iddyn nhw.'

'Yr unig wahaniaeth ydi na chawson ni police escorts,' meddai Dorti.

'O hisht. Dwi'm isio meddwl am y peth,' meddai Lowri. 'Be ddigwyddodd i ti'n yr Almaen ta, Siwsi?'

'Wel, roedd hi'n uffernol yna,' atebodd Siwsi, 'ac mi hedfanais i'n syth i mewn iddo fo! Ro'n i'n pasio lle o'r enw Wolfenbuttel, ac ro'n i'n meddwl mai coedwig oedd oddi tana i, ond nage, cannoedd ar gannoedd o stanciau oedden nhw, lle roedd gwrachod wedi cael eu llosgi, ac yn dal i gael eu llosgi. Roedd 'na ddiawl yn Neisse wedi adeiladu anferth o bopty lle roedd o'n rhostio gwrachod i farwolaeth, hyd yn oed plant bach dwyflwydd oed. Mi rostiodd o dros fil o bobol mewn cyfnod o naw mlynedd. Roedd yr holl fusnes wedi troi'n ddiwydiant yno, a phobol yn gwneud eu ffortiwn ar draul y gwrachod ac unrhyw un oedd yn cael ei gyhuddo o fod yn wrach. Dach chi'n gweld, ystadau'r bobol oedd yn cael eu cyhuddo oedd yn gorfod talu am bob dim – nhw oedd yn gorfod talu am y barnwr, y dienyddwr, y boi oedd yn cofnodi pob dim ar bapur, hyd yn oed y bobol oedd yn hel y coed ar gyfer y goelcerth. Ac oedd, roedd 'na gryn dipyn o bobol gyfoethog yn cael eu cyhuddo. Ac os oedd 'na rywun yn meiddio gofyn cwestiynau ynglŷn â thegwch yr holl broses, mi fydden nhwtha'n ei chael hi! Roedd is-ganghellor tre Bamberg, Dr George Haan, wedi trio arafu pethau, ac mi gafodd o ei gyhuddo o fod yn "wrach-garwr!" Mi gafodd o 'i arteithio'n uffernol nes iddo fo enwi pobol eraill, ac yn 1628, dim ond pymtheg mlynedd cyn i mi gyrraedd, mi gafodd o, ei wraig a'i ferch eu llosgi i farwolaeth.'

'Mae'n swnio'n debyg uffernol i'r Americanwyr yn

cyhuddo'i gilydd o fod yn gomiwnyddion,' meddai Ann, oedd yn wyn fel llymru erbyn hyn.

'Hanes yn ei ailadrodd ei hun o hyd, tydi?' meddai Siwsi. 'Beth bynnag, doedd gen i'm clem lle i fynd, ond mi lwyddes i gadw'n glir o bentrefi a phobol am amser hir, ac un diwrnod, yn 1660 dwi'n meddwl, ro'n i'n hel cnau a mafon duon mewn coedwig ymhell o bobman, a dyma 'na foi carpiog, uffernol o sâl yr olwg, yn dod ata i a mynd ar ei liniau yn gofyn am rai o'r mafon. Wel, mi rannais i nhw'n syth wrth gwrs, a thrin ei glwyfau o efo powltis o gennin, llysiau'r cwlwm ac olew iwcalyptus tra o'n i'n berwi cawl llysiau llawn danadl poethion a thafol a melyn mair iddo fo. Mi ddechreuon ni siarad, a dyma fo'n deud mai Kothman oedd ei enw o, a'i fod o'n un o deulu cyfoethog yn nhref Lemgo. Ond roedd 'na rywun wedi cyhuddo ei fam o fod yn wrach, ac mi fu'n rhaid i'r creadur ei gwylio hi'n cael ei llosgi'n fyw. Fo oedd nesa, wrth reswm, ond roedd o wedi llwyddo i ddianc ac wedi bod yn crwydro'r wlad fel trempyn ers hynny. Roedd y creadur yn sâl swp, felly mi edrychais i ar ei ôl o am wythnosau, nes ei fod o'n ddigon cry.'

'Yn ddigon cry i be?' holodd Dorti yn slei.

'Hynny hefyd,' gwenodd Siwsi, 'ond mi wnes i ofyn os oedd o'n gwbod pwy oedd wedi cyhuddo ei fam. Oedd. A dyma fi'n gofyn oedd o isio dial. O, oedd. Ac mae'n falch gen i ddeud ein bod ni wedi mynd yn ôl i Lemgo yn fuan wedyn, fel pâr priod parchus iawn. Mi ddoth o'n ffrindia efo'r maer, a phan fu farw hwnnw mwya sydyn yn 1666, pwy gafodd ei ethol fel y maer newydd ond fy ngŵr i, Mr Kothman. A dyma ddechrau dial. Mi gyhuddodd o bob un wan jac oedd wedi bod yn gyfrifol am losgi ei fam, o'r criw enwodd hi'n y dechrau, i'r pwysigion oedd mewn awdurdod ar y pryd. Mi wyliodd o naw deg ohonyn nhw'n sgrechian a diodde yn y fflamau. Ac wedyn, mi es i draw i Lydaw.'

'Pam?' gofynnodd Lowri.

'Cwestiwn da. Traed yn cosi, isio dod o hyd i wrachod eraill? Dwi'm yn siŵr. Ond mi ddylwn i fod wedi aros lle ro'n i. Roedd hi'n blydi peryg yn Ffrainc, ond mi lwyddes i gyrraedd Llydaw a dod o hyd i Mireille Quillec, gwrach annwyl tu hwnt oedd yn cuddio mewn hen selar dywyll efo llwyth o'i ffrindiau. Mi fuon ni yno am fisoedd, yn byw fel llygod mawr, yn gorfod tynnu enwau allan o het i weld pwy fyddai'n gorfod mentro allan i wagu'r pot piso pan oedd hwnnw wedi llenwi. Bron i mi golli mhwyll go iawn yn fanno. Roedden ni'n clywed straeon di-ri am y pethau erchyll roedden nhw'n eu gwneud i'r gwrachod roedden nhw'n eu dal, ac mi gafodd effaith ofnadwy ar rai o'r genod. Roedd gan rai ormod o ofn i drio gadael y wlad, ond dyna wnes i. Doedd gen i ddim clem lle i fynd, ond mi soniodd Mireille am ffrind oedd ganddi yn Norwy. Felly fan'no es i. Roedd 'na gynulliad da o wrachod yno, ac mi ofalon nhw amdana i am flynyddoedd, a'm helpu i gasglu offer o'r newydd. Fanno y ces i fy nghist – a'r hudlath. Wedyn, pan dawelodd pethau, mi fues i'n teithio i chydig o bob man. Yn y Swistir ro'n i ddwytha.'

'Fuest ti'n uffernol o lwcus,' meddai Lowri ar ei thraws. 'Mi gafodd 'na filoedd eu llosgi a'u crogi ym Mhrydain, a'r rhan fwya o'r rheiny, fel yn yr Almaen, yn genod cyffredin, oedd ddim ond yn cyfadde mai gwrachod oedden nhw ar ôl cael eu harteithio. A ti'n gwbod be roedden nhw'n ei wneud iddyn nhw? Gwneud iddyn nhw orwedd yn noeth ar loriau cerrig am fisoedd, eu chwipio nhw, gwasgu eu coesau nhw

146

mewn cyffion, rhoi eu bysedd nhw mewn feis nes bod eu hesgyrn yn malu, a thynnu eu hewinedd nhw allan o'u bysedd efo gefail!'

'Yn yr Alban roedden nhw waetha,' meddai Ann.

'Blydi Presbyteriaid,' chwyrnodd Dorti.

'Mi glywais i mai eu harbenigedd nhw yn fanno,' meddai Ann, 'oedd gwlychu crysau garw mewn finag, wedyn gwneud i'r genod druan 'ma eu gwisgo nhw. Roedd y finag yn rhwygo'u croen nhw i ffwrdd . . .'

'Wel . . . marciau llawn am ddyfeisgarwch,' meddai Siwsi'n swta. 'Argian! Dwi'n berwi dim ond wrth feddwl am y peth! A dwi'n deud wrthach chi, bron iawn i mi ddod adre pan glywais i am Cadi.'

'Be ddigwyddodd iddi?' gofynnodd Ann yn betrusgar.

'Y bastad Tudur ap Rhydderch 'na . . . mi gafodd o a'r Dynion Hysbys afael ynddi. Mi fuon nhw'n gneud bob dim iddi, ei harteithio – ia, efo feis a gefail glywais i, a'i rhoi yn y Gadair Goch – bob dim. Ond chawson nhw 'run gair allan ohoni. Doedd na'm prawf o fath yn y byd ganddyn nhw, ond doedd rhywbeth felly ddim yn bwysig, nagoedd. Mi gafodd ei chyhuddo o fod yn ymhél â'r diafol a phwerau'r fall, ac yn y diwedd mi gafodd ei thaflu i'r carchar, lle dieflig o fudur. Roedd hi wedi gwanhau'n arw ar ôl yr holl arteithio, felly pharodd hi ddim yn hir. Cadi druan. Mi losgon nhw ei chartre hi'n ulw, a Phant y Wrach alwon nhw'r lle wedyn.'

'A does 'na neb yn cofio pam, mwn,' meddai Lowri, 'neb yn cofio am Cadi druan. Doedden nhw'n ddiawliaid am ein gadael ni allan o'r llyfrau hanes yn llwyr, dwed? Fel tasen ni rioed wedi bodoli.'

'Euogrwydd falle,' meddai Dorti, 'am eu bod nhw

ddim yn siŵr pwy oedd yn wrachod go iawn a phwy oedd yn genod cyffredin, diniwed?'

'Ond roedd 'na rai'n gwybod, ac mae 'na rai'n dal i gofio,' meddai Ann yn bwyllog, 'ond yn dewis cadw'r cwbwl iddyn nhw eu hunain . . .'

'Fel teulu Dolddu . . .' meddai Siwsi. 'Ac mae'n siŵr mai fy mai i yn dod 'nôl wnaeth iddyn nhw fynd ati i gofio cystal.'

'Be ti'n feddwl?' gofynnodd Ann.

'Ddois i'n ôl . . . ryw gan mlynedd wedyn, nage, cant saith ar hugain. Yn 1762.'

'A paid â deud wrtha i,' ochneidiodd Lowri, 'mi wnest ti smonach ohoni eto do?'

'Aeth hi braidd yn flêr, do,' cyfaddefodd Siwsi.

'Rwbath i neud efo'r saer 'na?' gofynnodd Ann.

'Stwffio'r gwersi hanes!' meddai Dorti, gan edrych ar y cloc eto. 'Mae'n ddrwg gen i, Siwsi, roedd hynna i gyd yn ddiddorol ac addysgiadol iawn dwi'n siŵr, ond does ganddon ni mo'r amser i wrando ar fwy ohono fo. Rhys Dolddu ydi'n problem ni rŵan, a be fedran ni wneud ynglŷn â fo? Brysiwch! 'Dan ni wedi bod yn malu cachu a hel atgofion fan hyn, a ninna efo cyn lleied o amser!'

'Fedran ni wneud fawr ddim ar hyn o bryd,' meddai Siwsi'n swta, 'ddim nes cofi di be dwi ei angen ar gyfer eich trawsnewid chi unwaith ac am byth.'

'O, dyma ni eto; trosglwyddo'r bai arna i, ia?' meddai Dorti'n flin.

'Nage, ddim o gwbwl, ac nid fel'na ro'n i'n ei feddwl o, Dorti. Ffaith ydi o, dyna i gyd. Yn y cyfamser, y cwbwl fedra i neud ydi cadw allan o'i ffordd o. Allwch chi gadw golwg arno fo i mi?'

'Be? Efo'r cŵn hela 'na sydd ganddo fo?' wfftiodd Dorti. 'Ti wedi anghofio'n barod be ddigwyddodd i Megan?'

'Mae'n ddrwg gen i,' meddai Siwsi, 'ond . . . gwnewch be fedrwch chi. Dwi'm yn gwybod pa bwerau sydd gan Rhys Dolddu, ond mae gen i ofn na alla i ddelio efo fo ar fy mhen fy hun.'

'Paid â phoeni. Fyddi di'n iawn y tro 'ma,' meddai Lowri.

'Os welwn ni unrhyw beth, mi ddown ni atat ti'n syth,' meddai Ann.

'I be? Fedar hi mo'n dallt ni pan 'dan ni'n sgwarnogod!' gwylltiodd Dorti.

'Syml,' meddai Lowri. 'Allwn ni adael negeseuon mewn iaith Rune iddi – efo cerrig a phriciau coed. Ti'n dal i fedru dallt Runes, dwyt Siwsi?'

'O yndw. Yn Norwy ddechreuon nhw ddefnyddio Runes gynta cofiwch, ac mi fues inna'n byw yno am flynyddoedd.'

'Gwych. Mi fyddan nhw ar stepan dy ddrws cefn di, iawn?' meddai Lowri wedyn gan afael ym mreichiau Siwsi. 'Cofia edrych yno bob cyfle gei di, rhag ofn.'

'Damia,' ochneidiodd Ann, 'mae o'n dechra digwydd. Dwi'n cosi drosta i i gyd.'

'O na, o'n i'n meddwl bod ganddon ni ddeg munud arall o leia!' ochneidiodd Dorti. 'Dwi'm isio bod yn blydi sgwarnog eto . . .'

'Fyddi di ddim am yn hir iawn eto, dwi'n addo,' meddai Siwsi, gan ei chofleidio'n dynn.

'Dibynnu os gofia i be oedd y dam cynhwysyn arall 'na tydi,' meddai Dorti, a dagrau yn ei llygaid. Cofleidiodd Siwsi a'i chusanu ar ei gwefusau.

'Diolch am ddod 'nôl, Siwsi.'

'O, na, mae 'nghoesau i'n dechrau mynd,' gwichiodd Lowri. 'Pob lwc i ti, Siws!'

Chafodd Siwsi ddim cyfle i gofleidio'r ddwy arall. O

fewn eiliadau, roedd y tair gwrach wedi diflannu mewn twmpathau o ddillad ar y llawr. Eiliadau'n ddiweddarach, cododd tri phâr o glustiau allan o'r dilladach.

'Mae croeso i chi aros yma,' meddai Siwsi'n frysiog. 'Mi fydd hi'n gynnes yma, ac mi fedra i eich bwydo chi –'

Ond edrychodd y tair sgwarnoges yn drist arni ac ysgwyd eu pennau. Na, allan yn y gwyllt oedd eu lle bellach. Symudodd y tair at y drws ac, yn anfoddog, agorodd Siwsi y drws i'w gadael allan. Gyda naid bwerus, diflannodd y naill sgwarnog ar ôl y llall i dywyllwch y goedwig.

Caeodd Siwsi y drws, a'i gloi. Trodd i edrych ar y gwydrau gwag ar y bwrdd, a dechreuodd eu casglu a'u rhoi yn y sinc. Yna trodd at y pentyrrau dillad ar y llawr. Plygodd i'w codi. Roedd Dorti wedi llwyddo i golli gwin dros lawes ei blows. Gwenodd Siwsi. Ond, eiliad yn ddiweddarach, diflannodd y wên, a dechreuodd hi grio, crio go iawn, crio'n uchel, beichio crio, udo crio, crio am bopeth a gollodd dros y canrifoedd, crio am ei chyfeillion, crio amdani hi ei hun, a chrio am Dafydd Dolddu.

16

Fore trannoeth, arhosodd Siwsi yn ei gwely ymhell wedi i'r haul godi. Fel arfer, byddai'n neidio allan o'i gwely eiliadau wedi iddi ddeffro, ond doedd y brwdfrydedd ddim yno bellach. Teimlai'n ddiffrwyth a gwan, roedd ei llygaid yn llosgi wedi crio'r holl ddagrau, ac roedd arni ofn; a'r ffordd hawsaf o ddelio gyda hwnnw am y tro oedd ei osgoi. Tynnodd y cwrlid dros ei phen a cheisiodd fynd yn ôl i gysgu. Bu'n troi a throsi am oriau, ond ni allai wagu ei meddwl. Mynnai bopeth ddod yn ôl iddi, yn lobsgows o wynebau a geiriau, a wyneb Rhys Dolddu fynnai wgu arni yn amlach na'r un wyneb arall.

Yn sydyn, canodd y ffôn. Ceisiodd ei anwybyddu drwy roi ei phen o dan y gobennydd, ond roedd y galwr yn benderfynol. Roedd y ffôn yn dal i ganu.

Ochneidiodd Siwsi a'i llusgo'i hun allan o'r gwely, a rhegi wrth ymlwybro i lawr y grisiau tuag at y ffôn.

'Ia?' meddai'n swta.

'Siwsi?' meddai llais Wendy. 'Ti'n iawn?'

'O. Wendy. Helô. Yndw.'

'Ti'm yn swnio felly.'

'Jest mymryn o gur pen, dim byd mawr.'

'Fydd o wedi mynd erbyn heno ti'n meddwl?'

'Heno?'

'Ia. Nos Sadwrn . . . 'dan ni'n mynd allan . . .?'

'O. O ia, do'n i'm yn sylweddoli pa ddiwrnod oedd hi.'

'Ti'n dal isio dod allan, dwyt?'

Pendronodd Siwsi cyn ateb. Doedd ganddi ddim llwchyn o awydd codi allan i unlle, heb sôn am dreulio noson mewn tafarndai myglyd, ond roedd y tinc o siom mor amlwg yn llais Wendy.

'Yndw siŵr,' meddai yn y diwedd.

'O, grêt!' meddai Wendy. 'Dwi'n edrych ymlaen cofia. Mae 'na ddisgo yn y clwb rygbi – gawn ni uffar o laff fan'no!' Caeodd Siwsi ei llygaid. Disgo? O na . . . Ond doedd Wendy ddim wedi gorffen. 'Mae Mam yn edrych ar ôl y caffi i mi am y pnawn, ac mae 'na fws yn pasio dy le di amser cinio. O'n i'n meddwl swn i'n gallu galw i dy weld ti? Fi a Benji?'

Bu ond y dim i Siwsi ochneidio'n uchel.

'Ym . . .' meddai'n betrusgar, 'dydi dy amseru di ddim yn wych . . .'

'O,' meddai Wendy'n siomedig, 'dwi'n gweld. Wel, 'di o'm bwys, mi –'

'Na,' meddai Siwsi'n sydyn, wedi ei phigo gan y siom amlwg yn llais Wendy, 'tyd draw. Mi fyddai'n braf dy weld ti – a Benji – ac mi wna i ginio i ni.'

Derbyniodd Wendy y cynnig yn syth, a rhoddodd Siwsi y ffôn i lawr yn flinedig. Byddai'n rhaid iddi lanhau'r tŷ rŵan, a chuddio pethau'n ofalus. Ond ar y llaw arall, efallai mai dyma be roedd hi ei angen i'w thynnu allan o'r cwmwl 'ma, a byddai cwmni Wendy'n esgus da i osgoi gorfod meddwl am bopeth arall.

Brysiodd drwy'r tŷ yn cadw a chuddio popeth na ddymunai i'w chyfaill ei weld. Sgubodd y llawr a chwalodd beth o'r gwe pry cop oedd wedi hel dros yr wythnosau diwethaf. Gosododd ac ailosododd ei lluniau'n ofalus yn y stafell arlunio, a cheisio gwneud i'r lle edrych fel pe bai wedi bod yn paentio yno ers misoedd lawer. Yna dechreuodd blicio a thorri llysiau i wneud cawl i ginio.

Am 12.30, canodd y gloch, ac agorodd Siwsi y drws i weld Wendy'n sefyll yno, ei hwyneb yn binc a'i hanadl yn drwm, a Benji wrth ei fodd.

'Blydi nora! Wnest ti'm deud wrtha i bod isio dringo'r Eiger i ddod fyny yma! Dwi'n chwys boetsh!' ebychodd mewn protest.

Chwarddodd Siwsi.

'Ddrwg gen i. Anghofiais i. Tyd mewn!'

Crwydrodd Wendy o amgylch y tŷ gyda Benji yn ei breichiau a gwên anferthol ar ei hwyneb.

'Mae o'n ffantastig! Rêl chdi. Hollol wahanol. Mi fysa pobol *Ideal Home* a *Homes and Gardens* yn cael ffit . . . ond mae o'n gweithio. A'r lliwiau 'ma . . . o'n i'n meddwl 'swn i angen sbectol haul i ddechra, ond na, ti'n dod i arfer dwyt, a felma mae o i fod, rywsut, os mai ti sy'n byw yma. Ydi hynna'n gneud sens? Sori, dwi'n rwdlan. A be ydi'r ogla 'ma? Mae o'n gry, ond mae o'n blydi lyfli – ac yn wahanol yn bob stafell tydi?! A mae bob dim yn teimlo mor . . . mor . . . dwn i'm . . .' Rhedodd ei bysedd dros y melfed a'r lledr, y pren a'r llechi, 'mor secsi!'

'Ydi o?' chwarddodd Siwsi yn ddiniwed. Roedd brwdfrydedd Wendy wedi gwneud iddi deimlo'n well yn barod.

'O! Ga i weld yr ardd?' gofynnodd Wendy, gan frysio at y drws cefn.

'Cei siŵr, mae o'n 'gored,' meddai Siwsi.

Cododd Wendy y glicied a chamu allan.

'W! Dwi newydd gicio rwbath,' meddai, gan blygu i lawr at y stepen drws, 'be sgen ti fan'ma? Modern art?'

'Be?' gofynnodd Siwsi gan ei dilyn yn frysiog. Edrychodd mewn braw ar y casgliad o gerrig a phriciau mân oedd bellach dros y lle i gyd, yn enwedig wedi i Benji neidio i'w canol a rhedeg i ben draw'r ardd ag un o'r priciau mwyaf yn ei geg. Ochneidiodd. 'Oedd o'n bwysig?' gofynnodd Wendy, wrth weld y lliw yn cilio o wyneb ei chyfaill.

'Nagoedd siŵr. Hidia befo,' gwenodd hithau'n hynod ddi-hid, 'tyd i weld yr ardd.'

Ond tra oedd Wendy yn edmygu'r ffaith fod yr ardd yn edrych mor drawiadol, hyd yn oed ym mis Hydref, y cwbwl allai Siwsi ei wneud oedd syllu i gyfeiriad y goedwig, gan obeithio gweld un o'r genod – cyn i Benji wneud. Ond roedd popeth i'w weld yn gwbl llonydd a thawel yno. Felly tra oedd Wendy yn glafoerio dros ei chasgliad o berlysiau, trodd Siwsi ei chefn arni a chau ei llygaid i geisio gyrru neges delepathig i'r genod i adael iddyn nhw wybod na lwyddodd i weld y neges mewn pryd, ac y dylen nhw gadw draw o'r tŷ.

'Be ti'n neud?' gofynnodd Wendy.

Rhewodd Siwsi.

'O, dwi'n cael cur pen weithie,' meddai'n frysiog, 'a dwi'n ffendio bod cau fy llygaid fel hyn yn llwyddo i gael gwared ohono fo.'

'Waw,' meddai Wendy, oedd yn amlwg wedi llyncu'r celwydd yn llwyr. 'Dipyn rhatach na paracetamols! Gei di 'nysgu fi sut ma gneud y tro nesa ga i gur pen.'

'Dim problem,' meddai Siwsi gyda'r ochenaid gynilaf bosib o ryddhad.

'Ydi o wedi mynd?' gofynnodd Wendy'n ddiweddarach.

'Be?'

'Wel y cur pen, yndê.'

'O, yndi. Fwy neu lai,' atebodd Siwsi, gan deimlo cur pen go iawn yn dechrau cyniwair.

Roedd y cawl llysiau'n fendigedig.

'Mi fydd raid i mi gael y recipe gen ti,' meddai Wendy. 'Be'n union sy'n rhoi'r blas 'na iddo fo? Fedra i'm rhoi 'mys arno fo. Coriander? Cumin?'

'O, cymysgedd o betha,' meddai Siwsi.

'Mae gen ti'r petha rhyfedda yma,' meddai Wendy gan astudio ei photiau perlysiau sych yn fanwl. 'Dwi'm wedi clywed am eu hanner nhw. Pa iaith ydi hwn?' gofynnodd gan godi un potyn bychan amryliw.

'Tibetan,' atebodd Siwsi. 'Dwi wedi teithio dipyn dros y blynyddoedd, ac mi fydda i'n dod â sbeisys y gwahanol wledydd adre efo fi bob tro.'

'O, braf,' ochneidiodd Wendy. 'Dwi rioed wedi bod dim pellach na Benidorm ac roedd hynny flynyddoedd yn ôl, cyn i mi gael Leah. Blydi twll o le oedd o 'fyd. Ond ges i holiday romance bach neis efo ryw foi o Peterborough, ddim 'mod i'n gallu cofio ei enw fo rŵan. Gest ti holiday romances mewn llefydd fel Tibet, dwa? Neu ydyn nhw i gyd yn fynachod?'

'Sa ti'n synnu,' gwenodd Siwsi, gan godi i glirio'r bwrdd.

'O tyd 'laen! Spill the beans!' meddai Wendy, gan gamu at y sinc. ''Na i olchi, gei di sychu yli.'

'Iawn,' cytunodd Siwsi, 'ond be ti isio'i wybod yn union?'

'Wel, pwy fuest ti efo, be oedden nhw fel . . .'

'Argol, fedra i mo'u cofio nhw i gyd, siŵr!' chwarddodd Siwsi.

'Tart!' giglodd Wendy. 'Pa wlad oedd â'r carwyr gora ta?'

'Pa wlad? Argol . . . aros di funud rŵan. Dibynnu be ti licio tydi? Ond roedd hogia'r Caribî yn giamstars, ac yn ffit, was bach. Jest sbio ar eu cyrff nhw'n ddigon i godi awydd. Mae hyd yn oed yr hen fois yn smart – maen nhw'n nofio bob dydd yno ti'n gweld. Do, ges i amser da iawn yn fan'no . . .'

Byddai Wendy wedi dychryn yn arw pe bai Siwsi wedi dweud y cwbwl wrthi, wrth gwrs; am y defodau Voodoo, y gwaedu a'r glafoerio, y dawnsio gwallgo noethlymun dan y sêr, y dawnsio drodd yn garu gwyllt, arallfydol. Oedd, roedd Siwsi wedi dysgu cryn dipyn yno. Gwenodd iddi hi ei hun wrth i'r atgofion lifo'n ôl.

155

'Bitsh lwcus!' meddai Wendy, ar draws yr atgof melys am Michael ac Antonio, a Siwsi'n frechdan wlyb rhwng y ddau. 'Ond be am yr Italians? Mae'r rheiny i fod reit dda, tydyn?'

'Tydyn nhw'm yn ddrwg,' atebodd Siwsi. 'Cynhyrfu braidd yn rhy sydyn at fy nant i. Mae'r Ffrancwyr yn well crefftwyr, yn gwybod sut mae corff merch yn gweithio ac yn cael pleser allan o blesio, yn hollol wahanol i'r rhan fwya o'n ffrindia ni dros Glawdd Offa, sy'n malio dim os ydi'r hogan yn dod neu beidio. Does gen i'm mynedd efo dynion diog.'

Giglodd Wendy.

'Ti 'di bod efo lot o ddynion, felly?'

'Do.'

'Faint?'

'Do'n i'm yn cyfri, Wendy.'

Pe gwyddai Wendy'r gwirionedd, byddai wedi drysu'n rhacs, y greadures.

'Sut mae'n hogia ni'n cymharu, ta?'

'Y Cymry?' gwenodd Siwsi. 'Wel . . . erstalwm, roedd 'na wahaniaethau mawr rhwng y Cymry a'r Sacsoniaid – mae'n siŵr gen i,' ychwanegodd yn frysiog. 'Ond, ers canrifoedd, ers colli Llywelyn ac Owain Glyndŵr, ac yn enwedig ers coroni Harri'r Seithfed a 1536, mae'r ffordd Brydeinig o feddwl wedi treiddio i fêr esgyrn ein hogia ni, a bellach does 'na fawr o wahaniaeth. Maen nhw'n darllen yr un papurau, felly maen nhw'n credu'r un pethau; maen nhw'n gwylio'r un rhaglenni teledu, felly maen nhw'n chwerthin am yr un rhesymau ac yn gwirioni efo'r un cyrff a wynebau. Maen nhw'n cael eu rheoli yn yr un ffordd yn union, maen nhw'n gwneud yr un troseddau, yn cefnogi'r un timau, a hyd yn oed yn bwyta ac yn yfed yr un pethau'n union. Be ddeudodd Gerallt Lloyd Owen dwa? O ia: "Y ni o gymhedrol nwyd yw'r dynion a Brydeiniwyd." Anghofia am "Wylit, wylit Lywelyn," ni'r genod sy'n diodde.

'Yr unig wahaniaeth rhwng dynion Cymru a Lloegr ydi'r iaith – weithie – dibynnu lle ti'n byw; C'mon Midffîld, a thimau pêl-droed cenedlaethol – nes i Gymru fethu cyrraedd rowndiau terfynol Cwpan y Byd eto, a dim ond llond llaw o Gymry sy ddim yn troi at Loegr wedyn. Felly, ti'n meddwl eu bod nhw'n caru'n wahanol? Nacdyn siŵr. Fwy nag ydi'r merched ran'ny.'

'Waw,' meddai Wendy ar ôl syllu'n gegrwth a mud arni am rai eiliadau, 'do'n i'm yn disgwyl araith fel'na. Ti'n teimlo reit gry am hyn, dwyt?'

'Bobol bach yndw! Mi fyset tithe hefyd taset ti'n gwbod sut gymdeithas oedd gynnon ni cyn i'r diawliaid Imperialaidd 'na wenwyno pob dim!' meddai Siwsi'n chwyrn. 'Sut bobol cryf a chadarn, sut drefn a hyder ynon ni ei hunain!'

Edrychodd Wendy'n ddryslyd arni.

'Ond dwyt ti'm yn gwbod chwaith, nagwyt? Ddim os oedd o gannoedd o flynyddoedd yn ôl?'

Bu bron i Siwsi dagu. Be oedd ar ei phen hi? Byddai'n rhaid iddi feddwl cyn siarad – doedd hi ddim hyd yn oed wedi bod yn yfed!

'Nacdw siŵr, jest . . . darllen llyfrau hanes – a ti'n cael syniad go lew.'

'Ond ti'n siarad fel taset ti wedi gweld y peth yn digwydd!'

'Dychymyg byw sgen i.'

'Ond asu, ti'n convincing. Adrodd poetri a bob dim. Sa ti'n gneud uffar o teacher hanes, sti. Aru nhw'm dysgu dim byd felna i ni'n 'rysgol.'

'Ia, wel. Mi sticia i at baentio,' meddai Siwsi, oedd newydd weld rhywbeth drwy'r ffenest. Rhywbeth tebyg iawn i sgwarnog. 'Iawn, neith hi baned?' gofynnodd, gan droi i gadw'r llestri olaf yn y cwpwrdd.

'Ia, iawn.'

Rhoddodd Siwsi y tecell ar y stôf, a thynnu dau fŵg oddi ar y silff.

'Dyma'r te a'r coffi. Mae'r llaeth yn yr oergell,' meddai, gan newid i bâr o esgidiau cerdded. 'Dwi jest isio picio allan am eiliad. I hel coed tân. Cyn iddi fwrw glaw,' ychwanegodd.

'Ond mae'n sych –' dechreuodd Wendy.

'Maen nhw'n addo glaw at heno,' meddai Siwsi, gan gychwyn drwy'r drws.

'Wel gad i mi dy helpu di,' meddai Wendy gan chwilio am ei chôt. 'Mi fydd Benji wrth ei –'

'Na! Aros di fanma – a Benji, mae'n ym . . . mae'n fwdlyd yn y goedwig, ac mi fyddi di'n siŵr o ddifetha dy sgidia. Fydda i'm chwinciad,' meddai Siwsi a diflannu drwy'r drws cyn i Wendy allu dweud gair pellach.

Edrychodd honno ar y drws caeedig am eiliad, yna cododd ei hysgwyddau, ysgwyd ei phen ar Benji, a chwilio am fagiau te.

Brysiodd Siwsi drwy'r goedwig. Doedd hi ddim eisiau gweiddi, rhag ofn i Wendy ei chlywed, felly ceisiodd chwibanu a chanu iddi hi ei hun am yn ail.

'Mi welais Jac y do, yn eistedd ar ben to . . .' canodd, gan deimlo braidd yn hurt, 'het wen ar ei ben a dwy goes bren, ho ho ho ho ho ho . . . Hen ferchetan wedi colli'i chariad, ffaldiraldiralal ffaldiraldiro, cael un arall, dyna oedd ei bwriad, ffaldi – . . . Dorti?'

Roedd sgwarnoges yn sefyll o'i blaen, a'i phen ar ei hochr, fel pe bai'n cael difyrrwch mawr allan o ganu Siwsi. Pan glywodd y gair 'Dorti,' nodiodd ei phen.

'O, diolch byth,' meddai Siwsi, 'gwranda, welais i mo'r neges adawsoch chi. Mae 'na ffrind wedi dod draw ac mi chwalodd hi'r neges cyn i mi gael cyfle i'w darllen hi. Dwi'n cymryd ei bod hi'n bwysig?' Nodiodd Dorti ei phen yn bendant. 'Wyt ti wedi cofio be oedd y cynhwysyn?' gofynnodd Siwsi'n syth.

Ond ysgwyd ei phen wnaeth Dorti. Brathodd Siwsi ei gwefus. Damia, roedd hi mor siŵr mai dyna oedd byrdwn y neges. 'Be oedd y neges ta?'

Edrychodd Dorti'n flin arni a tharo ei choes ôl yn chwyrn ar y glaswellt.

'Be?!' gofynnodd Siwsi. 'Be dwi 'di neud rŵan?' Ysgydwodd Dorti ei phen a thuchan yn ddiamynedd. 'Ddrwg gen i,' meddai Siwsi ar ôl sylweddoli pam roedd hi wedi codi gwrychyn y sgwarnoges, 'digon hawdd i mi baldareuo. Fedri di ddim . . .' Rhoddodd Dorti nòd sych iddi, yna dechrau casglu priciau bychain â'i dannedd a'u gosod mewn patrwm wrth draed Siwsi. Deallodd Siwsi be roedd hi'n ei wneud yn syth a dechreuodd ddarllen yr arwyddion:

'Perygl? Ia?' Nodiodd Dorti ei phen a dal ati'n gyflym i osod y priciau orau medrai hi. 'Dyn . . .?' meddai Siwsi, 'Dyn Du? Rhys Dolddu ti'n feddwl?' Nodiodd Dorti eto. Ond cyn iddi orffen gosod y patrwm nesaf, trodd ei phen yn sydyn i gyfeiriad y tŷ. Roedd ei chlustiau wedi clywed rhywbeth y tu hwnt i glyw Siwsi. Trodd Siwsi i edrych i'r un cyfeiriad, a gwelodd hen Landrover budr yn dringo i fyny'r wtra tuag at y tŷ. Daeth gŵr mawr tywyll allan ohono. Dyn annifyr o gyfarwydd.

'Rhys Dolddu . . .' meddai dan ei gwynt, a disgyn ar ei chwrcwd yn syth, rhag iddo ei gweld. Roedd Dorti wedi neidio y tu ôl i hen fonyn derw gerllaw yn barod, a symudodd Siwsi yn ofalus tuag ati. Unwaith roedd hi'n fodlon ei bod hi allan o'r golwg, cododd ei phen yn araf, a'i wylio'n cerdded tuag at y drws, a chnocio. Roedd o'n cario rhywbeth mewn cadach coch a gwyn. Yna, wrth ddisgwyl i'r drws agor, trodd ei ben i gyfeiriad y goedwig, i fyny at lle roedd Siwsi. Aeth ias o ofn drwyddi a chyrcydodd yn is. Pan fentrodd godi ei phen rai munudau'n ddiweddarach, gwelodd Rhys a Wendy'n sgwrsio ar stepen y drws; roedd Wendy, a Benji yn ei breichiau, yn pwyntio tuag at y goedwig, a Rhys yn rhoi'r beth bynnag oedd yn y cadach coch a gwyn i Wendy. Roedd Wendy'n gwenu a nodio. Yna trodd Rhys yn ôl at y Landrover, ac aeth Wendy'n ôl i mewn i'r tŷ. Cyn dringo'n ôl i mewn i'w gerbyd, edrychodd Rhys i fyny at y goedwig. Doedd hi ddim yn bosib iddo allu ei gweld a hithau wedi cuddio mor dda y tu ôl i'r bonyn, ond gallai Siwsi daeru fod ei lygaid yn llosgi i mewn iddi. Er ei bod hi'n rhewi, sylweddolodd bod dafnau o chwys yn diferu'n araf i lawr ochrau ei hwyneb. Clywodd injan y Landrover yn tanio, yn bagio ac yn gyrru'n ôl i lawr yr wtra at y ffordd fawr. Dim ond pan oedd y sŵn wedi diflannu'n llwyr y mentrodd hi godi ar ei thraed eto, a hynny'n araf a gofalus iawn.

'Be ddiawl oedd o isio?' sibrydodd wrth Dorti, oedd yn crynu wrth ei hochr. Cafodd wich ryfedd yn ateb, cyn i Dorti redeg i gasglu rhagor o briciau. Arhosodd Siwsi a cheisio darllen y neges wrth iddi gael ei hadeiladu o'i blaen.

'Parsel . . . i'r tŷ? Do, mae o newydd ddod ag un

yma yndo,' meddai Siwsi. Ond gwichian a neidio ac ysgwyd ei phen yn wyllt wnaeth Dorti, a dechrau adeiladu patrwm arall, yna pwyntio at y neges gyfan eto â'i phawen.

'Parsel . . .' darllenodd Siwsi eto. 'Ty . . . dyn . . . mae 'na ddyn yn y parsel? Na? Be? O, aros funud: Tŷ Rhys Dolddu ti'n feddwl?' Nodiodd Dorti ei phen yn flinedig. 'Mae 'na barsel wedi dod i'w dŷ o?' Nòd arall. 'Wyt ti'n gwbod be oedd ynddo fo?' Ysgydwodd Dorti ei phen. Oedodd Siwsi am eiliad, a daeth hanner gwên i'w hwyneb. 'Cofia di,' meddai wrth Dorti, 'mi fydd hi'n Ddolig cyn i ti droi rownd. Hwyrach mai anrheg Dolig ydi'r parsel . . .' Doedd Dorti yn amlwg ddim yn meddwl fod hyn yn ddigri. Anadlodd Siwsi'n ddwfn a cheisio meddwl yn rhesymegol.

'Iawn, felly mae o wedi cael parsel o rywle am ryw reswm. Dydi hynny ddim yn golygu fod a wnelo fo unrhyw beth â fi neu chi. Ond rwyt ti'n amlwg yn teimlo rhywbeth yn mêr dy esgyrn. Ydw i'n iawn?' Nodiodd Dorti ei phen yn bendant. 'Iawn, felly rwyt ti a'r genod am i mi drio darganfod be oedd yn y parsel 'ma. Mi allwn i wneud swyn . . . ond ddim heno. Mae Wendy acw, ac wedyn 'dan ni'n mynd allan. Paid â sbio arna i fel'na Dorti . . . fory – peth cynta. Iawn? A rŵan, a' i i weld be'n union mae o wedi ei adael i mi – ac ydi, Dorti, mae synnwyr cyffredin yn deud y bydda i'n ofalus iawn, iawn efo fo.' Nodiodd Dorti ei phen, yna edrychodd i fyw llygaid Siwsi am rai eiliadau, cyn troi a rhedeg yn ôl i dywyllwch pen pellaf y gwyllt. Safodd Siwsi lle roedd hi am sbel, yna dechreuodd gasglu coed tân yn frysiog. Wedi'r cwbwl, dyna pam roedd hi wedi gadael y tŷ.

Roedd Wendy'n eistedd wrth y bwrdd a phaned yn

stemio o'i blaen. Roedd rhywbeth wedi ei lapio mewn cadach coch a gwyn yn gorwedd reit ar ganol y bwrdd.

'Haia,' meddai Wendy, 'gest ti fisitor.'

'Do. Weles i'r Landrover. Be oedd o isio?'

'Rhoi hwnna i ti. Presant bach gan gymydog, medda fo. Ers pryd wyt ti a Rhys Dolddu yn gymaint o ffrindia ta?' chwarddodd Wendy. 'Ddeudist ti'm byd wrtha i!'

'Does na'm byd i'w ddeud,' atebodd Siwsi, 'ac ers pryd wyt ti'n ei nabod o?'

'Oedd o'n 'rysgol efo 'mrawd i. Oedd gynnon ni i gyd gryshys arno fo'n fform wan – uffar o bishyn adeg hynny. Tydi o'm yn ddrwg rŵan chwaith, tasa fo'n siafio ac yn gneud rwbath efo'r gwallt 'na. Felly tyd 'laen, be 'di'r stori? Ydi o ar dy ôl di neu rwbath?'

'Mewn ffordd,' atebodd Siwsi, 'ond tydi o'm 'y nheip i, felly waeth iddo fo heb â thrio. Ddeudodd o be oedd dan y cadach 'na?'

'Naddo, dim ond mai presant i chdi oedd o. Tyd 'laen, agora fo – ti'n edrych fel tasa gen ti ei ofn o neu rwbath!'

Syllodd Siwsi ar yr anrheg. Ai peth doeth fyddai ei agor o flaen Wendy? Ai peth doeth fyddai ei agor o gwbl?

'Gwranda,' meddai, 'dwi'm yn trystio'r boi 'na o gwbwl. Mae o'n od. Ac mae gen i ofn be sy i mewn yn hwn.'

'Be? Ti'n meddwl mai bom ydi o neu rwbath?!' chwarddodd Wendy. 'Callia 'nei di? Dim ond Rhys Dolddu ydi o, ddim ryw terrorist!'

'Iawn, ond . . . gad i mi jest checio rwbath gynta,' meddai Siwsi. 'Ti'n mynd i feddwl mai fi ydi'r un od, ond mae'n talu bod yn ofalus.' Gadawodd hi Wendy hynod ddryslyd yn y gegin a dringo'r grisiau i'w llofft. Caeodd y drws y tu ôl iddi rhag ofn, yna estynnodd o dan y gwely i dynnu'r gist allan. Tynnodd ei hudlath allan ohoni, cau'r caead, a'i gwthio'n ôl o dan y gwely. Doedd hi ddim yn siŵr sut roedd hi'n mynd i egluro hyn i gyd wrth Wendy, ond gallai wastad roi swyn anghofio arni wedyn.

Dringodd yn ôl i lawr y grisiau a cherdded at y bwrdd lle roedd Wendy'n dal i edrych yn hurt arni. Rhoddodd wên wan i'r greadures, yna cododd ei hudlath a'i dal uwchben y cadach coch a gwyn.

'Be ti'n –' dechreuodd Wendy.

'Hisht,' meddai Siwsi, 'mae'n rhaid i mi ganolbwyntio.' Caeodd ei llygaid a dechrau yngan y geiriau hud dan ei gwynt gan droelli'r hudlath uwchben y cadach. Rhedodd Benji i guddio o dan y sinc. Canolbwyntiodd Siwsi â'i holl enaid ac â phob gronyn o'i chorff. Teimlai rywbeth yn gyrru drwy ei gwythiennau. Os oedd rhywbeth peryglus dan y cadach, byddai'r hudlath yn gadael iddi wybod hynny.

Ond na, doedd dim arwydd fod unrhyw beth peryglus ynddo. Er hynny, doedd yr hudlath ddim yn hapus. Agorodd Siwsi ei llygaid a rhythu am amser hir ar yr anrheg.

'Be sgen ti yma'r diawl?' meddai'n dawel. Yna pwysodd ymlaen nes bod ei ffroenau ychydig fodfeddi uwchben y cadach. Arogl braf iawn. Arogl bwyd.

'Mae 'na ogla da arno fo, does?' meddai Wendy yn ddiniwed, 'ac mae o'n gynnes. Teimla fo.'

Ysgydwodd Siwsi ei phen. Doedd hi ddim am ei gyffwrdd. Ond gallai'r hudlath wneud hynny. Rhoddodd ben yr hudlath yn un o'r plygiadau a dechrau tynnu. Yn araf, cododd y cadach yn rhydd o'r hyn oedd oddi tano.

'Pastai ydi o!' chwarddodd Wendy. 'Ti a dy syniada gwirion! Ac uffar o bestri da hefyd. Mae o'n dipyn o gwc, mêt! Tyd 'laen, gymran ni flas ohoni hi, ia?' A chyn i Siwsi allu dweud na gwneud dim, roedd Wendy wedi nôl llwy o'r ddrôr a'i phlannu i mewn i'r toes euraid. Gwyliodd ei chyfaill yn codi darn allan a'i roi mewn dysgl.

'Mm, mae o'n ogleuo'n blydi gorj, a sbia grefi tew, neis,' meddai Wendy, 'ond dwi'm yn siŵr sut fath o gig ydi hwn chwaith, wyt ti?'

'Yndw, nabod o'n dda,' meddai Siwsi, gan eistedd yn swrth ar y gadair. Roedd hi'n teimlo'n chwil. 'Cig sgwarnog ydi o.'

'W! Dwi rioed wedi trio sgwarnog,' meddai Wendy'n farus, gan godi darn o'r cig tywyll at ei cheg,

'A wnei di ddim heddiw chwaith,' meddai Siwsi'n sydyn, gan chwipio'r llwy a'r bastai oddi arni. 'Achos Megan Tyndrain ydi hi!'

Hanner awr yn ddiweddarach, roedd Megan wedi ei chladdu ym mhen draw'r ardd, ac er fod Benji'n dal i grynu o dan y sinc, doedd Wendy'n cofio dim am yr ymwelydd na'r bastai. Roedd hi'n yfed ei phaned ac yn sgwrsio'n braf ynglŷn â beth roedd hi am ei wisgo i fynd allan y noson honno. Doedd Siwsi ddim yn gwrando llawer arni. Efallai ei bod hi'n nodio a gwenu ar ei chyfaill, ond roedd ei chalon yn gwaedu a'i gwaed yn berwi.

'Mi gei di dalu am hyn, Rhys Dolddu,' meddyliodd. 'Mi fyddi di, fel dy gyn-deidiau, yn difaru d'enaid dy fod ti wedi dechrau trio chwarae gêmau efo fi.'

17

'Wyt ti am aros acw heno?' gofynnodd Wendy, wrth iddi olchi llestri'r swper o gaws ar dôst.

'Be? O, na, dwi'm yn meddwl,' atebodd Siwsi. 'Mae 'na lwyth o bethau gen i i'w gwneud fory, felly mi arhosa i'n sobor a gyrru adre, yli.' Roedd arni eisiau cynnal defod gyda rhywfaint o urddas iddi uwchben bedd Megan i ddechrau, heb sôn am geisio darganfod beth oedd ym mharsel Rhys Dolddu, heb sôn am geisio creu gwrth-swyn ar gyfer Ann, Lowri a Dorti.

'Paid â bod yn wirion! Fedri di'm peidio yfed siŵr!'

'Pam ddim?'

'O, ych, na. Tasa pawb arall yn sobor, iawn, ond mi fydd pawb yn chwil yn bydd!'

'Dilyn y dorf eto, ia?'

'Y? Yli, meddylia am y peth. Pawb o dy gwmpas di'n gweiddi a chwerthin a malu awyr, a chditha'n sobor fel sant yn eu canol nhw. Fyddan ni i gyd wedi mynd ar dy nyrfs di'n syth!'

'Beryg,' cytunodd Siwsi, heb ychwanegu y bydden nhw'n debygol o wneud hynny beth bynnag, y ffordd roedd hi'n teimlo heno.

'Felly dyna fo ta. Ti'n yfed. Gei di dacsi adre os nad wyt ti isio aros efo fi.' Edrychodd Wendy ar ei horiawr. 'Ac os siapian ni hi, mi fedran ni ddal bws saith, a fydd na'm rhaid i ti adael dy gar yn y dre.'

'Ym . . .' Sylweddolodd Siwsi nad oedd hi erioed wedi bod ar fws cyhoeddus o'r blaen. Roedd y syniad yn ei goglais am ryw reswm.

'Be sy?'

'Dim. Ella mai chdi sy'n iawn, ella 'mod i angen – be ti'n ei alw fo? Bendar?'

'Ia!'

'Ella mai bendar go iawn dwi ei angen.' Craffodd Wendy arni.

'Be? Ti'm yn dy hwyliau?'

'Wel . . . dwi wedi bod reit od heddiw yn do?'

'Do?'

'Doeddet ti'm wedi sylwi?'

'Argol nago'n. O'n i jest yn meddwl – dwi'm yn gwbod lle mae hanner heddiw wedi mynd – mae o jest wedi fflio heibio. A'r cwmni ydi hynny fel arfer yndê?' A rhoddodd wên mor fawr, mor ddidwyll ac mor ddiniwed i Siwsi, y cwbwl allai honno ei wneud oedd gwenu'n ôl. 'Reit!' meddai Wendy, 'cer i wisgo, dyro dy warpaint ymlaen, mi wna i orffen fan hyn. Gw on – cer!'

Ufuddhaodd Siwsi'n llawen. Roedd hi mor braf cael rhywun yn dweud wrthi be i'w wneud weithiau, mor braf peidio gorfod meddwl, a pheidio gorfod gwneud penderfyniadau. Iawn, fe ddaliai hi'r bws, fe wnâi ei gorau i fwynhau ei hun allan efo Wendy a'i chriw, a dod adre'n weddol gynnar i ddechrau ar ei gwaith. Ond roedd ganddi bedair awr dda tan hynny, ac er mwyn cael y gorau allan o'r oriau hynny, rhaid oedd ymbincio – ac ymwisgo. Penderfynodd wisgo rhywbeth tyn, bwriadol rywiol am unwaith. Os oedd hi am feddwi fel pawb arall, waeth iddi wisgo fel pawb arall hefyd.

'Mae gynnon ni amser am un bach cyn mynd i ddal y bws 'ma yndoes?' meddai Siwsi ar ôl dod yn ôl i lawr y grisiau.

'Wel . . . nagoes, deud gwir,' atebodd Wendy, gan edrych yn bryderus ar ei horiawr.

'Twt. Clec i hwn – tyd.' Tywalltodd Siwsi fymryn o

166

gynnwys y botel binc i ddau wydryn a phasio un i Wendy.

'Be ydi o?' holodd honno gan edrych yn ddrwgdybus ar yr hylif pinc llachar.

'Gin cartre,' atebodd Siwsi. 'Tyd, lawr â fo. Gei di noson i'w chofio ar ôl blas o hwn.' Yfodd ei siâr hi ar ei thalcen, yna llyfodd ei gwefus a throi at Wendy. Cleciodd hithau yr hylif yn ufudd, a phesychu wedyn.

'Blydi nora! Gin alwest ti o? Sa ti'n gallu stripio paent efo hwnna!'

'Sa ti'n synnu,' gwenodd Siwsi. 'Rŵan, tyd, cyn i ni golli'r bws 'ma.'

'Iawn. Benji? Tyd, 'mach i. Be sy'n bod arno fo, dwa? 'Di o byth yn arfer bod fel hyn.'

Dechreuodd y ddwy ferch a'r ci redeg i lawr yr wtra, ond er gwaetha'r hylif hud, doedd Wendy ddim yn gallu symud yn arbennig o gyflym yn ei sodlau afresymol o uchel.

'Mi fyddi di wedi torri dy ffêr yn rheina'r gloman,' meddai Siwsi. 'Tyd yma.' Pwysodd Siwsi yn ei blaen a dal ei breichiau allan. Edrychodd Wendy arni'n hurt.

'Tyd! Sgennai'm drwy'r dydd!' gwaeddodd Siwsi. 'Neidia ar fy nghefn i!'

'Paid â malu!' chwarddodd honno. 'Dwi bron yn ddeg stôn!'

'Neidia!'

Ufuddhaodd Wendy, a hedfanodd Siwsi i lawr yr wtra heb duchan na chloffi unwaith. Prin y gallai Benji ddal i fyny â nhw. Roedd Wendy'n disgwyl cael ei hysgwyd i ebargofiant ar y siwrne, ond roedd hi'n daith ryfeddol o esmwyth – gyda rhywfaint o ddiolch i'r hylif pinc, wrth gwrs.

Wedi cyrraedd y ffordd fawr, gollyngodd Siwsi ei phwn yn ofalus.

'Iawn?' gofynnodd.

'Grêt! Ond asu, mae'n rhaid dy fod ti'n uffernol o gry – a ffit.'

'Doedd o'm byd, siŵr,' wfftiodd Siwsi. 'Blynyddoedd o gerdded milltiroedd efo dau fwced trwm ar iau yn gneud byd o les i rywun.'

'Y? Ar iau? Ddim "liver" ydi hwnnw?'

'Yr iau arall siŵr, darn o bren sy'n ffitio dros y sgwyddau a tsiaen bob pen.'

'O ia, wn i! Mae 'na un ar wal yr Unicorn – ond,' crychodd Wendy ei thalcen, 'fuest ti'm yn iwsio un o'r rheiny, naddo? Maen nhw'n antîcs.'

Rhoddodd Siwsi gic-yn-din feddyliol iddi hi ei hun. Roedd hi'n siarad heb feddwl yn rhy aml o'r hanner. Ymbalfalodd i ddod allan o'i thwll.

'O, nhad fyddai'n gneud i mi redeg i bob man efo hen iau ei fam o – a llond bwced o gerrig bob pen. Mynnu bod ei blant o'n ffit. Isio'n gweld ni'n yr Olympics. Hen lol felly.' Edrychodd ar Wendy drwy gil ei llygad. Bingo. Roedd 'na olwg credu pob gair arni.

'Gyrhaeddist ti?' gofynnodd honno.

'Ble?'

'Yr Olympics.'

'Be ti'n feddwl! Hei, ein bws ni ydi hwnna?'

Dringodd Siwsi ar y bws yn ddiolchgar. Wrth lwc, roedd Wendy'n nabod y gyrrwr ac wedi dechrau sgwrsio efo fo'n syth. Siawns na fyddai hi'n anghofio am y lol efo'r iau rŵan. Roedd hi'n casáu gorfod dweud celwydd fel hyn drwy'r amser, ond gwyddai'n iawn nad oedd Wendy'n barod eto i glywed y gwirionedd. Eisteddodd Siwsi'n ôl i fwynhau'r siwrne.

Byddai'n ddifyr gweld sut byddai'r hylif yn effeithio ar Wendy yn ystod y noson.

Wedi cau Benji hynod dawedog yn y tŷ, brysiodd y ddwy am y dre. Roedd pob tafarn yn llawn o'r un bobl yn yr un safleoedd ag arfer. Roedd y bois pêl-droed i gyd o amgylch y byrddau pŵl, y genod dan oed i gyd o amgylch y jiwc bocs, a'r hen yfwrs bysedd melyn yn y seddi mwya cyfforddus. Archebodd Wendy yr un ddiod ag arfer a mynd i eistedd wrth yr un bwrdd ag arfer gan gyfarch yr un criw ag arfer ar y ffordd.

'Mae pobol ffor'ma yn hoff iawn o ddilyn yr un drefn, tydyn?' meddai Siwsi gan danio sigarét.

'Rwtîn ti'n feddwl? Yndyn, I suppose. Oes 'na rwbath yn rong efo hynny?'

'Nagoes mae'n siŵr. Ond be sy'n digwydd pan mae 'na rwbath allan o'r cyffredin yn digwydd?'

'Dwi'm yn gwbod. Does na'm byd gwahanol yn digwydd yma byth, nagoes?'

'Amser a ddengys, felly,' myfyriodd Siwsi.

'Am be ti'n rwdlan rŵan?' gofynnodd Wendy. 'Ti'n 'y ngholli i'n rhacs weithia sti.'

'Ddrwg gen i,' gwenodd Siwsi. 'Hei, ti ffansi gêm o'r pŵl 'ma?'

'Fi?! Ond dwi'n crap – ac mi fysa pawb yn sbio arnan ni!'

'Stwffio nhw,' meddai Siwsi. 'Dwi 'rioed wedi'i chwarae o, ond mae o'n edrych reit hawdd. Faint mae o'n gostio dwa?'

Bu'n rhaid iddi gael cymorth un o'r hogia ifanc i osod y peli'n gywir yn y triongl plastig, a bu'n rhaid iddi brynu dybl arall i Wendy cyn i honno gytuno i chwarae ond, o'r diwedd, roedd y peli yn eu lle, roedd ganddi giw yn ei llaw, ac roedd hi'n barod i dorri.

Roedd hi wedi sylwi ar y dynion yn chwerthin wrth y bar, a'r merched yn rhowlio eu llygaid wrth y peiriant sigaréts. Doedd Siwsi ddim yn y mŵd i gael rhywun yn gwneud hwyl am ei phen fel yna, felly penderfynodd ddysgu gwers iddyn nhw. Caeodd ei llygaid am eiliad cyn torri, ac i roi mymryn o gymorth i effaith yr hylif hud, adroddodd ychydig o eiriau dan ei gwynt. Sylwodd neb ar hynny ond, yn bendant, fe sylwon nhw ar y ffordd y torrodd hi'r triongl o beli. Clywyd y glec o'r lle chwech – clec wych, clec gyfoethog ei sain, clec drodd y bwrdd gwyrdd yn ferw o felyn a choch. Clec daranodd ddwy bêl goch i lawr i grombil y bwrdd.

'Ffyc mi,' ebychodd un o'r bois wrth y bar.

'Jami,' wfftiodd ei gyfaill. Ond pan botiodd Siwsi'r bêl nesaf, a'r nesaf, penderfynodd gau ei geg.

'Oi! Pryd dwi'n mynd i gael go?' protestiodd Wendy. Felly potiodd Siwsi'r wen, gan wneud iddo edrych fel anlwc pur.

Er mawr syndod i Wendy, llwyddodd i botio dwy felen yn ddidrafferth. Trodd at Siwsi gan wenu fel giât.

'Pwy ddeudodd dy fod ti'n crap!' chwarddodd honno. Ond doedd hi ddim am adael iddi ennill chwaith. Gadawodd i'r gêm ddatblygu, a'r ddwy'n chwarae fel petaen nhw wedi bod wrthi ers blynyddoedd, nes roedden nhw'n ymladd am y ddu. Tro Siwsi oedd hi, ac roedd y bêl ddu'n gorffwys yn erbyn canol y cwshin pellaf un, tra oedd y wen ar y cwshin agosaf.

'Cheith hi byth moni hi,' wfftiodd y dyn a fu'n fud ers yngan y gair 'Jami'.

Cododd Siwsi ei llygaid a rhoi gwên lydan iddo.

'Isio bet?' gofynnodd.

'Y?' meddai'r dyn.

'Os ga i hi, ti'n prynu rownd i mi a Wendy fan hyn, os dwi'n methu, bryna i rownd i chdi a dy fêt.'

'Iawn! Dim problem!' cytunodd hwnnw.

Gwenodd Siwsi arno eto a tharo'r bêl heb dynnu ei llygaid oddi ar ei wep. Neidiodd y bêl yn daclus i lawr y twll.

'Dau vodka a Red Bull os gweli di'n dda,' meddai wrth y dyn oedd â cheg debycach i geg pysgodyn erbyn hyn.

'Asu, nes i fwynhau hynna!' meddai Wendy, wrth dderbyn ei diod ychwanegol yn llawen.

'Ddim hanner cymaint â fi,' meddai Siwsi. Roedd hi'n hen bryd iddi ddechrau defnyddio ei thalentau fel hyn, meddyliodd.

Yn y dafarn nesaf, roedd Elsie Jên yn ei lordio hi wrth y bar, yn uchel iawn ei chloch.

'Haia genod!' gwaeddodd. 'Be gymrwch chi?'

'Mae'n iawn, Elsie,' meddai Wendy, ''dan ni ar rownd reit ddrud sti.'

'Dim problem. 'Nes i ennill yn Bingo neithiwr!'

'Argol, do? Faint?'

'Fforti cwid. Felly tyd 'laen, be tisio?'

Doedd Wendy ddim yn hapus i gymryd arian prin Elsie Jên, ond roedd honno'n styfnig fel mul, a doedd gan Wendy ddim dewis yn y mater.

'Dwi'n teimlo'n uffernol,' meddai wrth Siwsi wrth basio'r diodydd iddi, 'dyna i ti ddwy rownd 'dan ni wedi'u cael am ddim, a dim ond crafu byw mae Elsie druan.'

'Fyswn i'm yn poeni am y peth,' meddai Siwsi. 'Mi gafodd hi newid ugain am ei phapur degpunt.'

'Rioed! A ddeudodd hi'm byd?'

'Naddo, achos nath hi'm sylwi, a paid ti â deud dim chwaith.'

'Ond . . . ond 'di'r peth ddim yn iawn –'

'Yndi tad! Mae'r lle 'ma'n gneud ffortiwn allan ohoni hi a'r ffrindia, tydi? A dim ond 'nôl i'r til eith o.'

Doedd Wendy'n dal ddim yn siŵr, ond cytunodd i gau ei cheg. Gwenodd Siwsi iddi hi ei hun. Oedd, roedd hi'n hen bryd iddi ddefnyddio mwy ar ei doniau, a chynnwys ei chwpwrdd. A doedd y ferch y tu ôl i'r bar ddim yn haeddu unrhyw ffafrau beth bynnag. Hen jaden sych oedd hi.

Siglodd Elsie Jên tuag atyn nhw ymhen ychydig, a gwasgu ei hun i'r fainc wrth ochr Siwsi.

'Wel 'rhen chwaer,' meddai, 'sut mae hi tua'r Gwyllt 'na?'

'Bendigedig,' atebodd Siwsi, 'mae gen i drydan a bob dim rŵan.'

'Fwy na sy gen i,' chwarddodd Elsie, 'anghofio rhoi pres yn y blydi meter o hyd tydw. Dechra meddwl 'mod i'n mynd yn "senile", sti. Olches i 'nannedd efo Immac bore 'ma. Harglwy', blas y diawl arno fo. O ia, nes i gofio y diwrnod o'r blaen 'fyd, ryw hen stori oedd Nain yn arfer ei deud wrthan ni'n blant. Dy weld ti'n mynd mewn i gaffi Wendy 'nes i, a chofio bod 'na Siwsi arall yn byw yn yr ardal 'ma erstalwm. Siwsi Dôl-y-Clochydd. O'n i isio deud wrthat ti'n syth, ond o'n i isio dal y post cyn i'r ciws ddechra, wedyn nes i anghofio bob dim.'

Rhewodd Siwsi, a cheisiodd ddal ati i danio ei sigarét heb i'w bysedd grynu.

'Ia, Siwsi Dôl-y-Clochydd,' meddai Elsie ar ôl cymryd llwnc dda o'i diod. 'Gwrach oedd hi, sti.'

'Rioed!' meddai Wendy, gan bwyso ymlaen i glywed mwy.

'Ia tad. Dwi'm yn gwbod pryd oedd hyn cofia, gannoedd o flynyddoedd yn ôl siŵr gen i, ond yn ôl Nain, oedd y lle ma'n berwi o geirw 'radeg honno, ac mi fyddai arglwyddi Nannau'n eu hela nhw'n rheolaidd. Ond bob tro roedden nhw'n hela wrth ymyl Afon Las, fydden nhw byth yn gallu dal y carw. Bob tro, jest fel roedd y cŵn ar fin ei ddal o, mi fyddai'r carw'n neidio dros yr afon ac yn diflannu. Bob tro cofia! Mi fuo hyn yn digwydd am hir, a'r arglwyddi'n methu dallt be oedd. Ond ryw dro, dyma nhw'n sylweddoli mai Siwsi Dôl-y-Clochydd oedd yn gyfrifol, ei bod hi'n newid ei hun i ffurf carw bob tro roedden nhw'n hela, yna'n eu harwain at Afon Las, a'u drysu nhw'n rhacs. Wedyn dyma nhw'n adeiladu pont yno, a'i galw hi'n Bont Llam yr Ewig, ac mae hi'n dal yna heddiw. Ewig ydi'r gair Cymraeg am garw benywaidd ti'n gweld, Wendy. Ond oeddet ti'n gwybod hynna doeddet Siwsi?'

'Gwybod be'n union?'

'Mai ewig ydi dynes carw.'

'O. Oeddwn.'

'Ddim dyna'r stori glywais i,' meddai llais dyn y tu ôl iddyn nhw. Trodd y dair i edrych i gyfeiriad y llais.

'Asu! Wil Llaeth! Be wyddost ti am wrachod?!' chwarddodd Elsie Jên.

'Dwi'n dy nabod ti, tydw?' atebodd Wil fel saeth.

'Sy'm isio bod fel'na nagoes?' meddai Elsie, gan fethu cuddio'r ffaith fod y geiriau wedi ei chlwyfo.

'Oedd Nhaid yn deud stori wrtha inna am Siwsi Dôl-y-Clochydd,' meddai Wil yn bwyllog, 'a doedd hi'm byd tebyg i honna.'

'Tyd â hi ta,' meddai Elsie'n sych.

'Iawn. Ga i ista?' gofynnodd yr hen ŵr. Prysurodd

173

Wendy i wneud lle iddo, a thynnodd Siwsi'n ddyfnach ar ei sigarét. Gwnaeth Wil ei hun yn gyfforddus, a dechrau ar ei fersiwn yntau:

'Roedd gan Siwsi Dôl-y-Clochydd gath, anferth o beth blewog, smart, ac roedd gan Siwsi feddwl y byd ohoni. Ond roedd y gath 'ma'n uffar o un am hela, ac roedd hi'n mynd i fyny ar Foel Cynwch bob dydd i ddal cwningod, sguthanod, bob dim. Wel, doedd hyn ddim yn plesio Arglwydd Nannau o gwbwl, felly mi aeth o ar ei hôl hi ryw ddiwrnod, a'i lladd hi.'

'Be? Siwsi?' gofynnodd Wendy.

'Naci, y gath,' meddai Wil yn swta. 'Ond roedd Siwsi wedi digio'n ddiawledig, doedd? Felly mi benderfynodd hi ddial ar yr boi am ladd ei chath hi. Ryw ddiwrnod, aeth Arglwydd Nannau allan i hela, ac mi newidiodd Siwsi ei hun i ffurf sgwarnog a rhedeg o flaen ei gŵn o, dros y mynyddoedd tuag at lle mae Pont Llam yr Ewig heddiw, lle mae Afon Las yn llifo rhwng y creigiau. Uffar o ddibyn yna. Roedd y cŵn ar ei sodlau hi, ond mi neidiodd y sgwarnog dros y dibyn i'r ochor draw, ac mi ddilynodd y cŵn yn do, mewn un haid, a chwympo i'r dŵr islaw. Mi gafodd bob un wan jac ei ladd cofia, a dyna sut ddialodd Siwsi Dôl-y-Clochydd ar Arglwydd Nannau am ladd ei chath hi.'

Dechreuodd Siwsi bwffian chwerthin.

'A dyna'r ddwy stori, ia? Diddorol! Diddorol iawn!'

'Gwir bob gair!' protestiodd Wil, 'ac mae 'na un arall hefyd, am hen wrach hyll oedd yn byw ym Mhenrhos Ucha. Roedd hi wedi bod yn witsio gwartheg, felly dyma'r bobol leol yn danfon am ddau Ddyn Hysbys o Shriwsbri –'

'Dyn Hysbys?!' meddai Wendy'n ddryslyd.

'Dynion oedd yn gwbod sut i ddal gwrachod,'

eglurodd Wil. 'Rŵan, ble ro'n i? O ia, ond pan gyrhaeddon nhw'r tŷ, doedd na'm golwg o'r hen wrach. Ond wedyn dyma nhw'n ei gweld hi'n sgrialu i lawr ochor y mynydd at Afon Wen. Roedden nhw'n meddwl yn siŵr eu bod nhw wedi'i dal hi, roedd 'na ddiawl o li ar yr afon 'na, ond diawch, wyddoch chi be? Mi neidiodd yr hen wraig, reit dros yr afon, wedyn i fyny â hi at Goed Bryn Prydydd, ac i lawr at Afon Las, a neidio dros honno hefyd, a dyna fo, welson nhw byth mohoni wedyn.'

'Faint rhagor o fersiynau sy 'na?!' sgrechiodd Siwsi, oedd yn chwerthin yn gwbl afreolus erbyn hyn. Edrychodd y lleill yn hurt arni.

'Dydi o'm mor ddigri â hynna,' meddai Wendy, 'ti 'di'i dal hi neu rwbath?'

'Naddo, fwy na chafodd hi ei dal! Ond roedd 'na rywun yn chwil gachu yn trio cofio'r stori ryw ben doedd? Sôn am "Chinese Whispers"! Be am "Mwydro Meirionnaidd"?! A hen wrach hyll, ia? Dow . . . rhyfedd fel mae gwrachod wastad yn hen ac yn hyll yn y straeon 'ma, tydi? Sa fo byth yn gneud y tro iddi fod yn ifanc a del na f'sa, y?' Roedd y dagrau'n llifo i lawr ei bochau erbyn hyn, a hanner y dafarn wedi troi i weld be oedd mor ofnadwy o ddigri.

'Ond dyna'r straeon ddoth lawr i Nhaid i,' meddai Wil Llaeth yn flin.

'A dim ond straeon ydyn nhw,' meddai Elsie Jên yr un mor bwdlyd.

'A straeon uffernol o dda,' meddai Siwsi, gan geisio achub y sefyllfa. 'Diolch am eu rhannu nhw. Dach chi wedi gwneud fy noson i!' A dechreuodd sgrechian chwerthin eto.

'Coblyn o jôc dda mae'n rhaid,' meddai llais

dwfn, diog uwch eu pennau. Rhewodd Siwsi. Yna ceisiodd sychu ei dagrau â'i llawes, heb godi ei phen i weld perchennog y llais, llais roedd hi'n ei nabod yn dda.

'Asu, Rhys Dolddu!' meddai Wil Llaeth. 'Be sy'n dod â chdi allan? Dwi'm wedi dy weld ti'n tywyllu'r lle 'ma ers . . . wel, ers blynyddoedd!'

'Doedd na'm byd gwerth ei weld ar y teledu,' atebodd Rhys, a dal llygaid Siwsi yr eiliad y cododd hi ei phen. 'Braf dy glywed di'n chwerthin, gymydog,' meddai.

'Cadw rhywun yn ei iawn bwyll tydi?' atebodd hithau'n bwyllog, gan estyn am ei diod a'i sipian yn araf. Roedd hi'n gorfod canolbwyntio'n galed ar beidio crynu.

'Duw ia, dach chi bron drws nesa i'ch gilydd, tydach?' meddai Elsie Jên. 'Handi!'

Anwybyddodd Rhys ei sylw, a throdd at Wendy.

'Helô eto,' meddai wrthi.

'Sori? Eto?' gofynnodd Wendy'n ddryslyd. Caeodd Siwsi ei llygaid a llyncu'n galed.

'Pnawn 'ma? Wrth ddrws y Gwyllt?' meddai Rhys gyda gwên.

'Y? Am be ti'n fwydro, dwa? Dwi'm wedi dy weld ti ers blynyddoedd, Rhys Dolddu! Ti'n pissed neu rwbath?'

'Ond rois i –' Trodd Rhys i edrych ar Siwsi, oedd wedi dechrau astudio ei phecyn sigaréts yn arbennig o fanwl. 'Dim bwys,' meddai wrth Wendy, heb dynnu ei lygaid oddi ar Siwsi. 'Fi sy'n drysu. Anghofia fo.'

'Wyt ti am eistedd efo ni, Rhys?' gofynnodd Elsie Jên gyda winc fawr, 'i ni gael dy hanes di, you eligible bachelor, you!'

'Os wnewch chi ddeud wrtha i be oedd yn gwneud i

'nghymydog i chwerthin fel'na. Mi fydda i'n mwynhau jôc dda,' atebodd.

'Doedd o'm yn blydi jôc!' wfftiodd Wil Llaeth. 'Deud straeon am wrachod yr ardal 'ma oedden ni –'

'Gwrachod?' meddai Rhys ar ei draws. 'Diddorol . . .'

'Ia, a dyma hon yn dechra chwerthin fatha blydi hyena, yn do!'

'Wil,' dwrdiodd Elsie. 'Paid â bod yn rŵd.'

'Dwi'm yn blydi rŵd!'

'Paid â rhegi ta.'

'Mi rega i faint fynna i – a pwy wyt ti i siarad, y geg siwar uffar?' Wedi gadael Elsie'n gegrwth, trodd Wil at Siwsi, a phwyntio ei fys ôl-nicotîn ati. 'Gwranda di, mei ledi, gair i gall: ella bo chdi'n meddwl mai jest ryw hen lol ydi'r straeon 'ma, ond does 'na byth fwg heb dân . . . a tydi hi'm yn syniad da gneud hwyl am ben petha ti'm yn ddallt. Mi ddallti di hynny ryw ddiwrnod. Yn gneith, Rhys?'

'Ti'n fy rhoi i mewn lle cas, Wil,' meddai Rhys. 'Gofyn i mi dynnu'n groes efo hogan ddel fel hon.'

Teimlai Siwsi awydd cryf i chwydu dros ei sgidiau.

'Ti'n rêl charmer, Rhys,' chwarddodd Elsie Jên, 'a taswn i fymryn yn iau, swn i'n dy fyta di bob tamed, byswn wir.'

'Beryg i chi dagu,' meddai Siwsi.

Edrychodd Elsie arni'n syn.

'Asu, sa'm rhyfadd bo chdi byth wedi priodi os mai fel'na ti'n siarad efo dynion sy m'ond yn trio bod yn glên.'

'Ddrwg gen i,' meddai Siwsi, gan edrych yn hy i fyw llygaid Rhys. 'Do'n i'm wedi dallt mai trio bod yn glên oedd o. Dwl ydw i, mae'n rhaid.'

'Fyswn i byth yn dy alw di'n ddwl, Siwsi,' meddai Rhys gyda gwên drioglyd.

Trodd Elsie Jên at Wendy a Wil Llaeth.

'Fi sy'n dychmygu petha, neu oes 'na ryw lovers' tiff wedi bod fan hyn dach chi'n meddwl?'

'Swnio felly,' cytunodd Wendy.

'Oes, mae 'na ryw sexual tension ofnadwy yma'n does?' ychwanegodd Wil, gan wneud i Wendy dagu ar ei diod. 'A' i'n ôl at y bar dwi'n meddwl. Teimlo allan ohoni braidd.'

'Gwbod yn union sut ti'n teimlo,' meddai Elsie Jên. 'Tyd Wendy, mae gan Brenda fancw rwbath mae hi isio'i ofyn i ti.'

'Pwy 'di Brenda?' gofynnodd Wendy'n ddryslyd.

'Dim bwys! Tyd!' gorchmynnodd Elsie, a dilynodd Wendy hi'n ufudd, gan geisio beidio chwerthin. Roedd y ddiod wedi hen fynd i'w phen hi.

Rhythodd Siwsi yn fud arnyn nhw'n ei gadael. Ceisiodd godi'n sydyn i'w dilyn, ond rhoddodd Rhys ei law ar ei braich i'w rhwystro. Edrychodd Siwsi ar ei law, yna arno fo.

'Tynna dy law o fanna. Rŵan,' meddai mewn llais isel ond pendant.

'Dim ond trio bod yn glên ydw i,' meddai yntau, heb symud ei law.

'Tynna dy law,' meddai Siwsi eto, ond yn uwch y tro yma.

'Neu?' gwenodd Rhys.

Brathodd Siwsi ei thafod. Gallai ei orfodi i dynnu ei law oddi ar ei braich – a hynny ar unwaith. Fe allai hi wneud iddo ddiodde go iawn.

'Ond mae 'na le ac amser i bob dim, yndoes?' meddai Rhys. 'Gwranda, mi ollynga i os wnei di eistedd i lawr am funud. Tydan ni'm isio creu ryw sioe fawr, nagoes, a does gen ti mo fy ofn i, felly be 'di'r broblem?'

Oedodd Siwsi. Ar un llaw, roedd hi eisiau dianc yn ddigon pell oddi wrtho, ond, ar y llaw arall, roedd hi eisiau aros, i gael gwybod be'n union roedd o'n ei wybod.

Eisteddodd.

'Dyna welliant,' meddai Rhys.

'Be tisio?' gofynnodd Siwsi, gan osgoi ei lygaid a thanio sigarét.

'Siarad.'

'Am be?'

'Chdi.'

'O. A be ti isio'i wybod yn union?'

'Pwy wyt ti?'

'Siwsi Owen.'

'Pwy wyt ti go iawn?'

'Siwsi Owen! Dwi 'di deud unwaith.'

'Iawn, *be* wyt ti ta?'

'Be ydw i?!' chwarddodd Siwsi. 'Sut fath o gwestiwn ydi hynna? Gwranda, dwi'n ferch, a dwi'n artist, iawn?'

'Artist? Ers pryd?'

'Ti'm yn fy nghoelio i? Mae gen i lun yng nghaffi Wendy, os leici di fynd i sbio, ac mae gen i rai ar werth ym Machynlleth os ti ffansi prynu un dy hun. Ond dwi'm yn rhad.'

'Nagwyt, mwn.' Cododd Rhys ei beint a sipian ychydig ohono, cyn gofyn yn sydyn: 'Be wnest ti i Caradog?'

'Pwy?'

'Fy nghi i – yr un doist ti'n gymaint o ffrindiau efo fo mor sydyn.'

'O ia . . . hwnnw. Roedd y creadur yn crefu am chydig o sylw a mwytha. Ti'm yn trin dy anifeiliaid yn dda iawn, nagwyt?'

'Maen nhw'n gwbod pwy 'di'r bòs. Ac o leia dwi'm yn eu lladd nhw.'

'Ddrwg gen i? Dwi'm yn dallt dy bwynt di.'

'Ddois i o hyd i Caradog yn gelain y dydd o'r blaen.'

'O naddo,' meddai Siwsi, gan swnio'n hynod ddiffuant, 'y creadur . . .'

'Roedd o'n waed i gyd.'

'Ych, paid, gas gen i feddwl am waed, heb sôn am ei weld o.'

'Rêl Miss Sensitif, dwyt?'

'Gallu bod.'

'Felly ti'n gwbod dim am be ddigwyddodd i Caradog?'

'Dim, ar wahân i'r ffaith nad oedd gan y creadur lawer o fywyd yn sownd wrth y fan 'na drwy'r dydd, yn gorfod cysgu yn ei fudreddi ei hun. Dyna i ti syniad . . . nath o groesi dy feddwl di mai lladd ei hun wnaeth o?'

Edrychodd Rhys arni fel pe bai hi'n lwmp o rhywbeth annymunol iawn, ond gwenu wnaeth Siwsi. Roedd hi'n dechrau mwynhau ei hun.

'Lladd ei hun er mwyn cael bywyd gwell i fyny yn Nefoedd y Cŵn, yn ddigon pell oddi wrthat ti. Ond "cyflawni hunan-laddiad" maen nhw'n ddeud, yndê? Dyna'r term swyddogol. Ond sioe ydi hynna os ti'n gofyn i mi. Be sy o'i le efo deud "lladd ei –" '

'Rho'r gorau iddi,' gorchmynnodd Rhys.

'Sori. Ydw i'n siarad gormod? Ond chdi oedd isio siarad.'

Anadlodd Rhys yn ddwfn, a sylwodd Siwsi fod ei

ddwylo'n ddyrnau a chymalau ei fysedd wedi troi'n felyn.

'Pam nad ydi Wendy'n cofio dim am pnawn 'ma?' gofynnodd yn sillafog.

'Fel'na mae hi, yndê,' atebodd Siwsi. 'Chwit chwat, ei phen yn y gwynt. O ia, a diolch i ti am yr anrheg, syniad da, a hynod garedig, ond dwi'n llysieuwraig. Ddrwg iawn gen i.' A gwenodd arno, gan edrych mor, mor ddiniwed. Teimlai Rhys ei ddwylo'n chwysu, yn ysu am afael yng ngwddf yr ast a gwasgu'n dynn, gwasgu nes bod y wên 'na wedi hen ddiflannu.

'Fysa hynna'm yn syniad da, na fysa, Rhys?' meddai Siwsi, ond mewn llais mor dawel, doedd o ddim yn berffaith siŵr oedd o wedi ei chlywed hi o gwbwl.

'Be ddeudist ti?' gofynnodd yn sydyn.

'Fi? 'Mod i'n llysieuwraig.'

'Naci, wedyn.'

'Ei bod hi'n ddrwg gen i. A chditha'n ffarmwr . . . llysieuwyr ddim ymysg dy hoff bobol di, nacdyn? Pam? Be sy'n bod, Rhys? Wyt ti'n teimlo'n iawn?'

Roedd llygaid yr ast yn pefrio i mewn iddo. Gallai deimlo cyllell boeth yn torri drwy ei ymennydd, a'i galon yn dechrau curo'n frawychus o sydyn.

'Ti'm yn edrych yn rhy dda, sti . . .'

Roedd o'n chwys diferol a'i ben ar fin hollti. Ac roedd ei stumog o'n corddi . . . rhywbeth yn berwi a chordeddu y tu mewn iddo . . . y sguthan! Doedd y cwdyn yn ei boced yn dda i ddim yn ei herbyn. Mae'n rhaid ei fod o wedi anghofio rhywbeth . . . cynhwysyn cwbl angenrheidiol . . . roedd o'n crynu, a'i stumog ar fin – Neidiodd ar ei draed, ei law wedi ei weldio dros ei geg, a gwthio ei ffordd yn wyllt drwy'r cadeiriau a'r yfwyr am y lle chwech.

Chwydodd ei berfedd allan.

Yn y cyfamser, roedd Siwsi'n stwmpio ei sigarét yn y blwch llwch ac yn ysgwyd ei phen.

'Methu dal ei ddiod, y creadur,' eglurodd wrth yr yfwyr syfrdan. Cododd ar ei thraed a gafael yn ei chôt a mynd i chwilio am Wendy.

Pan ddaeth Rhys Dolddu yn ei ôl o'r tŷ bach, yn welw fel ysbryd a simsan ei draed, bu'n rhaid iddo wynebu llond tafarn o chwerthin a thynnu coes – a sedd wag, a sigarét yn dal i fudlosgi yn y blwch llwch.

'Mae hi'n ormod o ddynes i chdi, Rhys bach!' chwarddodd Wil Llaeth wrth iddo adael.

Daeth Siwsi o hyd i Wendy ac Elsie Jên yn y bar drws nesa.

'Wel? Ydi o'n mynd â chdi adre?!' holodd Wendy'n gellweirus.

'Ddim os ydi o isio byw,' atebodd Siwsi. 'Tyd, gawn ni symud mlaen i rwla arall? Y disgo 'ma neu rwla?'

'Be 'di'r brys?' gofynnodd Elsie Jên. 'Nath o dy ddychryn di neu rwbath?'

'Do'n i'm yn licio be oedd ganddo fo mewn golwg,' atebodd Siwsi.

'Ddylat ti roi cyfle i'r creadur sti,' meddai Elsie Jên. 'Ffarmwr ydi o, dal i feddwl fel tarw, ddim cweit 'di dallt bod genod angen chydig o seduction gynta.'

'Wel waeth iddo fo heb â'i thrio hi efo fi,' meddai Siwsi. 'Dwi'n nabod ei deip o'n rhy dda. Gawn ni fynd plîs, Wendy?'

Cerddodd y ddwy ar hyd y pafin am y clwb rygbi.

'Ond mae o'n rîli ffansïo ti,' meddai Wendy, 'methu tynnu ei lygaid oddi arnat ti.'

'Ddrwg gen i, Wendy, ond mae o'n troi arna i.'

'Ia wel, suppose bod cael rhywun yn stêrio arnat ti

felna yn rhoi'r crîps i rywun. Ddim bod neb wedi sbio felna arna i rioed,' ychwanegodd. 'Oni bai bod nhw'n pissed gachu.'

Stopiodd Siwsi'n stond a throi i edrych ar ei chyfaill.

'Wendy . . . stopia hynna – rŵan!'

'Be?!'

'Tynnu dy hun lawr fel'na dragwyddol!'

'Y?'

'Does gen ti'm llawer o feddwl ohonot ti dy hun, nagoes?'

'Be ti'n feddwl?'

'Ti'n gwbod yn iawn be dwi'n feddwl – a dwi'n iawn, tydw?'

Oedodd Wendy cyn ateb.

'Suppose. Ond mae'n hawdd i chdi, tydi? Ti'n edrych fatha model, ti'n glyfar, ti'n gwbod be tisio, dwyt ti byth yn gneud dim byd yn rong – a sbia llanast dwi!'

'O Wendy . . . taset ti m'ond yn gwbod,' ochneidiodd Siwsi. 'Yli, dwi wedi gwneud camgymeriadau uffernol yn 'y nydd, ac mae 'na adegau pan dwi'n casáu fy hun.'

'Chdi? Pam?!' meddai Wendy'n syn.

'Ddeuda i wrthat ti rywbryd. Ond sôn amdanat ti oedden ni yndê? A phan dwi'n sbio arnat ti, dwi'm yn gweld llanast – ddim o bell ffordd. Dwi'n gweld hogan dlws, annwyl sy'n llwyddo i redeg busnes llwyddiannus a magu plentyn – i gyd ar ei phen ei hun. Felly dwi'm isio dy glywed di'n deud pethau hurt, negyddol amdanat ti dy hun eto.' Trodd i bwyntio at ddrws y clwb. 'Sytha'r sgwyddau 'na, a cherdda i mewn i fancw fel taset ti pia'r lle!'

Chwarddodd Wendy. 'Mi fysa pawb yn sbio'n wirion arna i!'

'Sbio ella,' cytunodd Siwsi, 'ond ddim yn wirion. Tyd.'

Roedd Siwsi'n iawn, wrth gwrs. Doedd gan Wendy ddim syniad o ble daeth y gyts a wnaeth iddi gerdded i mewn fel y gwnaeth hi, ond fe agorodd llwybr fel y Môr Coch iddi. Camai'r cyrff yn ôl i wneud lle iddi, dilynwyd hi gan ugeiniau o barau o lygaid, a phan gyrhaeddodd y bar, cafodd sylw'r barman yn syth bìn.

'Oedd hynna'n ameising,' meddai hi wrth basio diod i Siwsi. 'Dydi o byth yn sylwi arna i fel arfer; fi ydi'r ola i gael ei syrfio.'

'Iaith y corff, cariad,' chwarddodd Siwsi. 'Os ti'n edrych fatha rhywun sy'n disgwyl cael ei syrfio'n syth, welan nhw mo'r lleill. A sylwa ar y ffordd mae'r hogia ifanc 'ma'n sbio arnat ti . . .'

Wrth edrych o'i chwmpas a chael un wên ar ôl y llall, aeth gwefr o bleser drwy gorff Wendy. Bron na ellid ei gweld yn tyfu rhyw fodfedd neu ddwy.

'Haia Wend,' meddai dyn ifanc eitha golygus wrthi. 'Ti 'di bod ar dy wylia?'

'Gwylia? Fi?! Naddo. Pam ti'n gofyn?'

'Jest . . . golwg felly arnat ti. Sort of . . . iach, relaxed, ti'n gwbod?'

'Secsi 'swn i'n ei alw fo,' meddai dyn arall gan wincio arni.

'Mae hyn fatha magic!' meddai Wendy wrth Siwsi'n nes ymlaen, ar ôl bod yn dawnsio'n awgrymog gyda rhai o'r dynion ifanc. 'Ti'n deud wrtha i 'mod i'n shit-hot, a hei presto, dwi'n dy goelio di – a phawb arall hefyd!'

Dim ond gwenu wnaeth Siwsi. Ond diflannodd y wên toc wedyn, pan aeth Wendy yn ei blaen i ddweud:

'Bechod bod Adrian ddim allan i 'ngweld i fel hyn yndê? Sa fo'n cael sioc ar ei din. Ond maen nhw 'di mynd i Lundain am y penwythnos. Mae o'n ŵr da, sti – sbwylio'i wraig fel'na, mynd â hi i ffwrdd am brêcs o hyd.'

'O? A pryd gest ti bres ganddo fo ddwytha?' gofynnodd Siwsi.

'O, mi geith Leah rwbath neis ganddo fo Dolig, sti. Mae o'n dda iawn fel'na.'

Ysgydwodd Siwsi ei phen a phenderfynu brathu ei thafod.

Ddiwedd y nos, wedi i bawb gael eu hel allan o'r clwb, roedd Wendy'n cael ei themtio i fynd am gebáb efo criw o'r dynion ifanc fu'n glafoerio drosti drwy'r nos. Roedden nhw'n gafael yn ei dwylo ac yn ceisio ei thynnu, a hithau wrth ei bodd, yn chwerthin a thynnu coes. Roedd un o'r bechgyn mwyaf atyniadol yn ceisio perswadio Siwsi i ddod gyda nhw hefyd. Edrychodd Siwsi arno drwy gil ei llygad. Hogyn tal, main gyda llygaid drwg, deniadol o ddrwg. Gallai synhwyro fod ganddo rywfaint o brofiad rhywiol, ond fawr mwy 'na ryw ffidlan blêr mewn sêt cefn car. Na, roedd hwn yn ganfas gwag, yn barod i gael ei liwio – a'i lywio i'r mannau gorau, yn y dulliau gorau, gan rywun profiadol fel hi. Byddai mor hawdd iddi fynd ag o adre efo hi; roedd hi'n hen bryd iddi gael dyn eto, yn enwedig un brwdfrydig, heini fel hwn. Ond na, roedd ganddi bethau eraill, pwysicach, i'w gwneud heno.

Ar y llaw arall, meddyliodd, roedd ei wefusau o'n edrych mor flasus, a'i lygaid yn addo cymaint.

''Na i rannu 'myrgar efo chdi os ddoi di,' sibrydodd yn ei chlust hi.

'Ydi o'n werth ei rannu?' atebodd hithau'n dawel.

'Does 'na neb 'di cwyno eto,' gwenodd, gan afael yn ei llaw a'i harwain i'r cysgodion rhwng swyddfa Dewi Jones a'r siop fideos. Roedd Wendy'n rhy brysur yn fflyrtio efo'r bechgyn eraill i sylwi.

Ifanc, ond hyderus tu hwnt, meddyliodd Siwsi. Teimlodd ei law yn codi ei gên tuag ato, a'i anadl melys ar ei gwefusau.

'Mae hyn braidd yn sydyn,' meddai hi'n felfedaidd, gan fethu tynnu ei llygaid oddi ar ei wefusau.

'Ella, ond dwi wastad yn cymryd 'yn amser wedyn . . .' atebodd yntau yn bwyllog, cyn cyffwrdd ei wefusau yn ei gwefusau hithau.

'Neis. Neis iawn,' meddyliodd Siwsi gan doddi i mewn i'w freichiau. Roedd hon yn gusan fendigedig. Gallai wneud hyn drwy'r nos. Yna teimlodd ei ddwylo'n mentro o dan ei chôt a thros ei bronnau. Clywodd ei ochenaid. Neu efallai mai ei hochenaid hi oedd o. Roedd hi'n anodd deud. Tynnodd ei gorff yn agosach ati, a gallai deimlo rhywbeth hyfryd o galed.

'Rhaid i mi roi stop ar hyn,' meddyliodd. 'Ond wedyn . . .' meddyliodd wedyn, a rhywsut, allai hi ddim peidio â gadael i'w llaw grwydro. 'Oooo, neisiach fyth . . .' meddyliodd wrth i'w llaw afael amdano. Byddai noson gyda'r dyn yma'n ddiddorol iawn. Pum munud sydyn fan hyn, hyd yn oed.

'Siwsi? Ble wyt ti?' gwaeddodd llais Wendy o'r pafin lathenni oddi wrthi. Rhewodd y ddau. Ymbiliodd ei lygaid o arni, ond ysgydwodd hi ei phen a rhyddhau ei llaw yn dyner.

'Rywbryd eto,' sibrydodd yn ei glust a rhoi cusan arall iddo cyn troi i ddilyn Wendy, oedd yn dal i weiddi 'Siwsi!!' dros y lle.

'Tu ôl i chdi,' meddai, wedi gofalu fod ei dillad yn ôl fel y dylen nhw fod.

'Ble est ti?' gofynnodd Wendy. 'Nest ti jest diflannu! Ti'n dod am gebáb?'

'Na, dwi'm yn meddwl,' meddai Siwsi, gan roi ei braich am ei hysgwydd, 'ond cer di,' ychwanegodd, wedi gweld fod Mr Byrgar wedi camu allan o'r cysgodion i ymuno â'i gyfeillion, 'a' i i chwilio am dacsi.'

'Ddo i efo chdi,' meddai Wendy.

'Paid â bod yn wirion. A'r holl ddewis 'na o ddynion 'na ar blât i chdi?'

'Dwi'm isio 'run ohonyn nhw,' meddai Wendy, 'neb ond Adrian.'

Caeodd Siwsi ei llygaid am eiliad. Y blydi Adrian 'na eto. Ceisiodd reoli ei thymer a dweud yn bwyllog a rhesymol:

'Ella sa'n gneud lles i chdi fynd efo rywun arall.'

'Na, rhag ofn 'sa Adrian yn clywed.'

'Be?! Ti rioed yn –'

'Paid. Plîs paid,' ymbiliodd Wendy. Ochneidiodd Siwsi.

'O ia, ddrwg gen i. 'Nes i anghofio,' meddai, 'dwi'm yn dallt nacdw.'

Ceisiodd Wendy wenu arni.

'Ddo i efo chdi i ddisgwyl tacsi, yli,' meddai.

'Fydda i'n iawn, cer am gebáb. Ffonia i di fory,' meddai Siwsi'n glên, gan ei chofleidio cyn codi llaw a throi i gyfeiriad y sgwâr.

Wrth droi'r gornel, gwelodd oleuadau tacsi'n diflannu i lawr y stryd. Rhegodd dan ei gwynt, a cherdded at y fainc i ddisgwyl am y tacsi nesaf. Roedd y sgwâr yn wag ar wahân i hen foi oedd yn cerdded yn igam ogam i fyny'r ochr draw, gan floeddio canu 'Delilah'.

Edrychodd Siwsi ar ei horiawr. 12.15, ac roedd hi'n oer. Roedd 'na wynt rhyfeddol o iasol wedi codi. Cafodd ei themtio i chwilio am Mr Byrgar, ond na, gallai hynny gadw. Roedd yn rhaid iddi feddwl am bethau amgenach am unwaith. Penderfynodd ddechrau cerdded. Unwaith y byddai allan o olwg adeiladau'r dref, gallai ddechrau rhedeg, a diolch i'r hylif pinc, byddai adref 'mhen dim. Trueni na allai ddod â'i hysgub allan efo hi ar nos Sadwrn, meddyliodd.

Filltir yn ddiweddarach, roedd hi'n loncian yn braf – ac yn rhyfeddol o gyflym – ar hyd rhan droellog o'r ffordd, ac yn gwenu iddi ei hun wrth fyfyrio dros ei munudau prin gyda Mr Byrgar, pan glywodd sŵn car yn dod y tu ôl iddi. Gwasgodd ei hun i'r ochr gan fod y ffordd braidd yn gul yn y rhan honno. Trodd ei phen rhag cael ei dallu gan y golau, a gwelodd wrth i'r cerbyd ei phasio mai tacsi oedd o. Ond doedd ei weld yn pasio yn poeni dim arni. Roedd hi'n mwynhau ei hun yn iawn yn rhedeg dan gysgod y coed, yn arogli'r ôl ceirw a chwningod yma ac acw ar y gwynt. Roedd 'na rywbeth arbennig ynghylch rhedeg mewn gwynt cryf fel hyn, rhywbeth gwyllt a gwallgo. Ond yna, clywodd swn brêcs yn gwichian a gwelodd olau coch o'i blaen. Roedd y tacsi wedi stopio, ac yn prysur fagio'n ôl.

'Chwarae teg iddo fo,' meddyliodd. Cerddodd i'w gyfarfod. Agorwyd y drws cefn fel roedd hi'n ei gyrraedd. Plygodd i siarad, a rhewi yn ei hunfan.

'Sumai,' meddai llais dwfn Rhys Dolddu.

Camodd Siwsi yn ei hôl fel pe bai o wedi ei brathu.

'Paid â bod fel'na,' meddai Rhys, 'dim ond cynnig rhannu tacsi ydw i.'

'Mi gerdda i, diolch yn fawr,' meddai Siwsi, a chau'r

drws yn ei wyneb. Safodd yno am sbel, yn disgwyl i'r tacsi yrru yn ei flaen, ond symudodd o 'run fodfedd. Yn y diwedd, cafodd lond bol o ddisgwyl iddo symud, a cherddodd yn ei blaen yn dalog, gan deimlo dau bâr o lygaid yn ei gwylio bob cam.

'Cerwch o 'ma'r diawlied,' meddai dan ei gwynt, a brysio er mwyn gallu troi'r gornel a mynd o olwg y goleuadau cyn gynted â phosib. Trodd i ofalu nad oedden nhw'n gallu ei gweld, yna dringodd yn sydyn i fyny'r wal a thros y ffens i guddio yn y coed uwchlaw'r ffordd. Cyrcydodd am bum munud da, ond doedd dim golwg o'r car.

'Stwffio hyn,' meddyliodd, a chodi ar ei thraed. Gallai redeg drwy'r coed ac ar draws y caeau os byddai raid; roedd ganddi'r gallu i weld fel cath yn y tywyllwch. Felly dyna wnaeth hi.

Hanner milltir o'r tŷ, gwelodd dacsi'n pasio ar hyd y ffordd islaw – ond o'r cyfeiriad arall. Os mai hwn oedd yr un tacsi, mae'n rhaid eu bod nhw wedi ei phasio hi tra oedd hi'n brwydro drwy'r llond cae o goed pinwydd ryw ddeng munud yn ôl. Brysiodd yn ei blaen. Dim ond ffos, un allt go serth a mymryn o goediach eto, ac fe fyddai hi adre. Wedyn, ar ôl paned boeth, gallai berfformio seremoni gladdu llawn urddas i Megan Tyndrain, a dechrau ar swyn i weld be oedd ym mharsel y bwbach Rhys Dolddu 'na.

Neidiodd yn osgeiddig dros y ffos, a hedfan i fyny'r bryncyn at y coed. Drwy roi llaw ar bostyn a llamu wysg ei hochr, neidiodd yn ddidrafferth dros y ffens. Arafodd ychydig wrth wau ei ffordd drwy'r coed. Roedd effaith yr hylif pinc wedi para'n dda.

Yn sydyn, neidiodd cysgod mawr tywyll o'i blaen. Sgrechiodd Siwsi mewn braw, a rhewi yn y fan.

'Sumai eto,' meddai'r cysgod.

Allai hi ddim yngan gair am rai eiliadau. Gallai deimlo ei chalon yn curo ar ras wyllt, a'i dwylo'n crynu. Brwydrodd i'w rheoli.

'Ddrwg gen i,' meddai Rhys, 'rois i fraw i chdi?'

'Be ti'n feddwl?' atebodd yn sych, 'a be ti'n da yn cuddio fanna, y?'

'Disgwyl amdanat ti o'n i.'

'O? Braidd yn hwyr i fenthyg cwpanaid o siwgwr, dwyt?' Gallai weld ei ddannedd yn sgleinio yn y tywyllwch.

'Fyswn i'm yn meiddio benthyg dim gen ti, Siwsi'r Gwyllt.'

'Call iawn. Be tisio ta?'

'Siarad.'

Deg allan o ddeg am ddyfalbarhad, meddyliodd Siwsi. Ond roedd hi'n awyddus i gael gwared o hwn cyn gynted â phosib.

'Wel, mi fyswn i wrth 'y modd,' meddai'n serchus, 'ond tydi hi'm yn rhyw gyfleus iawn ar hyn o bryd 'sti.'

'Pam?'

'Mae hi'n oer, dwi prin yn gallu dy glywed di'n siarad yn y gwynt 'ma, a dwi wedi blino . . .'

'Bechod. Gynigiais i lifft i ti'n do?' gwaeddodd Rhys dros sŵn y gwynt.

'Ac mi ddeudis i wrthat ti be i'w wneud efo fo'n do?'

'Do, a rŵan mae'r dyn tacsis yn meddwl ein bod ni'n gariadon.'

'Ydi o hefyd?'

'Yndi. Rhyfedd 'de? Roedd Elsie Jên a Wil Llaeth yn meddwl 'run peth, doedden? Felly, tasa 'na rwbath yn digwydd i mi, dy enw di fysa'r cynta ar y list.'

'Pa list?' gwaeddodd Siwsi.

'O bobol fyddai'n cael eu hamau . . . '

Edrychodd Siwsi arno, ac ysgwyd ei phen.

'Rhys bach, ti'n gwylio gormod o deledu.'

'Dyro'r gora iddi. Dwi'n gwbod.'

'Gwbod be, Rhys?'

Rhythodd y ddau ar ei gilydd, yn herio'i gilydd i fentro dweud o'r diwedd. Cliriodd Rhys ei wddw. Gwenodd Siwsi. Roedd o'n nerfus.

'Dwi'n gwbod mai chdi sydd wrthi. Ti sy'n fy ngwneud i'n sâl.'

'Dwi'n dy wneud ti'n sâl?!' chwarddodd Siwsi. 'Wel . . . dydi hynna'm yn beth neis iawn i'w ddeud, nacdi?'

'Roedd Nhad wedi deud wrtha i y byddet ti'n dod 'nôl. Doedd o'm yn gwbod pryd na sut, ond mae'r teulu wedi bod yn dy ddisgwyl di ers blynyddoedd.'

'Do? Wel chwarae teg i chi. Ond ches i fawr o groeso, naddo? Lle oedd y llo pasgedig?' Sylwodd Siwsi fod ei law chwith ym mhoced ei drowsus, a'i fod yn dal ei fraich mewn ffordd chwithig. Roedd 'na rywbeth pwysig yn y boced 'na.

'Be tisio gen i?' gofynnodd Rhys

'Llonydd fyddai'n neis,' atebodd Siwsi'n swta gan geisio canolbwyntio ar gynnwys y boced. Cwdyn. Roedd o'n gafael mewn cwdyn o ryw fath.

'Llonydd ar gyfer be'n union?' gofynnodd Rhys, gan geisio anwybyddu'r chwys oedd yn cronni ar ei dalcen er gwaetha'r gwynt oer.

'Llonydd i gael byw 'y mywyd yn dawel, dyna i gyd.'

'A ti'n disgwyl i mi goelio hynna?'

'Nacdw debyg, ddim a chditha wedi cael dy wenwyno ers y crud efo ryw hen ofergoelion hurt. Be sy gen ti yn y boced 'na, Rhys?'

'Y?' Doedd o'n amlwg ddim yn disgwyl hynna.

'Mae gen ti rwbath pwysig ofnadwy yn y boced chwith 'na. Neu wyt ti jest yn falch o 'ngweld i?' chwarddodd yn uchel.

Anadlodd Rhys yn ddwfn, cyn dweud mewn llais fymryn yn grynedig:

'Insiwrans.'

'Ddrwg gen i?' chwarddodd Siwsi eto.

'Insiwrans!' gwaeddodd Rhys. 'Jest rhag ofn.'

'Rhag ofn be, Rhys?'

'Ti'n gwbod yn iawn!'

'Ydw i? Be ydi o, Rhys?' Doedd o ddim yn gallu gweld cystal â hi yn y tywyllwch, ond gallai weld ei llygaid yn fflachio, yn pefrio i mewn i'w benglog, yn troi ei frêns yn lobsgows, ac roedd y chwys yn diferu i lawr ei dalcen.

'Gwrth-swyn,' meddai'n grug.

'Gwrth-swyn?'adleisiodd Siwsi. 'Dow . . . a be 'di un o'r rheiny tybed?'

'Rwbath ddysges i gan fy nhad . . . i . . . i ddelio efo pobol fel chdi.'

'Ew, dyn clyfar mae'n rhaid. Neu cwbwl wallgo. Ond dyna fo, mae'r ffin yn denau'n aml iawn tydi?'

Llyncodd Rhys ei boer. Roedd ei llygaid hi'n ei frifo. Roedd ei ben yn hollti, a'r gwynt yn ei chwipio. Cydiodd yn dynn yn y cwdyn yn ei boced.

'Dwyt ti byth wedi ateb fy nghwestiwn i,' gwaeddodd.

'Pa gwestiwn, Rhys?'

'Be tisio gen i? Pam ddoist ti'n ôl?'

'Fel ddeudis i, dwi'm isio dim gen ti, Rhys!' gwaeddodd Siwsi. 'Dim ond llonydd! Ac mi ddois i'n ôl am mai dyma lle dwi fod.'

'O?'

'Ia. Mi ges i fy ngeni a'm magu yn yr ardal yma, yr un fath â chdi yn union, felly mae gen i'r un hawl â chdi a phawb arall i gael byw yma. A rŵan, mae gen i gwestiwn i ti . . .'

'O?'

'Be'n union ddwedodd dy dad wrthat ti?' Oedodd Rhys, a symud ei bwysau fymryn.

'Mae'n stori hir,' meddai yn y diwedd.

'A hitha'n oer a thywyll fan hyn . . . Trio hudo dy ffordd i 'nhŷ wyt ti, Rhys Dolddu?'

'Fel deudodd y pry copyn wrth y pry . . .'

'Sydyn iawn,' meddai Siwsi gyda gwên. 'Wel? Ydan ni'n mynd i falu cachu fan hyn drwy'r nos, neu ydan ni am fynd i 'nghegin gynnes, glyd i? Mae'r gwynt 'ma'n fain . . . gwynt traed y meirwon go iawn.'

Oedodd Rhys eto cyn ateb.

'Does gen i fawr o awydd,' cyfaddefodd.

'Fwy nag oedd gen i i wastraffu amser yn paldareuo efo chdi'n famma! Tyd 'laen, mae gen ti dy wrth-swyn neu be bynnag alwest ti o, ac fel deudist ti dy hun, tase 'na rywbeth yn digwydd i ti, fi fyddai'r enw cynta ar y rhestr. A phun bynnag, dwi 'di fferru a 'di blino.'

Craffodd Rhys arni, ond prin y gallai o weld dim, heb sôn am geisio darllen ei hwyneb. Ceisiodd bwyso a mesur y sefyllfa: roedd hi'n swnio'n weddol rhesymol, ac roedd ganddo'r gwrth-swyn yn ei boced – er na fu'n effeithiol iawn yn y dafarn gynnau – ac roedd yn rhaid iddo gael gwybod mwy; allai o ddim diodde llawer mwy o nosweithiau di-gwsg. Ar y llaw arall, doedd o ddim yn ei thrystio hi o gwbwl. Efallai mai gwe pry cop oedd hyn wedi'r cyfan. Ond os deuai i hynny, roedd o'n llawer iawn mwy a chryfach na hi. Daeth i benderfyniad.

'Iawn. Ddo i.'

'Dyna'r peth calla ti wedi'i ddeud drwy'r nos,' gwaeddodd Siwsi, 'tyd ta.' A dechreuodd redeg am y tŷ. Doedd Rhys ddim wedi disgwyl gorfod rhedeg, ond ymlwybrodd ar ei hôl orau gallai o drwy'r bol buwch o ganghennau a brwgaitsh oedd yn chwipio'n wyllt yn y gwynt.

18

Pan gyrhaeddodd Rhys y tŷ, roedd Siwsi eisoes wedi llenwi'r tecell a'i roi i ferwi ar y stôf. Doedd dim arlliw o olwg chwys arni, ac roedd hi'n anadlu'n berffaith normal. Roedd Rhys, ar y llaw arall, yn chwysu fel mochyn, yn tuchan, ac yn gwaedu.

'Be ti 'di neud?' gofynnodd Siwsi.

'Neud i be?' gofynnodd Rhys yn wyliadwrus.

'Dy dalcen di. Ti'n gwaedu. '

'Cangen neu rwbath mae'n rhaid,' meddai Rhys, ar ôl cyffwrdd ei dalcen a gweld y gwaed yn sgleinio ar ei fysedd.

'Gad i mi weld,' meddai Siwsi gan gychwyn tuag ato.

'Na,' meddai Rhys yn syth, gan gamu'n ôl. 'Fydda i'n iawn.'

Rhowliodd Siwsi ei llygaid.

'Be ti'n disgwyl i mi wneud? Dy sugno di'n sych fel ryw Ms Dracula?! Dim ond isio'i lanhau o ro'n i – ond hwda, gei di ei wneud o dy hun.' Rhoddodd focs o offer cymorth cynta iddo, a phwyntio at y drych bychan ar y wal. Oedodd Rhys yn ansicr.

194

'Be sy rŵan 'to?' gofynnodd Siwsi. 'Ofn be sy'n y bocs wyt ti? Sbia ar y labeli ta – bob dim o Boots, wir yr.'

Edrychodd Rhys ar gynnwys y bocs a gweld ei bod hi'n dweud y gwir. Cerddodd at y drych a dechrau glanhau ei anaf gyda gwlân cotwm a TCP. Gwingodd wrth i'r hylif ei losgi.

'Bechod, ydi o'n bnafyd, mabi dail i?' gwenodd Siwsi.

'Dwi'm 'di clywed y gair yna ers blynyddoedd,' meddai Rhys. 'Pam na ddwedi di "brifo" fel pawb arall? Ond dyna fo, dwyt ti'm fatha pawb arall nagwyt?'

Dim ond gwenu wnaeth Siwsi, felly daliodd Rhys ati i drin ei anaf, gan obeithio mai TCP oedd yn y botel ac nid rhyw gymysgedd gwenwynig. Ond roedd o'n arogli fel TCP, ac yn llosgi fel TCP. Doedd yr anaf ddim yn ddwfn iawn beth bynnag. Rhoddodd blastar drosto a throi'n ôl at y bwrdd, lle roedd Siwsi wrthi'n tywallt lond dau fŵg o de.

'A the ydi hwn, cyn i ti ofyn os mai arsenic ydi o,' meddai Siwsi. 'Yli – gei di ddewis pa fŵg ti isio – rhag ofn.'

Dewisodd Rhys y mŵg agosaf ato.

'Siwgwr?' gofynnodd Siwsi.

'Un.'

Estynnodd Siwsi y bowlen siwgr ato.

'Gwna fo dy hun . . . a phaid â rhoi'r llwy yn – rhy hwyr. Pam eich bod chi ddynion wastad yn rhoi llwy wlyb yn ôl yn y bowlen siwgr, y?'

'Nes i rioed feddwl dy fod ti mor houseproud,' meddai Rhys.

'Synnwyr cyffredin, dyna i gyd!' meddai Siwsi gan eistedd gyferbyn ag o wrth y bwrdd. 'Reit. Roeddet ti'n mynd i ddeud y stori hir 'ma ynglŷn â be'n union ddwedodd dy dad wrthat ti.'

Pwysodd Rhys ymlaen dros y bwrdd, ac anadlu allan am amser hir. Doedd o ddim yn siŵr a oedd o isio dweud hyn wedi'r cwbl. Doedd o ddim wedi ailadrodd geiriau ei dad wrth neb erioed, ddim hyd yn oed wrth ei gyn-wraig. Roedd honno'n meddwl ei fod o'n wallgo bost beth bynnag, felly fyddai hi ddim wedi credu gair. Roedd o wedi cael trafferth credu'r stori ei hun, wedi'r cwbl.

Edrychodd ar Siwsi. Roedd hi'n pwyso ei gên ar ei llaw, ei haeliau wedi eu codi'n ddisgwylgar.

'Wel?' meddai hi.

'Iawn,' meddai yntau o'r diwedd. 'Ro'n i'n ddeunaw – wel, bron â bod. Y noson cyn fy mhen-blwydd i, mi ddwedodd Dad ei fod o isio gair efo fi – yn breifat. Felly mi ddiflannodd Mam i'r gegin ac aeth Dad a finna i'r parlwr. Ro'n i'n rhyw led amau mai mynd i sôn am sut mae babis yn dod i'r byd roedd o –'

'A chditha'n arbenigwr erbyn hynny, debyg!' chwarddodd Siwsi.

'Roedd gen i ryw glem, rown ni o fel'na,' meddai Rhys, gyda dim ond y mymryn lleia o wên. 'Beth bynnag, mi dywalltodd shot o whisgi i ni'n dau, wedyn mi steddodd o yn y gadair freichiau wrth y tân – ei gadair o – ac mi steddais inna ar y soffa. "Rhys," meddai o ar ôl tanio ei getyn, "mae be dwi am ddeud wrthat ti rŵan wedi cael ei basio lawr drwy'r teulu, o'r tad i'r mab, ers canrifoedd. A dwyt ti ddim i sôn gair wrth neb – byth." '

'Wps . . .' meddai Siwsi'n gellweirus.

'Yn hollol,' meddai Rhys, gan godi ar ei draed, 'be sy ar 'y mhen i? Deud hyn wrthat ti o bawb?'

'Rhys,' meddai Siwsi yn dawel, 'aros. Dwi'n meddwl y dylet ti ddeud wrtha i, 'tai o ddim ond i egluro pam dy fod ti mor ddrwgdybus ohona i. A dwyt ti'm wedi gorffen dy baned . . .'

Rhythodd Rhys arni eto. Doedd o ddim yn siŵr be i'w wneud. Roedd un rhan ohono'n dweud y dylai o gau ei geg a gadael y funud honno. Ond roedd y rhan arall ar dân isio gadael y cwbl allan. Unwaith ac am byth. Dweud bob dim. Ac wrthi hi. Roedd y llygaid gwyrddion 'na'n pefrio eto, yn ei hudo. Oedd hi wedi rhoi swyn arno, i'w orfodi i ddatgelu'r cwbl? Doedd o ddim yn meddwl hynny. Teimlai fod ganddo berffaith ryddid i beidio â dweud gair os mai dyna oedd ei ddymuniad. Ond efallai mai rhan o'r swyn oedd hynny? Roedd y gwrth-swyn ganddo, yn ddiogel yn ei boced. Ond efallai nad oedd hwnnw'n dda i ddim yn erbyn ei phwerau hi. Ochneidiodd. Roedd o'n dechrau drysu. Eisteddodd eto, yn swrth. Roedd hi'n edrych arno, ac yn gwenu. Ond doedd dim byd maleisus ynglŷn â'r wên chwaith. 'Iesu, mae hi'n ddel,' meddyliodd. A lledodd ei gwên.

'Felly,' meddai Siwsi, 'be ddwedodd o wedyn? Wna i'm torri ar dy draws di eto, dwi'n addo.'

'Sgen ti sigarét?' gofynnodd Rhys.

'Dyna ddeudodd o?!'

'Naci siŵr, fi sy'n gofyn. Awydd un mwya sydyn. Dwi 'di stopio smocio ers pum mlynedd a rŵan mae gen i awydd ailddechrau.'

Chwarddodd Siwsi, a chwilio yn ei bag am ei phecyn o Benson & Hedges. Cymerodd Rhys sigarét, a gadael i Siwsi ddal y leitar tra oedd o'n ei thanio. Sylwodd ar hyd ei hewinedd. Mae'n rhaid eu bod nhw'n gry i fod yr hyd yna, a hithau'n gymaint o arddwraig, meddyliodd. Gwenodd hithau wrth iddo bwyso'n ôl a thynnu ar ei sigarét.

'Diolch,' meddai Rhys. 'Asu, mae'n blasu'n dda. Iawn. 'Mlaen efo'r stori. Mi wnes i addo peidio â deud gair wrth neb. "Ddim hyd yn oed wrth dy fam," meddai Nhad, "dydi hi'n gwbod dim, a dwi'm isio iddi gael gwybod chwaith. A phan fyddi di'n priodi, paid â deud gair wrthi hitha chwaith, dim ond wrth dy feibion, pan fyddan nhw'n ddigon hen. Fel wyt ti rŵan." Mi ddwedodd fod y stori'n cychwyn efo Dafydd Dolddu, 'nôl yn 1645. Mi gafodd o 'i ladd gan wrach . . . o'r enw Siwsi . . .'

Wrth ddweud yr enw, tynnodd ar ei sigarét eto, ac edrych ar wyneb Siwsi. Y cwbl wnaeth hi oedd codi ei haeliau ryw fymryn.

'Caria 'mlaen,' meddai.

'Roedd hi'n byw yn Nôl-y-Clochydd, draw dros y topiau 'na, ac mae'n debyg ei bod hi wedi rhoi swyn ar y Dafydd 'ma i wneud iddo fo feddwl ei fod o mewn cariad efo hi. Ond isio'i bres o oedd hi mewn gwirionedd.' Sylwodd fod Siwsi yn cnoi ei gwefus fymryn, ond ar wahân i hynny, doedd dim ymateb. Aeth yn ei flaen. 'Roedd hi wedi gwneud yr un peth droeon o'r blaen, yn hudo dynion er mwyn cael anrhegion drud ganddyn nhw, cadwyni aur ac ati, ac ambell fodrwy. Wedyn, mi fyddai hi un ai'n eu gadael nhw a thorri eu calonnau, neu, yn ara bach, mi fyddai'r dynion yn gwaelu efo rhyw salwch rhyfedd, rwbath na allai'r meddygon ei drin.'

'Doedd meddygon ddim yn gallu trin affliw o ddim bryd hynny!' gwylltiodd Siwsi.

'Sut wyt ti'n gwbod?' gofynnodd Rhys fel mellten.

'Darllen llyfrau hanes!' atebodd hithau'n syth. 'Dal ati. Mae hyn yn uffernol o ddiddorol.'

'Wel, yn wahanol i'r lleill, mi ddalltodd Dafydd jest

mewn pryd mai gwrach oedd hi, ac mi yrrodd o a'i dad am ddyn oedd yn gwbod sut i nabod a thrin gwrachod. Mi aethon nhw ar ei hôl hi, ond mi lwyddodd i ddianc trwy droi'n garw. Toc wedyn, mi fu farw'r tad yn y modd mwya ofnadwy, ac mi ddiflannodd Dafydd. Ond mi ddaethon nhw o hyd i'w ddillad o – yn waed i gyd. Wedyn mi gyfaddefodd un o'r ffermwyr lleol ei fod o wedi gweld Siwsi Dôl-y-Clochydd yn ei larpio fo, yn rhwygo darnau allan o'i gnawd o efo'i dannedd bleiddast ac ynta'n dal yn fyw. Mi fwytodd ei galon o flaen ei lygaid o.' Oedodd Rhys. Roedd adrodd y stori yn amlwg wedi troi ei stumog. 'Fedri di ddychmygu'r fath beth?' gofynnodd.

'Wel . . . roedd gan rywun ddychymyg byw,' oedd y cwbl ddywedodd hi.

'Mi dyngodd y ffarmwr a'i law ar y Beibl ei fod o'n deud y gwir,' meddai Rhys, 'ac roedden nhw'n credu o ddifri yn y Beibl yr adeg hynny.'

'Mae'n rhaid.'

'Mi gollodd y fam ei phwyll yn rhacs wedyn, a lladd ei hun. Ond roedd pawb yn gwbod mai Siwsi Dôl-y-Clochydd oedd y tu ôl i hynny hefyd.'

'Wrth gwrs, pwy arall?'

'Felly dyna i chdi deulu cyfa wedi eu difa gan y wrach 'ma, pawb ond un – y brawd bach: Huw. Ac o'i linach o y dois i. Mi dreuliodd o weddill ei fywyd yn astudio gwrachyddiaeth, yn dysgu popeth allai o gan Ddynion Hysbys o bell ac agos. Mi wariodd ffortiwn ar eu ffioedd nhw. Ond mi gafodd wared â phob gwrach o'r sir 'ma.'

'Uffar o foi,' meddai Siwsi.

'Wedyn, mi ddysgodd bopeth i'w feibion, a'u siarsio nhw i basio'r sgiliau ymlaen drwy'r teulu, achos roedd y Dynion Hysbys wedi'i rybuddio fo: byddai Siwsi Dôl-y-Clochydd yn dod yn ei hôl. Doedden nhw ddim yn gwybod pryd na sut, ond mi fyddai'n sicr isio dial ar deulu Dolddu.'

'Dow! Pam tybed?'

'Mae'n amlwg tydi? Am iddyn nhw lwyddo i'w rhwystro hi rhag cael ei dwylo ar fferm Dolddu. Ac mi ddoth hi'n ei hôl hefyd.'

'Rioed.'

'Do, yn 1762, pan gododd rhywun dŷ newydd sbon ynghanol y goedwig. Tŷ gafodd ei adeiladu heb i neb lleol weld na chlywed dim. Efo rhai o gerrig Dôl-y-Clochydd, meddan nhw. Beth bynnag, Gwilym oedd yn byw yn Nolddu ar y pryd, fy – aros di funud rŵan, fy hen, hen, hen, daid i. Neu oes 'na bedwar "hen" i fod yn fanna? Dwi'm yn cofio. Ta waeth, roedd ganddo fo frawd iau, Robat, a doedd hwnnw'n dangos dim diddordeb mewn ffarmio. Trin coed oedd ei bethau o, ac mi roedd o'n chwip o saer erbyn y diwedd meddan nhw. Beth bynnag, roedd Gwilym wedi dod o hyd i wraig fach handi i Robat, merch un o'i ffrindiau agos o; roedd y briodas wedi'i threfnu a phob dim. Beth bynnag, cyn i Gwilym ddallt be oedd yn digwydd, roedd Robat wedi dechrau caru efo ryw ddynes ddiarth oedd yn byw yn y tŷ 'ma. Roedd y garwriaeth wedi bod yn mynd 'mlaen am fisoedd cyn i neb ddallt. Ond ryw ddiwrnod, mi ddaliodd Gwilym nhw – yn y goedwig uwch ben y tŷ – wrthi fel dau anifail. Aeth hi'n ddiawl o ffrae, Gwilym yn cyhuddo'r ddynes 'ma o hudo dyn ifanc diniwed, hitha'n rhegi arno fo i gadw ei drwyn allan o'r peth, Robat yn trio deud ei fod o mewn cariad, ac yn sydyn, mi sylweddolodd Gwilym pwy oedd y ddynes 'ma.'

'Sgwn i,' meddai Siwsi.

'Siwsi Dôl-y-Clochydd wrth gwrs.'

'Sut oedd o'n gwbod?'

'Ia, dyna ofynnais i hefyd. Wedi'r cwbwl, doedd Gwilym rioed wedi gweld y Siwsi wreiddiol. Ond roedd 'na rwbath am ei llygaid hi. Rwbath ym mêr ei esgyrn o'n deud wrtho fo mai hi oedd hi. Ac roedd hi'n gwbod hynny hefyd. Mi regodd hi'n ffiaidd arno fo. Aeth hi'n rhemp wedyn, yn do? Gwilym yn trio deud wrth Robat mai gwrach oedd hi, Robat yn gwylltio efo fo am ddeud ffasiwn beth, i dynnu ei eiriau'n ôl. Aeth hi'n ffeit rhwng y ddau frawd. Ond wedyn mi gafodd Gwilym ei daro ar ei ben gan Siwsi – roedd ei phwerau hudol yn ei gwneud hi'n gryfach nag unrhyw ddynes normal – ac mi gafodd ei daro'n anymwybodol. Pan ddoth o ato'i hun, be welodd o wrth ei ochor ond corff ei frawd bach yn waed i gyd. A doedd 'na'm golwg o Siwsi Dôl-y-Clochydd. Roedd hi wedi lladd un arall o linach Dolddu. Mi chwilion nhw drwy'r tŷ a'r goedwig, ond doedd 'na fawr o bwynt. Roedd hi wedi codi ei phac unwaith eto. Welodd neb mohoni byth wedyn.'

Pwysodd Rhys yn ôl yn araf, yn amlwg wedi gorffen ei stori. Sylwodd fod Siwsi'n edrych yn welw iawn, iawn. Roedd stribedyn hir o lwch ar flaen ei sigarét. Doedd hi ddim fel petai hi wedi sylwi ond, yn sydyn, daeth ati'i hun, gollwng y llwch i'r blwch o'i blaen, a thynnu'n ddwfn ar y stwmp oedd yn weddill cyn ei ddiffodd yn araf yn y blwch.

'A hi gafodd y bai am ei ladd o?' gofynnodd Siwsi. 'Neb yn meddwl holi mwy?'

'Be ti'n feddwl?'

'Dim ond gair Gwilym oedd ganddyn nhw, yndê? Be os oedd 'na fersiwn arall i'r stori?'

'Ond doedd 'na 'run nagoedd? Dyna ddigwyddodd.'

'Yn ôl Gwilym Dolddu . . .'

'Wyt ti'n trio awgrymu ei fod o wedi deud celwydd?'

'Mae'r bobol ryfedda'n eu palu nhw weithia.'

'Ond chawn ni byth wybod, na chawn? Oni bai dy fod ti'n gwbod yn wahanol . . .?' ychwanegodd Rhys gan ei gwylio'n ofalus.

'Dim ond deud ei fod o'n swnio braidd yn rhy syml, dyna i gyd,' gwenodd Siwsi. 'Rhywun yn deffro efo corff marw wrth ei ochor o, ac yn beio rhyw ddynes nad oedd neb arall wedi'i gweld.'

''Nes i'm deud nad oedd neb arall wedi'i gweld hi,' meddai Rhys yn ofalus.

'Naddo? Ond wnest ti'm deud bod unrhyw un heblaw Gwilym – a Robat wrth gwrs – wedi'i gweld hi chwaith, naddo.' Doedd Rhys ddim yn gallu gwadu hyn.

Cododd Siwsi ar ei thraed. 'Dwi'n llwgu,' meddai, 'sgen ti ffansi darn o dôst?'

'Iawn.'

Gwyliodd hi'n tynnu torth allan o focs pren, yna cyllell fara allan o'r drôr. Cyllell hir, a'i llafn yn fflachio yn y golau.

'Un darn ta dau?' gofynnodd gan droi ato a'r gyllell yn ei llaw. Gwasgodd yntau'r gwrth-swyn yn ei boced cyn ateb: 'Un neith y tro yn iawn.'

Gwyliodd hi'n torri dwy dafell berffaith o'r dorth. Roedd hi'n giamstar efo'r gyllell. Llyncodd, heb dynnu ei lygaid oddi arni. Gwelodd hi'n gosod y gyllell i lawr wrth ochr y dorth, ac yn codi'r ddwy dafell a mynd â nhw at y stôf lle tynnodd declyn tostio henffasiwn oddi ar fachyn ar y wal a gosod y bara rhwng y ddau hanner.

'Blas gwell fel hyn, does?' meddai gan droi ato, 'tipyn gwell na'r pethau modern 'na.'

'Ti'n hogan henffasiwn felly,' meddai Rhys.

'O, fel brwsh,' atebodd Siwsi gan osod y teclyn ar y stôf a dychwelyd at y bwrdd. Sylwodd Rhys fod y gyllell fara yn dal o fewn cyrraedd y tu ôl iddi.

'Felly dyna'r stori sydd wedi dod lawr drwy'r cenedlaethau?' meddai Siwsi.

'Ia.'

'A dyna pam ti'n meddwl mai gwrach ydw inna? Am fod gen i'r un enw – sy'n enw reit gyffredin gyda llaw – ac yn byw fan'ma ar fy mhen fy hun . . . mi alla i weld pam fyddet ti wedi dechrau meddwl fod y peth yn fwy na chyd-ddigwyddiad. Ond ti'm yn meddwl y byddai gwrach a'i bryd ar ddial wedi defnyddio enw gwahanol?'

'Mi nath o groesi 'meddwl i.'

'A? Be benderfynaist ti?'

'Dim, un ffordd na'r llall. Ella dy fod ti'n licio dy enw ormod, neu ella mai double-bluff oedd o, neu dy fod ti'n brin o ddychymyg.'

'Hm,' wfftiodd Siwsi. 'Ddeudodd dy dad rwbath arall wrthat ti ta?'

'Do. Mi ddysgodd fi sut i amddiffyn fy hun, a sut i wneud gwrth-swynion.'

'O? A sut mae 'u gwneud nhw, felly?'

Gwenodd Rhys.

'Cyfrinach,' meddai. 'Dwi'm yn hollol dwp, sti.'

'Felly dwi'n gweld. Ond oeddet ti'n fodlon rhannu'r stori efo fi hefyd.'

'Ro'n i'n meddwl y byddet ti'n ei gwerthfawrogi hi . . . gan mai dyma'r union dŷ roedd y wrach yn byw ynddo fo.'

'Be, fan'ma? Garth Wyllt?'

'Ia cofia. Y tŷ gafodd ei adeiladu heb i neb wbod amdano fo, 'nôl yn 1762.'

'Wel!' ebychodd Siwsi a'i llygaid fel soseri. 'Pwy fase'n meddwl? Ddeudodd yr asiant tai 'run gair wrtha i am hyn.'

'Y snichyn bach Dewi Jones 'na oedd hwnnw, yndê? Fyddai'r diawl dwl yna ddim yn gwbod, siŵr dduw. Does 'na fawr o neb yn gwbod. Un o'r ffeithiau difyr 'na sydd wedi diflannu o go'r ardal.'

'Ond rwyt ti wedi cadw hyn i gyd i chdi dy hun dros y blynyddoedd, felly dwyt ti fawr o help.'

'Nacdw debyg.'

'A does gen ti 'run mab . . .'

'Nagoes.' Roedd hi wedi taro man gwan. Gallai weld hynny o'r ffordd roedd o wedi ei ailosod ei hun yn ei gadair.

'Felly tase 'na rwbath yn digwydd i ti, dyna ddiwedd ar hen, hen linach Dolddu, teulu sy'n mynd yn ôl ganrifoedd, i oes Tywysogion Gwynedd.'

Oedodd Rhys. Gallai deimlo ei waed yn dechrau pwmpio'n gynt a chledrau ei ddwylo'n dechrau chwysu eto. Sut gwyddai hi am ei achau o? Llyncodd yn galed.

'Ia,' meddai yn y diwedd. Roedd hi'n gwenu arno mewn ffordd ryfedd. Doedd o ddim yn teimlo'n gyfforddus o bell ffordd, a chrwydrodd ei lygaid at y gyllell fara eto.

'Felly,' meddai Siwsi, 'os oes 'na wrach ddrwg ar ei ffordd 'nôl yma i ddial arnat ti, fyddai o ddim yn syniad i ti rannu dy gyfrinachau gwrth-swynaidd efo pobol eraill – rhag ofn?'

Ceisiodd Rhys wenu, gan ysgwyd ei ben.

'Pwy fyddai'n debyg o 'nghoelio i? Gwrachod?! Hud a lledrith? Mi fysan nhw'n chwerthin am 'y mhen i, yn bysan?'

Sylweddolodd Rhys fod Siwsi'n ei astudio'n ofalus, a'i bysedd yn rhedeg 'nôl a 'mlaen dros ei gwefus ucha wrth iddi bendroni dros rywbeth.

'Rhys,' meddai yn y diwedd, 'bydda'n onest: wyt ti'n credu mewn gwrachod?'

Ymsythodd Rhys. Doedd o ddim wedi disgwyl y cwestiwn yna. Aeth Siwsi yn ei blaen: 'Dwi'n gwbod dy fod ti'n mynd drwy'r moshiwns efo dy wrth-swynion ac yn fy nghyhuddo i i fyny'n y goedwig 'na gynnau, ond wyt ti'n credu ynddyn nhw go iawn?'

Oedodd Rhys cyn ateb. Pendronodd. Yna penderfynodd ateb yn onest:

'Do'n i ddim. Doedd gan Nhad ddim prawf o fath yn y byd fod y pethau 'ma i gyd wedi digwydd, dim ond straeon oedden nhw; ond mi wnes i esgus 'mod i wedi llyncu'r cwbwl, jest i'w blesio fo. Ond . . . dwi wedi dechrau ailfeddwl.'

'O? Pam?'

'Pethau rhyfedd yn digwydd. Cael y poenau mwya diawledig ar ôl ffrae efo ti; fy nghi i'n ddof fel oen llywaeth efo ti, wedyn dod o hyd i'w gorff o ar ôl i mi roi gwrth-swyn yn y fan; y ffaith fod dy lygaid di'n ffitio disgrifiad Nhad yn berffaith, a ryw deimlad ym mêr fy esgyrn . . . gyda llaw, mae dy dôst di'n llosgi.'

Neidiodd Siwsi ar ei thraed i achub y tafelli o dôst. Ond roedd hi'n rhy hwyr. Roedden nhw'n ddu, a'r mwg yn chwyrlïo.

'Damia,' meddai Siwsi, a thaflu'r teclyn a'r tôst i'r sinc.

'Dyna be sy'n digwydd pan ti'n mynnu byw yn yr hen oes,' gwenodd Rhys.

'Ha ha, doniol iawn,' meddai Siwsi'n swta. 'Ti'n hy iawn yn gneud hwyl am fy mhen i a chditha'n amau mai gwrach ydw i.'

'Os oeddet ti'n mynd i fy lladd i, dwi'n meddwl y byset ti wedi gneud hynny erbyn hyn.'

'Ella 'mod i licio gneud petha'n ara, gwneud i'r boen bara . . .' meddai Siwsi gan wneud llygaid llo arno.

'Ella,' cytunodd Rhys.

'Felly deuda fwy wrtha i am y llygaid 'ma,' meddai Siwsi wrth eistedd i lawr gyferbyn ag o eto, a phwyso ymlaen a'i pheneliniau ar y bwrdd, 'sut nath dy dad eu disgrifio nhw?'

'Llygaid siâp almwn, lliw gwyrdd allan o'r cyffredin, bron yn emrallt,' meddai Rhys gan edrych i fyw y llygaid a ddisgrifiai, 'a'r darn du yn y canol yn fwy nag arfer, waeth faint o olau sy 'na, ac amrannau hir . . . hir iawn. Llygaid sy'n mynnu sylw, sy'n anodd tynnu dy lygaid di oddi arnyn nhw, llygaid sy'n addo petha un munud, yn bygwth y munud nesa. Llygaid dwyt ti'm yn siŵr lle wyt ti efo nhw.'

Daliodd Siwsi ei hanadl. Teimlai'n benysgafn. Roedd ei lais yn swnio mor debyg i lais Dafydd. Roedd o'n edrych arni yn union fel yr arferai Dafydd ei wneud. Ceisiodd ddweud rhywbeth, ond roedd hi ar goll yn llwyr, heb syniad yn y byd sut i ymateb.

'Dwi rioed wedi gweld neb efo llygaid fel sy gen ti,' meddai Rhys ar draws y tawelwch. 'Dwi isio credu dy fod ti'n hen ast o wrach fileinig, greulon, gastiog, ond pan dwi'n sbio mewn i'r llygaid yna, alla i ddim.'

'O,' oedd y cwbl allai Siwsi ei ddweud. Allai hi ddim tynnu ei llygaid oddi arno. Doedd hi heb sylwi o'r blaen ar y sglein yn ei lygaid, ar siâp ei wefusau. Ysai i

206

nôl rasal er mwyn cael gwared o'r hen farf flêr 'na, er mwyn gweld ei wyneb yn iawn.

'Gai dy siafio di?' meddai'n sydyn.

Edrychodd Rhys arni'n hurt.

'Ddrwg gen i? Fy siafio i?'

'Ia. Dwi isio gweld dy wyneb di.'

'Pam?'

'Dwi'm yn siŵr. Ga i?'

'Gadael i ti ddod ar fy nghyfyl i efo rasal?! Mae'n rhaid dy fod ti'n meddwl 'mod i fel postyn o dwp.'

'Nacdw!' protestiodd Siwsi. 'Gei di ei wneud o dy hun ta, dio'm gwahaniaeth gen i. Dwi jest isio gweld dy wyneb di.'

'Dwi'm yn meddwl,' meddai Rhys, gan godi ar ei draed. 'Rasal . . . llond gwlad o flew fy marf i yn dy ddwylo di . . . dwi'n gwbod be ti'n gallu ei wneud efo dy ddoliau cwyr, dallta. Dwi wedi bod yn dy wylio di. A dwi'n gwbod be wnest ti i Dewi Jones, ac mi ges i bleser mawr o dy weld ti'n gneud i'r ploryn bach ddiodde. Ond paid ti â meddwl y gelli di wneud yr un peth i mi. Bechod – ro'n i'n eitha mwynhau'r sgwrs 'ma tan rŵan hefyd. Diolch i ti am y baned, ond dwi'n meddwl ei bod hi'n bryd i mi fynd.'

'Na, paid –' dechreuodd Siwsi.

'Be? Ti'n mynd i fy rhwystro i?' Roedd o'n sefyll wrth y drws, yn llenwi'r ffrâm, a'i lygaid yn edrych arni mewn ffordd mor wahanol, mor gas, mor ffiaidd.

'Nacdw,' meddai'n dawel, 'ond ti wedi camddeall, do'n i –'

'Hwyl, Siwsi. O, gyda llaw, dwi'n gwbod mai rhoi swyn ar Wendy wnest ti i wneud iddi anghofio ei bod hi wedi 'ngweld i yma. Does na'm eglurhad arall. A

207

bechod dy fod ti heb flasu'r bastai 'na. Mi wnes i ddwy, ac mi fwytais i'r llall. Bendigedig.' A throdd ar ei sawdl, agor y drws a chamu drwyddo heb edrych yn ôl. Caeodd y drws yn glep, a disgynnodd y drych bychan yn deilchion ar y llawr. Syllodd Siwsi'n fud ar y conffeti o ddarnau gwydr. Fe ddylai hi fynd ar ei ôl, ond doedd ganddi mo'r nerth.

19

Fore trannoeth, wrth iddi hi gynnal defod braidd yn flêr a di-ffrwt dros fedd Megan Tyndrain yn y glaw, sylweddolodd Siwsi fod tri phâr o lygaid yn ei gwylio. Cododd ei phen, a rhoi nòd i'r tair sgwarnoges oedd yn rhythu'n flin arni o'r goedwig.

'Dewch draw,' galwodd mewn llais blinedig, 'i chi gael ffarwelio efo hi'n iawn.'

Neidiodd y tair dros y wal a sefyll mewn hanner cylch mud o amgylch y bedd. Cododd Siwsi ei ffiol o win o'i blaen, a llafarganu mewn llais braidd yn grynedig:

'Dy gorff orffwysa'n awr yn dawel
'Mysg yr eithin, y lafant a'r awel.
Dy enaid, cwyd mewn fflam a sŵn,
Rhwydd hynt i ti i Annwn.'

Dechreuodd dywallt y gwin yn araf i'r ddaear ac, yn syth, cododd brwynen o fwg o'r pridd. Bwydwyd hwnnw gan fwy o win, a dechreuodd y fflamau ddawnsio, yn felyn ac oren, yn uwch ac yn uwch, heb gael eu heffeithio o gwbl gan y glaw. Pan ddisgynnodd y diferyn olaf o'r ffiol, cododd Siwsi ei breichiau a gweiddi mewn llais cryf a threiddgar:

'Dial a ddaw,
y mae gerllaw!'

Rhwygwyd yr awyr lwyd gan fellten fflamgoch; eiliadau wedyn, ysgydwyd y coed derw gerllaw fel cae o frwyn gan daran fyddarol. Edrychodd Siwsi a'r tair sgwarnoges ar y man lle bu'r fflamau. Dim ond ychydig fwg oedd yn codi ohono bellach, ac wedi ychydig eiliadau, peidiodd hwnnw hefyd. Roedd Megan wedi croesi i'r ochr draw, i Annwn.

Wedi munudau hirion o dawelwch, cyhoeddodd Siwsi: 'Iawn, a rŵan dwi'n flin. Uffernol o flin.'

Dilynodd y sgwarnogod hi at yr allor a'r cylch o gerrig gwynion oedd yn sgleinio yn y glaw.

'Dwi'n gwbod eich bod chi wedi gweld y diawl 'na'n gadael neithiwr,' meddai Siwsi; 'dwi'n gallu teimlo'ch dirmyg chi'n torri drwydda i fel cyllell. Ond roedd o werth y risg – mi ges i wybod cryn dipyn, iawn?' Ond doedd wynebau'r rhes o sgwarnogod ddim yn edrych fel petaen nhw wedi cael eu hargyhoeddi. Rhythai'r tair arni â llygaid clir a chaled.

'O, rhowch gorau iddi wnewch chi,' chwyrnodd Siwsi'n ddiamynedd, 'dwi'n gwneud 'y ngora. Reit ta, nesa: swyn i weld be sy gen Rhys Dolddu yn ei blydi parsel.'

Roedd yr offer i gyd wedi ei osod allan ganddi'n barod. Anadlodd yn ddwfn, ac aeth ati: cyneuodd y canhwyllau a thaenodd ddŵr halen i'r pedwar gwynt. Unwaith eto, doedd y glaw yn effeithio dim ar y fflam ar y canhwyllau. Tywalltodd ychydig o win coch i mewn i'w ffiol arian, yna, gyda bys a bawd, taenodd ychydig ddafnau i'r pridd o'i chwmpas cyn yfed o'r ffiol ei hunan. Gafaelodd yn ei chyllell a chodi'r llafn i'r awyr yn ei dwylo, a'i ddal uwch ei phen. Ysgydwyd ei chorff gyda phlwc sydyn wrth i'r pŵer saethu drwyddi. Yna, gyda sgrech, holltodd yr awyr o'i blaen â llafn. Dechreuodd ei chorff grynu eto, crynu'n fwy nag o'r blaen, nes bod ei gwallt yn chwyrlïo i bobman, a'i llygaid yn rhowlio yn ei phen. Pan ostegodd y crynu, cydiodd mewn potel dal werdd a thynnu'r corcyn. Tywalltodd hanner yr hylif rhyfeddol o ddrewllyd i'r crochan, yna gafaelodd yn yr hudlath, ei chusanu, a'i dal uwchben y crochan cyn ei phlymio i mewn i'r dŵr a throi yn wyllt.

'Cei guddio'n dy gwman, Rhys Edwards Dolddu,
ond mynnaf weld cynnwys y pecyn gest ti,
fy hudlath, fy nghrochan, fy mhotel werdd fechan,
dangoswch yr awron ei gynnwys i mi . . .'

Safodd y tair sgwarnoges yn dawel a gwlyb wrth wylio Siwsi'n troi a throi efo'i hudlath, yna'n taflu ei phen yn ôl gyda sgrech, a rhedeg yn wyllt o amgylch y cylch hud o gerrig gwynion, yn yr un cyfeiriad â chynnwys berwedig y crochan. Syllodd y tair arni'n ysgwyd ei phen yn wyllt wrth ddawnsio a chwyrlïo heibio, ei llygaid yn rhowlio a fflachio, ei phoer yn tasgu a'i chwys yn llifo'n un â'r glaw dros ei chroen. Yna, arafodd, troi, a cherdded o amgylch y cylch hud i'r cyfeiriad arall, gan anadlu'n gyflym ac isel, a chadw llygad barcud ar gynnwys y crochan. Yna stopiodd yn stond a dal ei hudlath yn grynedig uwchben yr hylif. Edrychodd i mewn iddo. Roedd y gymysgedd wedi peidio â throi ac, yn raddol, gwelodd lun yn ymffurfio ar yr wyneb. Amneidiodd i'r sgwarnogod ddod i ymuno â hi. Daeth y tair ati'n ofalus a chodi eu pawennau blaen ar ymyl y crochan i weld yr hyn a welai hi.

Gwelsant Rhys Dolddu yn ei gegin, yn gwagu bocs pren yn ofalus. Tynnai ddwsinau o becynnau bychain allan ohono, pecynnau bach taclus o gotwm a mwslin gwyn a hufen. Agorodd un yn ofalus, a daeth potyn bychan du i'r golwg.

Tynnodd y caead i ddangos math o resin browngoch.

'Wel, wel . . . mae hwnna'n edrych fel myrr i mi,' sibrydodd Siwsi, 'a be wnei di efo rhywbeth fel'na tybed, Rhys Dolddu? Wedi clywed ei fod o'n dy gadw'n iach wyt ti? Yn dy gadw rhag heneiddio a phydru? Sgen ti ofn pydru, Rhys bach?'

Gwyliasant Rhys Dolddu yn agor un pecyn ar ôl y llall, a gwenu o'i weld yn sychu'r chwys oddi ar ei dalcen yn rhyfeddol o aml.

'Mae gen ti gymysgedd go arw fan hyn, Rhys,' meddai Siwsi'n fyfyriol, 'codwarth ydi hwnna – mae ei enw Saesneg o'n llawer mwy arwyddocaol, tydi? Deadly nightshade – a pham fyddet ti isio rhywbeth sy'n gallu lladd a pheri i rywun wallgofi'n llwyr, tybed? Gwrysgen lwyd sy gen ti fanna – i roi mwy o bŵer i ti, ia? Mi fyddi di ei angen o, gyfaill. A mandragora?! Un gwrywaidd iawn yr olwg hefyd. Ych a fi. Ble gest ti afael ar rhein, y? Llewyg yr iâr . . . o diar . . . gwenwyn eto, ac mae'n siŵr dy fod ti'n gwbod ei fod o'n boen i wrachod fel ni; cegid – gallu cael ei ddefnyddio fel gwrthwenwyn, ond oeddet ti'n sylweddoli ei fod o'n affrodisiac hefyd, ngwas gwyn i? A llysiau'r blaidd sydd gen ti yn fanna, yndê? Blaen nodwydd ohono fo'n ddigon i ladd aderyn y to 'mhen eiliadau. Stwff peryg, Rhys, peryg iawn hefyd.'

Ciledrychodd Siwsi ar y tair sgwarnoges. Roedd 'na olwg nerfus iawn, iawn arnyn nhw. Er gwaetha'r tinc di-hid yn ei llais, doedd hi ddim yn teimlo'n rhy hapus chwaith. Gallai flasu'r cyfog yn codi o'i stumog.

Roedd un pecyn yn weddill. Daliodd Siwsi a'r sgwarnogod eu hanadl. Yn ôl y ffordd roedd Rhys yn ei drin, roedd yn amlwg fod hwn yn becyn allweddol. Agorodd y cwdyn mwslin yn araf gan ddatgelu sypyn bychan o bowdr coch, bron yn fflamgoch.

'Dwi'm yn gwbod be ydi o,' ochneidiodd Siwsi, 'damia! Sa fo'n gallu bod yn blydi paprika am a wn i!' Ond roedd y sgwarnogod yn gwichian. Trodd Siwsi atyn nhw. 'Be sy?'

Roedd Dorti, a'i llygaid bron â disgyn allan o'i phen, wedi cynhyrfu drwyddi. Deuai'r synau rhyfedda o'i cheg, ond allai Siwsi yn ei byw â gwneud pen na chynffon ohonynt. Roedd y tair sgwarnoges bellach yn neidio i fyny ac i lawr, yn waldio'r ddaear â'u coesau ôl cryfion, yn ceisio cyfathrebu â hi ar fyrder. Ann oedd y gyntaf i ymbwyllo a llamu i'r ardd i nôl priciau mân a cherrig. Dilynwyd hi'n syth gan y ddwy arall. Safai Siwsi o flaen y crochan mewn braw. Yna tarodd olwg sydyn yn ôl i'r crochan. Roedd y lliwiau'n dechrau ymdoddi i'w gilydd, a'r darlun yn araf ddiflannu. Craffodd ar y siapiau aneglur, a gweld Rhys yn cadw'r pecynnau'n ofalus yn ôl yn y bocs, a'i roi yn – ble roedd o'n ei guddio? Roedd y llun bron â diflannu'n llwyr. Na, eiliad bach arall! Ochneidiodd. Roedd y cwbl wedi mynd.

Trodd i weld ble roedd y lleill arni. Roedd y glaw yn disgyn yn drymach, ond doedd yr un ohonynt fel pe baen nhw wedi sylwi. Llamai Ann a Lowri'n ôl a 'mlaen gyda phriciau a cherrig yn eu cegau, tra oedd Dorti'n prysuro i'w gosod mewn llythrennau Rune wrth ymyl yr allor. Darllenodd Siwsi'n ofalus: 'SWYN . . . TROI . . . SGWARNOG . . .? Ia?' Sythodd yn sydyn. 'Ti wedi cofio be oedd y cynhwysyn?' Nodiodd Dorti ei phen yn wyllt. 'Do? Gwych!' Yna sylweddolodd Siwsi: 'A'r stwff coch 'na welson ni ydi o, yndê?' Nodiodd Dorti ei phen eto a dechrau gosod mwy o briciau mewn llythrennau Rune.

'GWAED . . . DRAIG,' darllenodd Siwsi. Edrychodd ar Dorti. 'Gwaed draig? Be ti'n –? O!' ebychodd wrth sylweddoli'n sydyn, '*Daemonodrops draco*! Wrth gwrs . . . ffrwyth coeden balmwydd o Indonesia ydi o yndê? Ia siŵr, dwi'n cofio rŵan . . . mae 'na stwff yn dod allan o'r ffrwyth, ac o falu hwnnw'n fân, mae'n troi'n bowdr coch, coch!' Neidiodd i fyny ac i lawr yn ei chynnwrf. Ond yna, sobrodd: 'Fel hwnna 'dan ni newydd ei weld, gan Rhys Dolddu,' ychwanegodd. 'A does gen i ddim gronyn o'r stwff fan hyn.'

Eisteddodd yn glewt ar y llechen wrth ddrws y cefn, a'i gwallt yn disgyn fel cynffonnau llygod mawr am ei hysgwyddau. Daeth y sgwarnogod i sefyll o'i hamgylch mewn hanner cylch.

'Ydach chi'n gwbod lle arall y galla i gael gafael ar y stwff?' gofynnodd. Ysgydwodd y tair eu pennau'n bendant. 'Coc y gath, na finna,' meddai Siwsi. Ochneidiodd. 'Wel, mi fydd raid i mi gael gafael ar chydig o stoc Rhys Dolddu felly, yn bydd?' meddai. 'Damia, damia, DAMIA!' Estynnodd i'w phoced a thynnu sbliff fawr dew ohoni, a'i chynnau'n ddidrafferth er gwaetha ei bysedd gwlybion. Caeodd ei llygaid a phwyso'n ôl yn erbyn y wal heb deimlo'r oerfel na'r glaw o gwbl. 'Gadewch lonydd i mi rŵan,' meddai wrth y sgwarnogod heb agor ei llygaid, 'mae 'mhen i'n brifo a dwi angen ymlacio cyn dechrau meddwl eto.'

Edrychodd y sgwarnogod ar ei gilydd, yna llamu fesul un dros y wal am y goedwig. Ond arhosodd y tair dan gysgod un o'r coed derw agosaf, yn gwylio Siwsi'n ofalus – ac yn obeithiol.

Eisteddodd Siwsi tu allan, y glaw'n pistyllio o'i hamgylch, ei llygaid ynghau, a gwên hurt ar ei hwyneb am bron i hanner awr ar ôl iddi orffen y sbliff. Roedd hi wedi llwyddo i wagu ei meddwl yn llwyr, a bellach roedd hi'n hedfan. Cododd, siglodd fymryn, ac yna llwyddodd i ymsythu. Cododd law ar y sgwarnogod a rhoi gwên anferthol iddyn nhw. Yna, aeth yn ôl i mewn i'r tŷ.

'Paentio,' meddai wrthi ei hun, 'dwi'n gorfod paentio – rŵan.'

Tynnodd amdani wrth gerdded drwy'r tŷ, gan daflu'r dillad trymion i'r llawr wrth ddringo'r grisiau. Cerddodd yn noethlymun i mewn i'w stafell baentio, gosod canfas newydd ar y stand, a chasglu ei brwshys, ei phaent a'i photyn dŵr o'i hamgylch. Gwlychodd y brwsh mwyaf un, a'i ddal i fyny o'i blaen. 'Geronimo!' chwarddodd, fel pe bai rhywun newydd ddweud jôc braidd yn biws mewn cwmni parchus, ac aeth ati i lenwi'r canfas gwag. Gweithiodd yn gyflym, ond hamddenol, a gwên barhaus ar ei hwyneb. Ar ôl awr o baentio caled, roedd hi'n dechrau anadlu'n gyflymach, a chroen ei hwyneb â gwawr binc iddo.

Pan roedd hi wedi gorffen, safodd yn ôl i edrych yn iawn ar y llun. Roedd hi'n fodlon – mwy na bodlon. Yna aeth i'r stafell molchi a dechrau rhedeg bàth iddi

214

hi ei hun. Roedd 'na ddwy fodfedd o ddŵr ynddo pan ganodd y ffôn. Caeodd y tapiau a mynd yn ôl i lawr y grisiau i godi'r ffôn.

'Helô,' meddai'n ffwrdd-â-hi ac yn dal i wenu.

'Haia! Wendy sy 'ma; ddoist ti adre'n saff felly?'

'Pryd?'

'Neithiwr!'

'O ia, do. Ddrwg gen i, oedd o'n teimlo mor bell yn ôl am funud.'

'Pam? Be ti 'di bod yn neud?'

'O, dim byd mawr. Dim ond . . . be maen nhw'n ddeud ar y teledu 'na dwa? "Chillin' out." '

'Ti'n swnio reit "chilled", 'fyd!'

'Ia wel, dwi'n noethlymun fan hyn, ac ar fin cael bàth,' meddai Siwsi gan ddringo'n ôl i fyny'r grisiau efo'r ffôn yn ei llaw.

'O, sori. Ffonia i'n ôl nes 'mlaen os leici di.'

'Na, mae'n iawn. Sgen ti stori fawr i mi neu rwbath?'

'Wel oes, fel mae'n digwydd. Ti'n cofio Dewi Jones?'

'Mr Llyffant? O, yndw. Be mae o 'di neud rŵan 'to?'

'Ma'i wraig o 'di'i adael o! Petha ddim yn dda yna erstalwm mae'n debyg. Oedd Jenny lawr ffordd yn deud bod Tracy'n deud ei fod o 'di bod yn palu c'lwydda wrthi; ddoth o adre'n sgratshys ac yn lipstic i gyd ryw dro, a gwadu du'n las nad oedd o'n cael affêr! Cheeks 'de! Ac eniwê, oedd 'na dderyn bach arall 'di deud wrth Jenny ei fod o'n cael trafferth ei chodi hi ers misoedd, ac oedd hynny'n rîlî deud arno fo, a dyna pam bod Tracy 'di cael llond bol!'

'Am ei fod o methu'i chodi hi? Ond mae hi'n slaff o hogan, chwarae teg.'

'Ddim Tracy, y gloman! Ei bidlan o!'

'O . . . dallt rŵan.'

'Blydi hel, Siwsi! Pa mor "chilled" wyt ti?!'

Dechreuodd Siwsi giglan, a dyna gychwyn Wendy hefyd.

'Ddrwg gen i,' meddai Siwsi rhwng y chwerthin-iadau. 'Dewi druan. Sefyllfa drist iawn.'

'Torcalonnus!' piffiodd Wendy. 'Asu, tydan ni'n bitshys!'

'Ydan, 'dan ni'n ddiffygiol dros ben. Da 'de! Gyda llaw, be ddigwyddodd i ti neithiwr wedyn?' gofynnodd Siwsi gan ailddechrau rhedeg y bàth.

'Wel . . . ges i gebáb.'

'A?'

'A 'nes i ei bwyta hi yn fflat rhai o'r hogia. Oeddan nhw wedi penderfynu cael parti.'

'Go dda chdi!'

'Doedd o'm yn barti gwyllt, cofia, ac o'n i adre cyn un.'

'Babi.'

'Ond fues i'n siarad efo Darren . . .'

'A pwy 'di hwnnw pan mae o adre?'

'Y boi gest ti snogsan slei efo fo, yr hogan ddrwg!'

'O ia . . .'

'Asu, be nest ti iddo fo? Y cwbwl nath o oedd fy holi i'n dwll amdanat ti!'

'Chwarae teg iddo fo. Mae gan yr hogyn dâst, mae'n amlwg.'

'Ac oedd o isio dy rif ffôn di, ond nes i ddeud y byswn i'n gorfod gofyn i chdi gynta.'

'Diolch.'

'Wel? Ga i roi o iddo fo?'

'Cei tad.'

'Iawn, mi decstia i o rŵan.'

'Iawn. Reit, mae fy màth i'n barod rŵan,' meddai Siwsi gan gau'r tapiau eto. 'Diolch am ffonio.'

'Croeso. Paid â gneud dim byd gwirion, rŵan!'

'Fi? Byth! Hwyl.'

Diffoddodd y ffôn, a gollyngodd Siwsi ei hun i'r dŵr poeth dros ei phen. Nefoedd.

Roedd hi wrthi'n taenu sebon arogl oren yn araf dros ei chluniau pan ganodd y ffôn eto. Sychodd ei llaw dde ar liain cyn ei ateb.

'Sumai,' meddai llais gwrywaidd. Am eiliad, meddyliodd mai Rhys Dolddu oedd o, ond na, nid llais baswr mo hwn. Ond eto . . .

'Helô?' meddai'n ansicr.

'Darren sy 'ma,' meddai'r llais, 'ym . . . neithiwr?'

Gollyngodd Siwsi anadl o ryddhad.

'Helô,' meddai'n felfedaidd, 'roedd hynna'n sydyn.'

'Oedd, ond fel ddeudis i o'r blaen, dwi wastad yn cymryd 'yn amser wedyn.'

Chwarddodd Siwsi.

'Falch o glywed,' meddai. 'Sut fedra i dy helpu di Darren?'

'Meddwl 'swn i'n cael dod draw.'

'Pryd?'

'Pan mae o'n dy siwtio di.'

'Wel, dwi'n y bàth ar hyn o bryd . . .'

'Be? Sgen ti'm dillad amdanat?'

'Dwi'n tueddu i'w tynnu nhw cyn mynd mewn i'r bàth,' atebodd Siwsi gan wenu.

'Wyt siŵr. Jest . . . y syniad ohonat ti heb ddillad . . .'

'Dwi wrthi'n seboni 'nghlunia efo'n llaw chwith rŵan hyn,' meddai gan bwyso'n ei hôl yn fodlon yn y swigod. Clywodd Darren yn tynnu anadl sydyn. 'A rŵan, dwi rhwng 'y nghlunia,' meddai wedyn, gan atalnodi gydag ochenaid o bleser. Gwyliodd ei llaw yn adleisio'i geiriau. 'Pam na ddoi di draw rŵan, munud 'ma?'

'Ia, plîs,' meddai Darren mewn llais dyfnach na'r cyffredin.

'Ti'n gwbod lle dwi'n byw?'

'Yndw. Fydda i yna rŵan.' Ac roedd o wedi mynd. Gwenodd Siwsi, a rhedeg mwy o ddŵr poeth i mewn i'r bàth.

Sgrialodd yr Astra GTI i fyny'r wtra yn y glaw a sgrechian i stop wrth ochr car Siwsi. Brysiodd y dyn ifanc at y drws, a chnocio. Pan na chafodd ateb, agorodd y drws yn araf.

'Tyd i mewn,' galwodd llais o bell. Camodd i mewn a chau'r drws y tu ôl iddo. Sylwodd ar y sypiau o ddillad gwlybion dros y llawr.

'Fyny'r grisia,' galwodd Siwsi. Ceisiodd gerdded i fyny'n hamddenol, ond allai o ddim peidio â chymryd tair gris ar y tro. Cyrhaeddodd y landing.

'Dwi reit yn y pen draw,' meddai Siwsi.

'Helô,' meddai Darren yn grug yn nrws y stafell molchi.

'Sydyn iawn – eto,' meddai Siwsi o ganol y swigod. Gwenodd Darren a chamu tuag ati. Gallai weld ei chluniau'n sgleinio, a'i bronnau, ei bronnau bendigedig yn pwyntio at y nenfwd.

'Awydd dod mewn ata i?' gofynnodd Siwsi'n chwareus.

Tynnodd Darren amdano'n araf, yn amlwg yn falch o'i gorff ac yn rhoi cyfle iddi werthfawrogi pob cyhyr. Pan dynnodd ei drôns, cododd aeliau Siwsi.

'Mmm,' meddai, gan godi ar ei heistedd i wneud lle

iddo. Dringodd Darren i mewn i'r bàth a'i hwynebu. Estynnodd Siwsi y sebon iddo.

'Traed gynta,' meddai, ac ufuddhaodd Darren yn llawen.

Doedd o erioed wedi sugno bodiau neb o'r blaen, ond roedd o'n ddisgybl hynod gydwybodol, ac fe gafodd Siwsi ei phlesio'n arw. Ac er iddo edrych yn wirion ar Siwsi pan gynigiodd hi rywbeth llawer mwy blaengar yn nes ymlaen, roedd o'n fodlon rhoi cynnig arni.

'Dan dŵr . . . wel, ocê,' meddai, ac ar ôl cymryd llond ysgyfaint o wynt, i lawr â fo.

Chwarddodd Siwsi nes ei bod hi'n crio. Pan ddaeth i'r wyneb, roedd hi'n amlwg iddo gael ei siomi mai chwerthin oedd hi, ac nid ochneidio gyda phleser.

'Be sy?' gofynnodd.

'Wel, roedd o'n cosi mwy na chynhyrfu,' meddai Siwsi ar ôl sychu ei dagrau, 'ond paid â phoeni am y peth, mi ddysga i di sut mae gwneud hynna nes ymlaen, ar dir sych.'

'Sa'n haws tasa gen i gogls,' meddai'r creadur yn bwdlyd, 'fedrwn i'm gweld be ro'n i'n neud.'

'Hidia befo,' gwenodd Siwsi gan newid safle yn esmwyth, 'mi fedra i ei neud o heb gogls yli.' Ac i lawr â hi. Caeodd Darren ei lygaid, a phwyso'n ôl yn erbyn y tapiau mewn ecstasi. Cododd Siwsi ar ôl ychydig eiliadau. 'Sbia be oedd yn fy nisgwyl i lawr fanna,' meddai, 'snorkel . . .' Ac i lawr â hi eto.

Bu'n fàth hir a hynod bleserus, yn union fel y sesiwn sychu a thaenu Nivea dros bob modfedd o gnawd ei gilydd wedyn. A phan gyrhaeddon nhw'r gwely, fe gafodd Darren ddysgu'r pethau rhyfedda am gorff dynes.

'Fel'ma?' gofynnodd.

'O ia . . .'

'Felly jest y mymryn lleia . . .'

'O ia . . . yn union fel'na.'

'Siwsi?'

'Ia?'

'Ga i neud hyn eto ar ôl i ti ddod tro 'ma hefyd?'

'O cei . . .'

Pan syrthiodd Siwsi i gysgu, syllodd Darren ar y nenfwd yn hapus ei fyd, yn methu aros iddi ddeffro er mwyn iddo gael ymarfer ei sgiliau newydd eto – ac eto.

Erbyn deg y nos, roedd hyd yn oed Siwsi wedi ymlâdd yn llwyr. Rhowliodd ei chorff chwyslyd oddi wrtho gan obeithio y byddai o'n fodlon cysgu o'r diwedd. Ond na, gallai deimlo ei fysedd yn llithro'n araf rhwng ei chluniau eto. Roedd y croes rhwng Adonis a'r bwni Duracell yn dechrau troi'n bry clust.

'Darren, stopia,' meddai.

'Sori, dwi jest methu peidio.'

'Wel peidia.' A rhoddodd slap i'w law.

'Ga i aros yma efo ti heno?' gofynnodd Darren yn gariadus ymhen dau funud.

'Na chei.'

'O plîs. Dwi isio deffro efo ti'n bore.'

'Tŷff.'

'Pam ddim?'

'Achos mae gen i bethau i'w gwneud!' atebodd Siwsi yn bifish.

'Mi helpa i di,' meddai Darren gan gwpanu ei brestiau eto.

'Na wnei! Gad lonydd!' Roedd effaith y sbliff a'r bàth wedi hen ddarfod ac roedd digwyddiadau'r pedair awr ar hugain dwytha yn dechrau dweud ar Siwsi. Roedd y boi 'ma'n mynd ar ei nerfau hi go iawn.

'O tyd 'laen,' meddai Darren, gan wthio'i bidlen goncrit yn erbyn bochau ei phen-ôl, 'you know you love it!'

Ffrwydrodd Siwsi. Gyda gwaedd o rwystredigaeth, trodd fel chwip a chladdu ei hewinedd i mewn i'w gwd.

'STOPIA!' sgrechiodd yn ei wyneb.

Ar ôl dod ato'i hun, cododd Darren ar un benelin a gwenu arni.

'Hei, oedd hynna'n brifo, ond dwi'n rîlî horni eto rŵan. Dwi wastad wedi bod isio trio S&M . . .'

Gallai Siwsi deimlo ei gwaed yn berwi a'i phen ar fin ffrwydro. Trodd i'w wynebu a dweud mewn llais oeraidd:

'Ti lecio poen, wyt ti, y poen bach annifyr? Iawn, os mai dyna be tisio. Mi gei di brofi poen go iawn. Artaith nad wyt ti wedi ei dychmygu yn dy hunllefau gwaetha . . .'

'Give it to me baby!' chwarddodd Darren.

Sgrechiodd Siwsi. Ac o fewn eiliadau, sgrechiai Darren mewn deuawd â hi.

Digwyddodd y cyfan yn hynod sydyn. Pan ddaeth hi ati'i hun, ni allai Siwsi gofio'r manylion yn iawn. Edrychodd yn hurt ar y sbrencs gwaed yn llifo i lawr y wal, dros y gobennydd a'r cynfasau, a thros ei dwylo a'i breichiau. Edrychodd arni'i hun yn y drych mawr ar y wal. Gwelai waed a darnau o groen a chnawd yn dal i hongian ar ei gên a'i gwefusau, yn diferu dros ei bronnau.

Yna edrychodd ar y corff llipa oddi tani. Doedd ganddo ddim wyneb ar ôl.

'O, cachu hwch,' meddai.

20

Wyddai hi ddim ble i droi. Neidiodd oddi ar y gwely a rhedeg mewn cylchoedd o banic llwyr am sbel. Gwelodd ei hun yn y drych eto a sgrechian. Rhedodd i'r stafell molchi a sgwrio'r llysnafedd oddi ar ei hwyneb a'i dwylo. Hedfanodd i lawr y grisiau, gwasgu ei thraed i mewn i'w welintyns a thaflu côt dros ei hysgwyddau. Agorodd y drws cefn. Roedd hi'n dywyll bitsh tu allan ac yn dal i bistyllio'r glaw. Arhosodd eiliad i'w llygaid arfer efo'r tywyllwch, yna brysiodd drwy'r ardd yn gweiddi:

'Dorti! Ann! Lowri! Help!' Cyrhaeddodd y llidiart am y goedwig ac aeth drwyddi, gan weiddi'n uwch ac yn uwch. Yn sydyn, sylweddolodd be roedd hi'n ei wneud – tynnu sylw pawb o fewn clyw, a dyna'r peth ola roedd hi ei angen. Stopiodd yn stond a chau ei llygaid. Ceisiodd ganolbwyntio ar yrru neges delepathig.

'Dowch,' meddai dan ei gwynt, 'plis dowch.'

Ymhen pum munud, gwelodd ddwy sgwarnoges yn llamu tuag ati.

'Ann! Lowri! Diolch byth! Ble mae Dorti?' Ond wrth gwrs, allen nhw ddim dweud wrthi. 'O, dim bwys. O genod, dwi newydd neud rhwbath gwirion . . .'

Arweiniodd nhw i fyny'r grisiau, a sefyll yn ôl i adael iddyn nhw weld y gyflafan ar ei gwely. Gwichiodd y ddwy mewn ofn, yna troi at Siwsi a'u llygaid yn drist a dig.

'Dwi'n gwbod,' ochneidiodd Siwsi, ''nes i ei cholli hi'n rhacs. A rŵan dwi'm yn gwbod be i neud.'

Lithrodd yn swrth ar ei heistedd a phwyso yn erbyn wal y landing, gan adael i'w dagrau lifo i lawr ei hwyneb. Syllodd y ddwy sgwarnoges arni am eiliad cyn dechrau sgwrsio â'i gilydd fesul gwich a chlic, yna gwahanodd y ddwy i archwilio'r stafelloedd eraill. Toc, clywyd gwich gan Lowri o'r stafell baentio. Brysiodd Ann tuag ati, a chyn pen dim roedd y ddwy wedi dod yn ôl gyda llond ceg o bensiliau a phastels. Aeth Ann ati i'w gosod mewn llythrennau Rune o flaen Siwsi ar y landing, tra prysurai Lowri i ddod â chyflenwad pellach o bensiliau a brwshys iddi.

Doedd Siwsi ddim wedi sylwi ar y prysurdeb nes i Ann roi brathiad bach sydyn i'w braich.

'Aw! Be –? O . . . neges i mi?' Craffodd ar y patrymau, a darllen:

'GARDD . . . TWLL . . . RŴAN. Ia, wrth gwrs. Ei gladdu o yn yr ardd. Syml. Beryg y bysa corff arall yn y selar yn gofyn am drwbwl. Ond be os ddaw 'na rywun i chwilio amdano fo? Mae ei gar o tu allan!'

Cafodd gic filain gan Ann.

'Aw!' Gwelodd fod Ann yn pwyntio ei thrwyn at y neges eto, a'i llygaid yn fflachio'n flin arni. 'Ia, nes i ddallt tro cynta. Pan wyt ti'n dal i –? O, dwi'n gweld. Claddu gynta, meddwl am bob dim arall wedyn, ia? Chdi sy'n iawn, beryg.' Cododd ar ei thraed yn flinedig. 'Fedrwch chi fy helpu i ta?'

Tra oedd y ddwy sgwarnoges yn dechrau palu twll yn y domen gompost ym mhen pella'r ardd, roedd Siwsi yn ceisio lapio gweddillion Darren yn y cynfasau. Unwaith roedd ganddi barsel go lew o daclus, cododd y swp gwlyb a choch dros ei hysgwydd, a'i gario i lawr y grisiau'n ofalus.

'Paid â dripian dros bob man Darren, plîs,' meddai drwy ei dannedd. Aeth ag o drwy'r ardd a'i daflu'n ddiseremoni ar y glaswellt o flaen y domen. A dyna

223

pryd y llamodd Dorti dros y wal a chodi eto ar ei dwy droed ôl i edrych yn hurt ar yr olygfa o'i blaen. Cafodd wybod y stori gan Ann. Trodd i rythu ar Siwsi, gan ysgwyd ei phen yn araf.

'Paid â dechra,' chwyrnodd honno, a throi ar ei sawdl i nôl rhaw.

Bu'r pedair yn palu'n ddiwyd yn y glaw am ddeng munud arall. Erbyn hynny, roedden nhw wedi cyrraedd gwaelod y domen ac yn prysur dyllu drwy bridd go iawn, pridd llawn cerrig a gwreiddiau'r coed cyfagos, pridd oedd yn troi'n slwtsh o fwd yn y glaw trwm. Pwysodd Siwsi ar ei rhaw.

'Dach chi'm yn meddwl ein bod ni'n ddigon dwfn bellach?' gofynnodd. Cytunodd y tair. Cyrcydodd Siwsi i godi'r corff a'i daflu'n ddiseremoni i'r twll. Yna gafaelodd yng nghornel un o'r cynfasau a dechrau ei dynnu'n rhydd. Gwichiodd Ann yn hurt arni.

'Yli, dwi'n digwydd licio'r cynfasau 'ma, iawn?' gwaeddodd Siwsi. 'Ac mi bydrith yn gynt hebddyn nhw.'

Fu'r pedair fawr o dro yn rhawio a phawennu pridd a chompost drosto wedyn. Taenodd Siwsi lond bwced o ddail pydredig dros y cwbl, yna ochneidiodd yn ddwfn.

'A dyna hynna. Glanhau'r llofft a llosgi'i ddillad o rŵan. Dowch. A sgen i'm blydi clem be 'dan ni'n mynd i neud efo'r blydi car 'na.' Martsiodd yn ôl am y tŷ. Edrychodd y tair sgwarnoges ar ei gilydd, clician ychydig, a'i dilyn yn anfoddog.

Rhoddodd Siwsi bob cerpyn o'i ddillad yn y stôf, ynghyd â'i esgidiau a'i felt ledr. Bu bron iddi daflu goriadau'r car hefyd, ond cofiodd mewn pryd, a'u rhoi'n ofalus yn ei phoced. Ychwanegodd ddiferyn o'r botel felen i wneud yn siŵr fod y cwbl yn llosgi'n llwch. Edrychodd ar ei waled, a'i hagor. Dau bapur degpunt, cerdyn credyd, llun o gwpl canol oed – ei rieni mae'n debyg, a chondom. Taflodd y cwbl i mewn i'r stôf a chau'r drws yn dynn. Yna gwisgodd bâr o Marigolds am ei dwylo a dringodd yn ôl i fyny'r grisiau, lle roedd y sgwarnogod wrthi'n sgwrio'r fatres, y llawr, y waliau a'r dodrefn yn drwyadl â'u tafodau. Chwistrellodd Siwsi gymysgedd o hylif dros y cyfan i wneud yn siŵr na allai neb, byth, ddarganfod unrhyw ôl o waed yn unlle. Roedd yr hylif mor gryf nes ei fod yn llosgi eu llygaid, felly agorodd y ffenest yn llydan.

Aeth y pedair yn ôl i lawr i'r gegin. Stwffiodd Siwsi y cynfasau a'r cas gobennydd i'r peiriant golchi gyda'i phowdr golchi arbennig, a'i switsio ymlaen. Edrychodd ar ei gobennydd plu. Roedd y gwaed wedi treiddio i mewn iddo go iawn.

'Damia,' rhegodd, a stwffio hwnnw hefyd i mewn i'r stôf. 'Iawn,' meddai, 'a rŵan, y car. Unrhyw syniadau?'

Gan fod y tair sgwarnoges wedi rhythu arni'n fud, cydiodd yn flin yn ei hudlath, ac aeth allan i'r tywyllwch a'r glaw i edrych ar y car. Roedd hi wrthi'n cerdded tuag ato pan glywodd nodau 'The Entertainer' yn canu o'i grombil. Rhewodd.

'O na,' ochneidiodd, 'ddim ei blydi ffôn lôn o . . .' Ond dyna lle roedd o, ar y sedd flaen, yn fflachio'n wyrdd i rythm y nodau. 'O'r nefi, ei fam o neu rywun, decini,' meddai wrth y tair sgwarnoges oedd bellach wrth ei chynffon.

Gadawodd i'r galwr roi'r ffidil yn y to cyn mentro agor drws y car. Gafaelodd ynddo'n ofalus â'i bysedd Marigold a dechrau gwasgu botymau.

'Fi oedd y person ola iddo fo ffonio,' eglurodd, 'felly

mae'n rhaid bod fy rhif i yn fama'n rwla, ond sut goblyn mae dileu y dam peth?' Gwasgodd y botymau'n wyllt, gan wylltio'n waeth gyda phob gwasgiad. 'O, bygro fo,' meddai yn y diwedd, a thaflu'r ffôn ar y llawr. Pwyntiodd ei hudlath ato, a llafarganu:

'Todda, meddala, diflanna!' A dechreuodd y ffôn doddi i mewn arno'i hun, gan sisial a hisian yn y glaw, nes bod dim ar ôl ond pwll o fetal a phlastig yn byblo'n dawel. Yna diflannodd hwnnw'n llwyr hefyd.

Trodd Siwsi at y car a rhoi cic i un o'r olwynion.

'Bechod 'mod i methu gneud yr un peth efo chdi yndê? Ond ti'n rhy fawr y diawl . . .' Ciciodd yr olwyn eto mewn rhwystredigaeth. 'Joch o rwbath cry dwi'n meddwl genod,' cyhoeddodd wrth ei chynulleidfa. 'Dwi wedi blino gormod i feddwl am rŵan.'

Yn ôl yn y gegin, sychodd fymryn ar ei gwallt gyda lliain, yna tywalltodd wydraid o fodca iddi hi ei hun, ac eistedd yn swrth wrth y bwrdd.

'Ylwch,' meddai wrth y sgwarnogod, 'dwi wedi blino gwneud y siarad i gyd, sgwennwch rwbath wnewch chi?' Estynnodd am ddrôr y tu ôl iddi a thynnu bocs o fatsys allan ohoni. 'Gwnewch rwbath efo rheina.'

Neidiodd y sgwarnogod i fyny ar y bwrdd, yna gwichian a chlician ar ei gilydd am funudau maith. Stwffiodd Siwsi ei bysedd yn ei chlustiau. O'r diwedd, dechreuodd Lowri osod y matsys mewn patrymau taclus, i gyfeiliant ambell wich gan y ddwy arall. Roedd y broses yn un hir.

'Asu, be ti'n sgwennu? Nofel?' cwynodd Siwsi, gan yfed ei fodca yn flinedig. 'Sgynnon ni'm drwy'r nos ti'n gwbod.'

Pan gafodd edrychiad sych gan Lowri, caeodd ei cheg.

O'r diwedd, roedd y neges yn gyflawn. Darllenodd Siwsi mewn llais difywyd: 'BITSH ... WIRION. O, diolch. Cicio'r hogan a hitha ar ei glinia, ia?' Darllenodd ymlaen er hynny: 'GYRRU ... CAR ... DROS ... DDIBYN ... I'R ... AFON ... RŴAN. Iawn, dwi'n gallu clywed o fan'ma fod yr afon mewn lli go iawn ar ôl yr holl law yma. Ia, ella y gneith hynny egluro pam bod na'm corff. Wedi ei gario efo'r lli mae'n siŵr.' Yna sythodd yn sydyn. 'Hei! Sa'm yn well i ni roi ei gorff o yn yr afon hefyd? Fysa ôl fy nannedd i ddim yn para'n hir. Ar ôl cael ei lusgo a'i waldio dros y cerrig 'na i gyd, mi fysa'i gorff o'n rhacs erbyn cyrraedd Penmaenpool.'

Edrychodd y sgwarnogod ar ei gilydd yn ansicr. Yna ysgydwodd Lowri ei phen. Brysiodd i sgwennu rhagor gyda'r matsys. 'DIM ... AMSER' darllenodd Siwsi. Edrychodd ar y cloc. Roedd hi'n ddau y bore. 'Iawn, digon teg,' meddai gydag ochenaid. Cododd ar ei thraed. 'Yr afon amdani ta.'

Gyda'r sgwarnogod wedi brysio o'i blaen i gadw golwg am draffig, gyrrodd Siwsi'r Astra ar hyd y ffordd fawr am ychydig filltiroedd, nes cyrraedd man lle roedd y dibyn i lawr at yr afon ar ei fwyaf serth. Roedd hi'n anodd gweld dim drwy'r glaw oedd yn tasgu ar y ffenest, ond roedd Ann yn sefyll yno i nodi'r fan. Felly trodd Siwsi yn wyllt oddi ar y tarmac, a rhwygo drwy'r ffens, oedd yn un ddigon tila beth bynnag. Taranodd drwy'r coed, a phan oedd hi lathen o'r dibyn neidiodd allan. Ond ar ôl ychydig fodfeddi, daeth y car i stop. Edrychodd Siwsi arno'n hurt. 'Be rŵan to?' chwyrnodd. Ac yna gwelodd fod y car wedi taro yn erbyn coeden gryfach na'r gweddill, coeden oedd yn gwrthod gadael i'r car fynd fodfedd ymhellach.

'Grasusa!' gwaeddodd Siwsi dros sŵn byddarol yr afon yn rhuo mewn lli oddi tani. Cododd ar ei thraed, rhowlio ei llewys, a cherdded yn flin at gefn y car. Pwysodd ei hysgwydd yn erbyn y bŵt, a chyda bloedd, gwthiodd â'i holl nerth. Yn araf, dechreuodd y goeden wegian. Rhwygai'r gwreiddiau allan yn boenus. Rhuodd Siwsi a gwthio eto. Disgynnodd y goeden yn osgeiddig o bwyllog i ddechrau, cyn taranu'n greulon drwy'r brwgaitsh, gan adael i'r car grafu a gwichian ei ffordd yn araf drosti. Sythodd Siwsi mewn pryd i weld yr Astra'n cyflymu a chyflymu a sgrialu'n wyllt am yr afon. Welodd hi mo diwedd y siwrne, ond fe'i clywodd. Gwenodd mewn rhyddhad. Ond yna, sylweddolodd y dylai ddringo i lawr i wneud yn siŵr fod popeth yn iawn.

Roedd Lowri'n sglefrio drwy'r llaid o'i blaen hi, a dilynodd hi ar hyd llwybr pysgotwr am yr afon. Wedi cyrraedd craig oedd yn pwyso allan dros y lli, craffodd y ddwy ar y dŵr berw gwyllt oddi tanynt. Doedd dim golwg o'r car. Yna gwichiodd Lowri. Gallai weld cornel o do'r car yn nofio amdanynt. Gallent ei glywed yn sgrechian a chrafu dros y creigiau tanddwr, cyn plymio i bwll dwfn a suddo o'r golwg. Gwenodd y ddwy ar ei gilydd.

Wedi cyrraedd adre, a gwneud swyn sydyn i sicrhau mwy o law am ddeuddydd arall o leiaf, llusgodd Siwsi ei hun i'r gwely digynfas, ei lapio ei hun mewn blanced a syrthio i gysgu o fewn dim. Penderfynodd y sgwarnogod aros o fewn llathenni i'r tŷ, jest rhag ofn bod Rhys Dolddu wedi bod yn brysur. Roedden nhw wedi gwastraffu cymaint o amser wrth orfod bustachu efo un arall o gamgymeriadau Siwsi.

'Ble fuest ti mor hir pan alwodd hi arnon ni beth bynnag?' gofynnodd Ann i Dorti.

'Cadw golwg ar Rhys Dolddu o'n i,' atebodd. 'Roedd o'n berwi rwbath mewn crochan, ac ro'n i ar fin gweld be, pan ges i'r blydi alwad 'na. Dydi hi ddim yn edrych yn dda arnon ni, genod, a dydi'r het wirion yna'n ddim help o gwbwl!'

'Ti'n deud wrtha i,' cytunodd Lowri, 'roedd hi wedi paentio'r llun rhyfedda yn y stydi 'na sydd ganddi, llun gododd y blew ar fy ngwar i go iawn . . .'

'Be oedd o?' gofynnodd Dorti.

'Llun o ddyn, dyn oedd yn edrych fel duw, a phob manylyn wedi'i baentio'n berffaith. Y math o lun ti'n ei baentio o rywun ti'n ei garu. Ar un olwg, roedd o'n debyg i Dafydd Dolddu, ond roedd gan hwn farf . . .'

21

Pan ddeffrodd Siwsi, doedd ganddi ddim syniad lle roedd hi. Teimlai'n union fel pe bai haid o Wildebeest newydd redeg drosti. Ochneidiodd a throi i edrych ar y cloc. Deg?! Mae'n rhaid mai deg y nos oedd hi – gallai weld ei bod hi'n dal yn dywyll y tu allan. Llusgodd ei hun allan o'r gwely ac at y ffenest. Agorodd y llenni, a gweld mai cymylau duon a glaw trwm oedd yn gyfrifol am y diffyg golau. Ond gallai weld y domen gompost ym mhen draw'r ardd, a daeth y cwbl yn ôl iddi. Brysiodd i'r tŷ bach a chwydu llond ei pherfedd. A phan welodd yr hyn ddaeth allan o'i stumog, chwydodd eto.

Ar ôl molchi a newid, teimlai'n dipyn gwell. Ac ar ôl yfed cymysgedd boeth o gamri, blodau draenen wen, milddail a chardamom, teimlai'n well fyth. Cofiodd am y dillad gwely yn y peiriant golchi, a'u tynnu allan. Doedd dim defnyn o waed arnyn nhw. Taenodd nhw dros yr hors ddillad i sychu, ac yna agorodd ddrws y stôf i weld a oedd unrhyw beth ar ôl heb ei losgi'n iawn. Bu'n chwilota am sbel gyda phrocar, a daeth o hyd i fwcl belt. Tynnodd o allan a phendroni drosto. Yna, gan afael yn ei hudlath, aeth ag o tu allan i'r glaw. Gosododd y bwcl yn ofalus ar garreg, pwyntiodd yr hudlath ato ac adroddodd y geiriau hud:

'Todda, meddala, diflanna . . .' Hisiodd y bwcl fymryn, a diflannodd.

Aeth yn ôl i mewn i'r tŷ a rhoi dillad glân ar y gwely. Yna, sylweddolodd nad oedd hi wedi bwyta'n iawn ers dyddiau. Y peth dwytha iddi geisio ei fwyta oedd y tôst hwnnw losgodd hi yng nghwmni Rhys Dolddu. Ceisiodd fwyta brechdan gaws. Roedd y gegiad gynta'n anodd, fel cnoi gwellt, ond yn raddol, gallai deimlo ei chorff yn dod i arfer, ac erbyn y briwsion olaf, roedd hi'n llyfu ei bysedd.

Taniodd sigarét a phwysodd yn ôl ar ei chadair. Roedd hi wedi gwneud smonach o bethau eto. Yr un hen stori, Siwsi, meddyliodd, gadael i dy gorff reoli dy ben. Dyna ddigwyddodd gyda Dafydd Dolddu i raddau, er fod cariad yn gymysg â chwant yn yr achos hwnnw. Yn sicr, dyna ddigwyddodd gyda Robat druan. Trodd i redeg ei bysedd dros y cerfiadau ar y cwpwrdd wrth feddwl amdano. Trueni. Gwastraff o saer da. Roedd 'na ugeiniau o rai eraill wedi diodde, a rŵan, Darren druan. 'Ond ei fai o oedd o am fy mhlagio i fel'na!' meddai'n uchel a chwyrn. Ond sobrodd wedyn. Doedd hynny ddim yn esgus dros gnoi ei wyneb o yn slwtsh, chwarae teg. Ac yntau'n hogyn mor ddel. O wel, rhy hwyr rŵan.

Roedden nhw wedi cael gwared â phob arwydd iddo fod yma erioed. Roedd hi wedi cofio mynd dros pob dolen drws â chadach, a chanllaw'r grisiau hefyd. Dim ond gobeithio nad oedd neb wedi ei weld yn troi i fyny'r wtra am ei thŷ. Neidiodd mewn braw wrth glywed y ffôn yn canu. Ystyriodd beidio â'i ateb. Ond na, waeth iddi wynebu pobl yn syth ddim. Gorau po gynta.

'Helô, Adrian sy 'ma,' meddai'r llais.

'Adrian?'

'Ia, Adrian Pritchard – yr adeiladwr?'

'O ia, wrth gwrs. Ddrwg gen i. Sut alla i'ch helpu chi?'

'Wel, dwi'n meddwl mai fi sy'n mynd i'ch helpu chi a deud y gwir. Mae'r joban roeddan ni ar ei chanol hi wedi mynd yn ffliwt braidd oherwydd y tywydd uffernol 'ma, felly ro'n i'n meddwl y gallen ni ddechra ar y gwaith plastro 'na i chi – os ydi o'n gyfleus . . .'

'Be? Rŵan?'

'Wel, ar ôl cinio ella. Tua'r hanner awr wedi un 'ma?'

'Ym . . .'

'Ond dio'm bwys os nad ydi o'n gyfleus.'

Pendronodd Siwsi yn galed. Oedd hi'n barod amdanyn nhw? Oedd tad.

'Iawn, dim problem. Ia, dowch draw, mi gliria i 'mhetha cyn i chi gyrraedd.'

'Siort ora. Welwn ni chi nes mlaen . . . Siwsi.'

'Iawn . . . Adrian.'

Roedd ei lais o'n codi croen gŵydd drosti. 'Sglyfath,' meddai'n uchel ar ôl rhoi'r ffôn yn ôl yn ei grud. Dyn fel hwn oedd yn haeddu cael ei larpio, a hynny'n araf, nid rhyw lolyn bach gwirion fel Darren. Ond mae pawb yn y lle anghywir ar yr amser anghywir ryw dro, meddyliodd. Wedi dweud hynny, byddai'n syniad iddi beidio ymyrryd ag Adrian am sbel, ddim nes i'r busnes 'ma efo Darren chwythu'i blwc.

Daeth y sgwarnogod i'w gweld yn fuan wedyn, eisiau gwybod be roedd hi'n bwriadu ei wneud ynglŷn â Rhys Dolddu a'r powdr gwaed y ddraig. 'Dal i feddwl drosto fo,' meddai, 'mae'n beryg i ni wneud dim ar frys, tydi?'

Waldiodd Dorti'r ddaear yn flin â'i choes ôl a rhythu'n filain arni. Gwyddai Siwsi ei bod hi'n gwybod yn iawn ei bod hi'n palu celwydd. A'r gwirionedd oedd nad oedd hi wedi meddwl am Rhys a'r powdr drwy'r dydd. 'Wel chwarae teg,' protestiodd, 'tydi hi wedi bod fel ffair yma! Dwi'm yn gwbod os dwi'n mynd ta'n dod!'

Edrychodd y tair sgwarnoges ar ei gilydd.

'Tasa hi'n poeni llai am ddod, fysen ni'm yn y twll 'ma yn y lle cynta,' gwichiodd Dorti wrth ei chyfeillion.

'Iawn, mi feddylia i am rwbath heno 'ma,' meddai Siwsi. Neidiodd allan o'i chroen eto wrth glywed y ffôn yn canu. 'Pwy sy 'na rŵan 'to?' cwynodd. 'Mi ro i waedd pan fydda i'n barod i glywed eich barn chi am fy syniad i,' meddai wrth y sgwarnogod wrth eu gweld yn gadael.

'Waeth i ni sgwennu LLWYTH O GACHU ar y stepan drws 'na rŵan,' gwichiodd Dorti wrth Lowri, 'mae brêns y gloman fel uwd ers dyddia.'

'Helô?' gwaeddodd Siwsi i lawr y ffôn.

'Argian, pwy sy wedi dy frathu di?' gofynnodd Wendy'n syn.

'O, Wendy, ti sy 'na. Ddrwg gen i. Dwi jest yn cael diwrnod cachu.'

'Ia wel, ddim ti 'di'r unig un.'

'Be sy?'

'O, dim byd. Jest teimlo'n fusneslyd . . . nath o ffonio chdi?'

Rhewodd Siwsi.

'Pwy?' meddai'n ddi-hid, neu o leia yn y gobaith ei bod hi'n swnio'n ddi-hid.

'Wel Darren 'de!'

Oedodd Siwsi cyn ateb. Damia, dylai ei bod hi wedi meddwl am hyn ymlaen llaw.

'Do,' meddai yn y diwedd, a hynny'n llafurus.

'Ti'm yn swnio'n rhy hapus am y peth. Be ddigwyddodd?'

'Wel, ifanc ydi o, yndê? Dwi'n ddigon hen i fod yn fam iddo fo.'

'Doedd hynny'm yn dy boeni di noson blaen.'

'Nagoedd, diolch i'r fodca. Ond do, mi nath o ffonio ac mi ddeudis i bod gen i'm diddordeb – oherwydd y gwahaniaeth oed.'

'O, bechod. Siŵr bod hynna 'di'i frifo fo. Oedd o'n swnio mor keen.'

'Rhy keen o beth goblyn. Mi nath o ddechra crio, cofia.'

'Dos o 'ma! Rioed! Y peth bach!'

'Profi'n syth mai fi oedd yn iawn, yndê? Dwi'n rhy hen i folicodlo ryw fabi bach fel'na. A deud y gwir, ro'n i'n dechra poeni ei fod o'm yn iawn, sti.'

'Be ti'n feddwl?'

'Wel . . . beichio crio fel'na fel taswn i wedi torri'i galon o, a finna prin yn nabod y boi! Roedd 'na reswm arall yn doedd? Iselder ysbryd neu rwbath, garantîd i ti.'

'O, bechod, ti'n meddwl? Sa ti byth yn deud. Mae o wastad mor fywiog, "life and soul of the party".

'Rheiny sy waetha, yndê?'

'Ia, mae'n siŵr.' Oedodd Wendy, yna ychwanegodd: 'Dwi'm yn teimlo'n rhy bril fy hun.'

'O? Be sy wedi digwydd?'

'Wel . . . wedi dod at fy sensys ydw i, decini. Wedi gweld mai chdi oedd yn iawn a fi oedd yn rong.'

'Ynglŷn â be?'

'Adrian . . .'

'O. Dwi'n gweld. Be nath o?'

'Wel . . . weles i o'n dod allan o dŷ Jenny neithiwr – yn hwyr. O'n i jest yn cau cyrtens y llofft, a dyma fi'n weld o – yn rhoi sws ta ta iddi hi, reit ar stepan drws!'

'Ella mai sws ddiniwed oedd hi?'

'Naci, no wê. Weles i hi 'fyd yn do. Mewn tywal, a'i gwallt hi dros y lle i gyd. Blydi amlwg be oeddan nhw 'di bod yn neud.'

'Be nest ti?'

'Chwdu'n gyts allan yn y bog. Wedyn es i draw 'na.'

'Be? Tŷ Jenny?'

'Ia. Gawson ni sgwrs reit hir, ar ôl i ni stopio sgrechian ar ein gilydd. Mae o 'di bod yn mynd draw 'na dipyn . . . ers misoedd. A doedd hi'm yn gwbod ei fod o'n 'y ngweld i hefyd. Mae'r diawl 'di bod yn deud yn union yr un sgrwtsh wrth y ddwy ohonan ni, a'r ddwy ohonan ni'n ddigon blydi stiwpid i'w goelio fo, bob gair.'

'O, Wendy . . . Mae'n ddrwg gen i. Be wnei di rŵan?'

'Dwi'm yn gwbod,' atebodd Wendy gan frwydro i beidio crio, 'ond dwi isio gweld y bastad yn diodde. Yn llosgi yn uffern. Dwi'n dallt rŵan sut oedd y ddynes Bobbit 'na'n teimlo.'

'Argol! Paid â mynd yn rhy bell rŵan, Wendy!' chwarddodd Siwsi.

'Paid â phoeni,' gwenodd Wendy, 'fydda i wedi cŵlio i lawr toc . . . tua Dolig 2009 ella. Dwi wedi gwylltio efo fi'n hun am fod mor wirion 'fyd, ti'n gwbod?'

'Yndw. Gwbod yn iawn.'

'Wel, eniwe, dyna fo,' meddai Wendy gan geisio rheoli ei llais.

'Ti'n dod i dre fory?'

'Yndw. Gei di ei alw fo'n bob dim dan haul dros sgonsan, yli.'

'Ia, grêt. Edrych 'mlaen . . .'

Rhoddodd Siwsi y ffôn i lawr yn araf, gan anadlu allan mewn rhyddhad. Diolch byth, meddyliodd. Oherwydd Adrian, doedd Wendy heb holi gormod am Darren. Ond eiliad yn ddiweddarach, roedd ei phen yn lobsgows eto. Roedd Adrian ei hun ar ei ffordd draw, fo a'i blastrwyr, a hithau wedi addo clirio'r stafell ar eu cyfer nhw . . . ac roedd hi wedi addo i'r genod y byddai'n gwneud rhywbeth ynglŷn â Rhys Dolddu a'r blydi powdr 'na . . . ac roedd ei dillad gwely yn sychu uwchben y stôf . . . a byddai'n well petaen nhw o'r golwg cyn i Adrian a'i griw gyrraedd, ond roedden nhw'n dal yn wlyb socian. Sgrechiodd. Yna, sobrodd. Tyd 'laen Siwsi, ti'n wrach, meddyliodd. Mi fedri di ddelio efo hyn. Ystyriodd yn galed am rai eiliadau, yna estynnodd am ei hudlath a'i chwyrlïo o flaen y cynfasau gan fwmian canu dan ei gwynt:

'Chwyth, chwyth, O hafaidd chwa,
a sycha'r blydi dillad 'ma.'

Cododd gwynt cryf o ganol y stafell, gwynt Caribïaidd cynnes a braf, a gwau ei ffordd drwy'r cynfasau, nes bod y rheiny'n codi a siglo, yn ysgwyd a suo, ac o fewn munudau, roedden nhw'n sych grimp.

'A dyna hynna,' meddai Siwsi wrthi ei hun cyn mynd ati i'w plygu'n daclus a'u cario i fyny'r grisiau i'r cwpwrdd êrio. Cofiodd gadw'r hudlath yn ddiogel yn y gist dan y gwely hefyd.

Treuliodd hanner awr yn clirio'r stafell oedd angen ei phlastro, ac roedd hi wrthi'n llenwi'r tecell pan glywodd sŵn car y tu allan. Edrychodd drwy'r ffenest a gweld fan gyda 'Adrian Pritchard Building Contractor' wedi'i baentio mewn llythrennau breision ar ei ochr. Uniaith Saesneg, wrth gwrs, meddyliodd Siwsi. Daeth dau ddyn allan o'r fan, Adrian ei hun, a gŵr boldew, blêr, a cherddeb yn hamddenol at y drws.

'Sumai,' meddai Adrian. 'John ydi hwn. Dydi o'm yn siarad Cymraeg, do you John?'

'Nah,' meddai hwnnw'n sych.

'Just moved here, have you?' gofynnodd Siwsi'n gwrtais.

'Nah, bin 'ere since I was twelve,' meddai, 'nice house you got. Bin lookin for summat like this for me uncle, if you ever want to sell, like.'

'I doubt it very much,' meddai Siwsi gyda hanner gwên, 'dewch i mewn o'r glaw.'

Derbyniodd y ddau y cynnig o baned (pedair llwyaid o siwgr i John) ond aethant at waith yn syth. Wedi hofran am ychydig funudau, dihangodd Siwsi i'r gegin. Roedd hi'n dechrau difaru ei bod hi wedi cytuno iddyn nhw ddod o gwbl. Roedd presenoldeb dau mor seimllyd yn deud arni. Ond o leia roedd Wendy wedi gweld y golau o'r diwedd; roedd hynny'n gwneud iddi deimlo'n well, ond roedd hefyd yn ei gwneud hi'n haws iddi wenu ar Adrian.

Aeth ati i wneud bara. Roedd hi wedi hen ddarganfod mai trwy dylino toes roedd ei meddwl hi'n gweithio orau, fel pe bai gwaith caled ei breichiau yn treiddio drwadd i'w hymennydd rhywsut.

Iawn ta, Rhys Dolddu, meddyliodd. Be ydw i'n mynd i'w wneud efo ti, dwa? Mi allwn i drio rhoi swyn arnat ti i gowlio dy ben di, neu roi homar o ddôs o rywbeth cas i dy gadw di'n dy wely am sbel, ond beryg dy fod ti'n berwi efo gwrth-swynion erbyn hyn. Wrth gwrs, tase 'na bedair ohonan ni, mi fyddai'n haws o beth goblyn, ond cyn i hynny ddigwydd, dwi angen cael gafael ar y gwaed draig 'na sydd gen ti. A go brin y gwnei di roi benthyg peth o hwnnw i mi fel tase fo'n gwpanaid o siwgr. Mi allwn i drio cael gafael ar beth o rywle arall wrth gwrs. Ond sut? Dwi'm yn nabod neb yn blydi Indonesia.

Yna sythodd wrth i syniad ei tharo. Wrth gwrs! Y We! Mi fedrai chwilio am y stwff ar y blydi We! Mae'n siŵr mai felly y cafodd Rhys Dolddu ei barsel yn y lle cyntaf. Doedd ganddi 'run cyfrifiadur ei hun – eto – ond gwyddai fod gan y llyfrgell leol lond gwlad ohonyn nhw. Edrychodd ar y cloc. Edrychodd ar y ffôn. Ffoniodd y llyfrgell i weld a oedden nhw ar agor. Oedden – tan bump. Rhoddodd y ffôn yn ôl yn ei grud wedi cynhyrfu'n lân. Roedd yn rhaid iddi fynd rŵan, y munud 'ma. Gorau po gynta iddi archebu'r stwff. Ond byddai'r blydi Adrian a'r John boldew 'na'n siŵr o fod yma tan tua hanner awr wedi pedwar. Allai hi eu gadael yn y tŷ ar eu pennau eu hunain? Tylinodd fymryn mwy ar ei thoes a'i daflu i mewn i dun pwys. Rhoddodd liain llestri tamp drosto a'i adael wrth ochr y stôf i godi, yna golchodd ei dwylo, gafael yn ei phwrs a goriadau'r car a brysio i ddweud wrth Adrian a

John boldew ei bod yn picio allan am ryw hanner awr. 'Dim problem, del,' gwenodd Adrian, 'mi edrychan ni ar ôl y lle i ti.' Gwenodd Siwsi arno a brysio allan. Penderfynodd bicio i'r goedwig i alw ar y genod yn gyntaf. Unwaith roedd hi o olwg y tŷ, caeodd ei llygaid a gyrru neges delepathig. O fewn eiliadau, roedd y tair wrth ei thraed. Eglurodd wrthyn nhw lle roedd hi'n mynd a pham, a gofynnodd iddyn nhw gadw golwg ar y ddau yn y tŷ. Cytunodd y tair, a hedfanodd Siwsi am y car.

Roedd 'na ddau gyfrifiadur yn rhydd yn y llyfrgell. Dewisodd Siwsi yr un pellaf. Dim ond unwaith fu hi ar y We o'r blaen, a hynny'n y Swistir drwy gyfrwng y Ffrangeg, ond buan y daeth i arfer. Teipiodd 'Dragon's Blood' i mewn i'r blwch a chlicio'r llygoden. Roedd 'na gannoedd o gyfeiriadau at y peth! Aeth drwyddyn nhw ar frys, gan chwerthin ac ysgwyd ei phen bob hyn a hyn. Roedd 'na ddwsinau o nofelau o'r un enw, yn cynnwys un lle roedd Eva Peron ac Adolf Hitler yn fampiriaid. Roedd 'na lol am ddreigiau go iawn, a rhywun oedd yn gwerthu sebon 'Dragon's blood with oatmeal'. Cynhyrfodd pan welodd fod Grandpa's General Store yn gwerthu'r stwff – nes iddi ddeall mai lol ar gyfer plant oedd o. O'r diwedd, daeth ar draws safle o'r Unol Daleithiau: alchemy_works.com, a haleliwia! Roedd o'n gwerthu Gwaed y Ddraig am $3.25 yr owns! Cliciodd arno'n syth, a theipio ei manylion i mewn. Archebodd hanner pwys. Cliciodd y llygoden i yrru'r ffurflen draw dros yr Iwerydd, a phwyso'n ôl yn y gadair, wedi llwyr ymlâdd. Diolchodd i'r llyfrgellydd wrth y ddesg, a brysio adre.

Cododd fawd ar Lowri oedd yn cuddio wrth y rhododendrons; nodiodd honno i ddangos fod popeth yn iawn, a brysiodd Siwsi i mewn i'r tŷ. Roedd y ddau ddyn yn dal i blastro.

'Mi wna i baned i chi rŵan!' gwaeddodd, a brysio drwadd i'r gegin, lle roedd y dorth wedi codi'n berffaith. Rhoddodd honno yn y popty, a throdd i lenwi'r tecell.

Taswn i'n feidrol, mi fyddwn i wedi cael hartan erbyn hyn, meddyliodd.

'Popeth yn iawn?' holodd llais dwfn y tu ôl iddi.

'Yndi diolch Adrian,' meddai.

'Golwg wyllt arnat ti,' meddai hwnnw wedyn gan roi gwên siocledaidd iddi. 'Siwtio ti hefyd.'

'O? Diolch,' meddai Siwsi. 'Ddo i â'r baned drwadd, ia?'

'Fel leici di,' gwenodd Adrian eto, 'dim brys.' Ac allan â fo.

Na, meddyliodd Siwsi, fuest ti rioed ar frys naddo Adrian Pritchard? Ti wedi cymryd dy amser ar hyd dy oes, am dy fod ti'n gwbod y cei di dy wobr yn y diwedd. Rhes o wobrau hynod ddiolchgar, yn bwyta allan o dy ddwylo di. Popeth wedi mynd fel wats i ti erioed yn tydi, Adrian? Mae gen ti'r un hyder seimllyd â Tudur ap Rhydderch, oedd wastad yn credu'n gydwybodol mai fo oedd yn iawn, hyd yn oed pan oedd o'n arteithio genod bach cwbl ddiniwed. Roedden nhw'n cyfadde'n y diwedd, pan oedd y boen yn ormod iddyn nhw, felly fo oedd yn iawn wedi'r cwbl yndê?

Ystyriodd roi llond llwy o senna a gwraidd dant y llew yn ei baned i ddysgu gwers iddo, ond na, chwarae plant fyddai hynny. A'i lle chwech hi fyddai'n diodde'r sgil effeithiau am oriau wedyn. Rhoddodd lwyaid o siwgr iddo'n lle – a phoeri ynddo cyn ei droi.

Am hanner awr wedi pedwar, roedd y ddau ddyn wedi gorffen am y dydd.

'Fyddan ni'n ôl tua'r naw 'ma bore fory, iawn?' meddai Adrian.

'Gwych,' gwenodd Siwsi, a chodi llaw yn llawen arnyn nhw wrth iddyn nhw yrru i lawr yr wtra. Y funud roedden nhw o'r golwg, rhedodd am y goedwig a gweiddi ar y genod i ddod i mewn. Gadawodd y drws cefn ar agor iddyn nhw, a chan ei bod hi'n teimlo'n glên, estynnodd lond desgil o foron iddyn nhw, rhag ofn eu bod nhw wedi laru ar fwyta gwair, neu beth bynnag roedden nhw'n ei fwyta allan yn y gwyllt 'na. Yna, torrodd dafell o fara ffres, bendigedig iddi hi ei hun, a thaenu menyn a mêl go iawn drosto. Caeodd ei llygaid mewn ecstasi wrth i'r cyfan doddi yn ei cheg.

Clywodd goes ôl sgwarnoges flin yn taro'r llawr, ac agorodd ei llygaid i weld Dorti'n gwgu arni.

'Be?' gofynnodd yn ddiniwed. Yna sylweddolodd mai'r bara oedd yn mynd â bryd Dorti. 'Mae 'na foron i chdi yn fan'na yli,' gwenodd Siwsi, 'meddwl 'swn i'n difetha chydig arnoch chi.' Ond dal i wgu wnai Dorti, a llygadu'r dorth ar y bwrdd. 'Isio darn o fara wyt ti!' chwarddodd Siwsi. 'Ond ydi sgwarnogod yn gallu bwyta pethau felly?'

Ymateb Dorti oedd neidio ar y bwrdd a rhwygo crystyn allan o'r dorth. Cnodd yn wyllt gan dasgu briwsion i bobman. Llamodd Ann a Lowri drwy'r drws. Doedden nhw'n amlwg ddim mor farus â Dorti, ac yn dangos mwy o ddiddordeb yn yr hyn roedd gan Siwsi i'w ddweud na beth oedd ar y fwydlen.

'Iawn,' meddai Siwsi, 'dwi wedi archebu hanner pwys o waed y ddraig o America, ac mi ddylai gyrraedd o fewn yr wythnos. Dim ond gobeithio mai'r stwff go iawn ydi o, ond does gen i'm ffordd o wybod hynny nes bydd o wedi cyrraedd. Rŵan, ydach chi'n meddwl y dylwn ni wneud rhywbeth ynglŷn â Rhys Dolddu cyn hynny?'

Nodiodd y tair sgwarnoges eu pennau'n drist. Er mor braf fyddai gallu disgwyl nes roedden nhw ar ffurf gwrachod go iawn eto, roedd Rhys wedi bod yn brysur.

Ysgrifennodd Lowri neges Rune yn y blawd oedd yn dal ar y bwrdd ers i Siwsi fod yn tylino ei thoes.

'RHYS . . . PRYSUR . . .' darllenodd Siwsi, 'BYTH . . . ALLAN . . . O'R . . . TY . . . GWNA . . . SWYN . . . GWELD . . . RŴAN. Go iawn? Tydi o heb adael y tŷ o gwbwl? Ddim hyd yn oed i borthi?' Darllenodd ateb Lowri yn y blawd: 'GWARTHEG . . . BREFU . . . CWN . . . UDO . . . RHYS . . . TY. Felly mae o'n aros yn y tŷ hyd yn oed pan mae'i anifeiliad o'n diodde. Mae'n rhaid ei fod o'n uffernol o brysur.' Sythodd Siwsi a thorchi ei llewys. 'Iawn, genod, swyn gweld – munud 'ma.'

Roedd hi ar ganol y swyn, ac wrthi'n tywallt yr hylif o'r botel werdd i mewn i'r crochan, pan ganodd y ffôn. Rhegodd dan ei gwynt. Roedd y sŵn yn amharu ar ei gallu i ganolbwyntio. Ceisiodd ei anwybyddu, ond roedd y galwr yn styfnig, a'r sŵn undonog yn chwalu unrhyw obaith oedd gan Siwsi i gyflawni'r swyn yn llwyddiannus.

'Ddrwg gen i genod,' meddai, 'mi fydd raid i mi ei ateb o.' Cerddodd i mewn i'r gegin a chodi'r ffôn. Wendy oedd yno.

'Gesia be dwi newydd glywed?' meddai, yn amlwg wedi cynhyrfu'n rhacs. 'Jenny 'di bod yn siarad efo mam Darren – ddoth o'm adra neithiwr a nath o'm troi fyny i'w waith heddiw chwaith! Mae hi'n poeni ei gyts allan, achos tydi o jest ddim fel fo i neud rwbath fel'na. Mae hi wedi deud wrth y copars a bob dim!'

'Yn barod?' meddai Siwsi, a'i choesau'n gwegian. 'Ond – ond ella mai wedi bod ar y cwrw oedd o, wedi mynd i ryw barti gwyllt yn rwla, ac yn diodde gormod i fynd i'w waith.'

'Ia, dyna ddudodd Jenny, ond oedd ei fam o'n deud y bydda fo wedi ei ffonio hi i ddeud lle roedd o, mae o wastad yn gneud hynny, achos mae o'n gwbod ei bod hi'n un am boeni, ac wedyn mae ei blood pressure hi'n mynd yn sky high. Ac eniwe, hyd yn oed tasa fo'm wedi ffonio hi, am 'i fod o mewn trwbwl neu rwbath, sa fo'n bendant 'di ffonio Colin 'i frawd. Ti'n gwbod – Colin yr electrician? Mae'r ddau'n uffar o fêts. Ond eniwe, na, dydi hyn ddim yn swnio'n dda o gwbwl, nacdi?'

'Nacdi,' cytunodd Siwsi, gan deimlo'i phen yn dechrau troi. 'Ti'n iawn. Wel, diolch am ddeud wrtha i. Dwi'n meddwl.'

'Hei, paid ti â dechra hel meddylia rŵan. Doedd o'm byd i neud efo ti.'

'Dwi'n gwbod hynny siŵr! Pam ddyla fo?' meddai Siwsi'n syth.

'Yn hollol!' meddai Wendy'n frysiog. 'Na, jest . . . wsti . . . ti ddeudodd ei fod o'n beichio crio ar y ffôn . . .'

'O ia. Oedd.'

'Yli, mae raid i mi fynd. Dwi'n clywed blîps yn fy nghlust, felly mae 'na "call waiting".'

'Jenny eto, bosib?'

'Y? O ia, bosib.'

'Neu Adrian, ia? O, Wendy, ti'm wedi madda iddo fo gobeithio . . . '

'Paid â bod yn sofft! Dwi'n edrych ymlaen at gael poeri ar fedd y bastad! Reit. Dwi'n mynd. Tyd draw fory. Ta ra.' Ac roedd hi wedi mynd. Edrychodd Siwsi ar y ffôn yn ei llaw. Wendy, fedri di'm deud celwydd i achub dy fywyd, meddyliodd. A dwi'm yn gallu credu mai brawd Colin oedd Darren. Dyna pam roedd o'n gwbod sut i ddod o hyd i'r tŷ, mae'n rhaid.

Tynnodd linell y ffôn allan o'r plwg, llyncodd dabled i leddfu ei meddyliau a dychwelodd at y lleill wrth yr allor.

'Dim byd mawr,' cyhoeddodd wrth y tair oedd yn sbio arni'n ddisgwylgar. 'Iawn, sa well i mi ddechra o'r dechra eto dwi'n meddwl.'

Y tro yma, cafodd lonydd i fynd drwy'r ddefod yn ddidrafferth. A phan beidiodd yr hylif yn y crochan â throi, daeth llun clir o Rhys Dolddu i'r wyneb. Edrychai'n wahanol, yn feinach, a chysgodion tywyll dan ei lygaid. Roedd ei wallt yn flerach nag erioed, a'i ddillad yn edrych fel pe bai wedi bod yn cysgu ynddyn nhw ers dyddiau. Gallent weld a chlywed crochan yn mudferwi y tu ôl iddo, ac arogli'r drewdod. Roedd o'n cymysgu powdrach amryliw i mewn i amrywiaeth o ddysglau, ac yn siarad efo'i hun, yn adrodd yr un geiriau aneglur drosodd a throsodd. Yna gafelodd yn ofalus mewn rhywbeth â bys a bawd, rhywbeth nad oedden nhw'n gallu ei weld.

'Be sy ganddo fo fanna?' chwyrnodd Siwsi.

Wedi i bawb graffu o ddifri, taranodd Ann ei choes ôl ar y llawr.

'Be, weli di rwbath?' gofynnodd Siwsi. Estynnodd Ann i fyny ati a phwyntio pawen at ei gwallt. Edrychodd Siwsi arni'n hurt cyn i'r geiniog ddisgyn.

'Blewyn o 'ngwallt i? Ti'n siŵr? Wel y bastad! Y

sinach hyll dan-din dau-wynebog! Ac mae ganddo fo ddoli gwyr hefyd decini! Pwy mae o'n feddwl ydi o?! Mi ladda i o!'

Dechreuodd neidio a strancio'n wyllt, rhwygodd dalpiau allan o'i gwallt a thaflu popeth o fewn cyrraedd i bob cyfeiriad; rhaeadrodd y rhegfeydd mwyaf erchyll a ffiaidd o'i cheg, poerodd a glafoeriodd fel gwallgofwraig.

Edrychodd y sgwarnogod arni mewn braw. Roedd ei hwyneb wedi newid yn llwyr. Yn lle'r croen gwyn, llyfn arferol, gwelsant wyneb fflamgoch, yn grychau dwfn a llysnafedd gwyrdd drosto. Edrychai ei dannedd yn felyn a miniog, a'i thafod yn hirfain a thywyll. Dechreuodd Dorti grynu, gwichiodd Ann mewn braw, ac ni fedrai Lowri ei rhwystro ei hun rhag taro'r llawr â'i choes ôl, drosodd a throsodd. Y cwbl allen nhw ei wneud oedd syllu ar Siwsi, cadw allan o'i ffordd a disgwyl iddi ymbwyllo. Neu obeithio y byddai'n ymbwyllo, o leiaf.

22

Awr yn ddiweddarach, gorweddai Siwsi'n wan a diffrwyth ar y gwair gwlyb. Roedd hi'n crynu ac wylo, a'i breichiau wedi'u lapio'n dynn am ei hysgwyddau. Bob hyn a hyn, deuai un o'r sgwarnogod ati a llyfu ei boch neu ei braich; yr agosaf allen nhw ddod at geisio ei chofleidio a'i chysuro.

'Be ddigwyddodd?' gofynnodd yn llesg wrth i Dorti rwbio pawen yn ysgafn yn erbyn ei boch. Roedd ei chroen yn llyfn eto, ond yn faw a gwaed i gyd. Ceisiodd godi ar ei heistedd, ond roedd hi'n wan fel cath. Ceisiodd ddarllen y neges roedd Ann a Lowri yn ei hysgrifennu iddi, ond chwyrlïai popeth o flaen ei llygaid mewn niwl.

'SWYN . . . RHYS . . . GWRTHSWYN . . . BRYSIA' llwyddodd i'w ddarllen yn uchel wedi munudau hirfaith. Nodiodd ei phen yn llesg a cheisio codi ar ei thraed. Siglodd, baglodd, ac yna llusgodd ei hun yn ôl at yr allor.

'Pwy nath y llanast 'ma?' gofynnodd, gan edrych yn ddryslyd ar y blerwch o'i chwmpas. 'Fi?'

Yn grynedig, rhoddodd y canhwyllau'n ôl yn eu lle a chodi'r crochan yn ôl ar ei draed. Aeth i'r gegin i lenwi llond sosban â dŵr a'i chario'n llafurus yn ôl at yr allor. Tywalltodd y cyfan i'r crochan, ac aeth ati eto i baratoi swyn: gwrth-swyn y tro hwn.

Prin y gallai weld drwy'r niwl a'r dagrau, a mynnai ei gwallt ddisgyn yn flêr i'w llygaid. Roedd hi'n brifo drosti, a'r gwaed yn dal i lifo, ond gwyddai y byddai'n rhaid iddi gyflawni'r ddefod ar fyrder. Chwifiodd ei hudlath yn llesg, tywalltodd yr hylif yn lletchwith a brwydrodd i ganolbwyntio, ond roedd y genod wrth ei hochr, yn ei hannog i ddal ati, yn gefn iddi, yn gwmni, a llwyddodd i sibrwd yn grynedig:

> 'Y sawl sy'n fy swyno,
> yr hwn fynn fy niweidio,
> trof dy ddiawlineb
> yn erbyn dy hun.
> Fe ddylet ti ddiodde
> yr hyn ddioddaf inne . . .
> ond dy nerthau a negydaf
> a'th adael yn ddianaf:
> un, tynnu un
> yw dim un.'

Yna llewygodd.

Pan ddaeth ati'i hun, roedd y tair sgwarnoges yn syllu'n boenus arni. Gwenodd, a chodi ar ei pheneliniau. 'Peidiwch ag edrych arna i fel'na genod, dwi'n teimlo'n champion!'

Roedd effaith swyn Rhys Dolddu wedi diflannu'n llwyr. Treuliodd weddill y noson yn cymysgu perlysiau a phowdrau hud a'u clymu mewn pecynnau taclus, tyn. Gosododd nhw dros y tŷ a'r ardd, yn y car, am ei gwddw ac ym mhob poced oedd ganddi. Pa bynnag swynion oedd gan Rhys Dolddu, fe fyddai arno angen pwerau rhyfeddol i orchfygu'r gwrth-swynion hyn.

'Hapus?' gofynnodd i'r sgwarnogod. Ond doedd eu llygaid ddim yn edrych yn rhy ecstatig. 'Peidiwch â phoeni,' meddai wedyn, 'fyddan ni'n iawn, ac mi fyddwch chi'n wrachod smart a llawen cyn i chi droi rownd. O, gyda llaw . . . dach chi'n gwbod yr adeiladwr 'na – Adrian Pritchard? Ddyfalwch chi byth pwy ydi o. Lle dach chi wedi gweld y cerddediad diog 'na o'r blaen? Y swagro "dwi'n well na chi", y wên slei?' Gwenodd o weld llygaid crynion y genod. 'Ia, cofiwch, un o etifeddion ein hen gyfaill Tudur ap Rhydderch. Byd 'ma'n fach tydi? Ac fel mae'n digwydd, mi fyswn i a Wendy, fy nghyfaill annwyl i, wrth ein boddau'n gweld yr hen Adrian yn diodde . . .'

Wedi i'r genod ddychwelyd i'r coed, yn crensian eu dannedd a tharo'r ddaear yn galetach na'r cyffredin â'u coesau ôl, aeth Siwsi am fàth hir a phoeth mewn perlysiau fyddai'n trin ei chlwyfau. Wedi taenu hufen llawn sinamon, mêl a saets drostyn nhw wedyn, dringodd i mewn i'w gwely. Rhoddodd wrth-swyn o dan ei gobennydd, a chysgodd fel babi drwy'r nos.

Fore trannoeth, cododd Siwsi'n gynnar er mwyn twtio a chuddio pob arwydd o weithgareddau'r nos, a cyrhaeddodd Adrian a John am naw ar y dot. Gwnaeth Siwsi baned iddyn nhw, cynnal sgwrs fer ond cwrtais, gan egluro ei bod hi am fynd i'r dre i wneud neges, ac i ffwrdd â hi.

Wedi siopa a rhoi'r bagiau yn y car, aeth i gaffi Wendy.

'Haia!' meddai honno wrth weini ar griw o fyfyrwyr. 'Ddo i atat ti rŵan.'

Roedd hi yno mewn chwinciad, ac yn hanner sibrwd dros y bwrdd:

'Ti 'di gweld y papur?'

'Pa bapur?'

'Wel y *Post* 'de! Ar y front page. Sgotwr wedi dod o hyd i Astra yn yr afon – ddim yn bell o dy le di – ac Astra sy gen Darren, yndê?'

'Ia?' Ceisiodd Siwsi reoli'r cryndod yn ei bysedd wrth iddi danio ffàg.

'Wel ia; doedd 'na neb yn y car, ond dydi o byth wedi dod adre ac ma'i fam o ar tranquilisers, bechod. Mae'r deifars allan yn chwilio'r afon fel 'dan ni'n siarad mae'n debyg. Ond mae 'na bob math o storis yn mynd rownd lle . . .'

'O? Fel be?' Llwyddodd Siwsi i danio'i sigarét.

'Rhai'n deud ei fod o ar drygs, rhai eraill yn deud ei fod o'n gyrru'n wirion a dim ond mater o amser oedd hi cyn iddo fo gael damwain . . . be wyt ti'n feddwl ddigwyddodd?'

'Be wn i? Do'n i prin yn nabod y boi!'

'Ia, ond be ti'n feddwl ddigwyddodd? Mae gan bawb ei theori, yn does?'

'Pan mae 'na ddamwain yn digwydd? Oes mwn. Be ti'n feddwl ta?'

'Wel . . . oedd o'n dipyn o herc, yn gyrru fel ffŵl rownd dre 'ma, ac os oedd o'n ypsét ar ôl i ti wrthod ei weld o, wel, ella'i fod o wedi colli control ar y car. Oedd hi'n piso bwrw, doedd? Digon hawdd mewn tywydd fel'na.'

'Ia, mae'n siŵr mai dyna be ddigwyddodd. Y creadur. A fy mai i oedd o mewn ffordd, felly.'

'Wel nagoedd siŵr, ddim rîlî, nagoedd?'

'Diolch. Dwi'm isio teimlo'n euog am y peth, a finna m'ond wedi siarad efo fo unwaith.'

'Dwywaith,' meddai Wendy. Edrychodd Siwsi arni'n siarp. 'Os ti'n cyfri pan nath o ffonio chdi,' eglurodd Wendy'n frysiog.

'O ia, ti'n iawn. Dwywaith.' Anadlodd allan nes bod y mwg o'i sigarét yn chwyrlïo rhyngddynt. 'Ond dwi'm isio siarad mwy am y peth. Sgen ti un o'r sgons neis 'na heddiw?'

'Oes tad. Sgonsan gynnes coming up,' a diflannodd Wendy y tu ôl i'r cownter. Ystyriodd Siwsi y sefyllfa: doedd hi ddim wedi disgwyl iddyn nhw ddod o hyd i'r car mor sydyn ac, wrth gwrs, fydden nhw ddim yn dod o hyd i gorff. Be fyddai'n digwydd wedyn? Os oedd pawb yn credu ei fod o'n herc, ac wedi cael damwain drwy or-yrru, gwych. Efallai y byddai'r heddlu'n gadael pethau felly. Ond efallai y bydden nhw'n amau'r diffyg corff ac yn dechrau holi. Damia – fe ddylen nhw fod wedi taflu'r blydi corff i'r afon hefyd. A beth os fyddai Wendy'n agor ei cheg a sôn am yr alwad ffôn? Mi fydden nhw'n siŵr o alw i'w gweld hi wedyn. Ond doedd dim diben mynd o flaen gofid, a gallai wastad wneud swyn i gowlio pennau'r heddlu pe byddai raid. Doedd hi byth yn anodd cowlio pennau'r rheiny o ran hynny.

Doedd ganddi ddim llwchyn o awydd treulio mwy o amser nag oedd raid yng nghwmni John ac Adrian, felly bu'n pori yn rhai o siopau hen greiriau'r dre am awr dda ar ôl gadael y caffi. Synnai at y prisiau. £150 am hen jŵg efo crac ynddo, a £350 am hen badell cynhesu gwely gyda label 'c.a. 1700'. Edrychodd Siwsi arno'n fwy manwl. 1700 o ddiawl, meddyliodd. Mae'r rivet 'na'n rhy lân o beth goblyn – 1900 debycach, neu 1970 hyd yn oed!

Yn sydyn, tynnwyd ei sylw gan fodrwy yn un o'r cypyrddau gwydr. Edrychai'n gyfarwydd – yn hynod o gyfarwydd. Gofynnodd i wraig y siop a gâi hi olwg fanylach arni. Cytunodd hithau'n fonheddig, ac agor y cwpwrdd gydag allwedd fechan arian. Trodd, a rhoi'r fodrwy yn ei llaw.

'Lovely little piece,' meddai wrthi, 'solid gold and a very curious stone. I haven't actually worked out what it is yet.'

'Amber,' meddai Siwsi'n syth.

'Really? But it's green.'

'Yes, that sometimes happens,' meddai Siwsi heb dynnu ei llygaid oddi ar y fodrwy, 'not often, but it does happen, when there's foreign matter in the sap.'

'Oh, I see,' meddai'r ddynes, braidd yn bwdlyd. 'You're obviously an expert then.'

'I know my stones,' meddai Siwsi, 'and I definitely know this one. How much is it?'

Ceisiodd y wraig fentro ei lwc gan ddweud tri chan punt. Gwgodd Siwsi arni. Gallai ddarllen llygaid y ffŵl mor hawdd. Dim ond hanner cant dalaist ti, y sguthan, meddyliodd. Fe allai hi fforddio talu tri chan punt wrth gwrs, ond doedd hi ddim yn gweld pam ddylai hi leinio pwrs y gnawes farus yma. Rhythodd i fyw ei llygaid.

'I think seventy-five pounds would be a fairer price, don't you?'

'Um . . . uh . . . yes, I think that sounds fair,' cytunodd y wraig, a'i llygaid yn troi yn ei phen. Derbyniodd yr arian parod a'i roi'n freuddwydiol yn y til. Cyn gadael, trodd Siwsi ati eto, a holi a wyddai hi unrhyw beth am hanes y fodrwy.

'Not much. A lady brought it in yesterday. She sounded local, but I'd never seen her before.' Nodiodd Siwsi ei phen yn araf.

'Short? Not very pretty?' gofynnodd.

'Ugly as sin, actually.'

'Now, now,' dwrdiodd Siwsi, 'people are never ugly, they're plain.'

'Of course,' cytunodd y wraig yn ufudd, 'but this one really was ugly.'

Gwenodd Siwsi, a gadael y siop. Wel wel, meddyliodd. Diolch, 'rhen Cadi. Roedd hi'n amlwg bod ei hen gyfaill o'r Pant wedi bod yn gwylio popeth o'r Byd Arall, ac wedi bachu ar un cyfle bach sydyn i ddod 'nôl i'w helpu unwaith eto. Hon, yn bendant, oedd y fodrwy a'i gwnaeth yn anweledig pan ddaeth Rolant Dolddu a Tudur ap Rhydderch i chwilio amdani. Modrwy oedd yn sicr wedi achub ei bywyd. Ai dyna beth roedd Cadi'n ceisio dweud wrthi'r tro yma hefyd? Mae'n rhaid bod 'na reswm y tu ôl i'r amseru, meddyliodd Siwsi. Ti isio i mi ei defnyddio hi cyn gynted â phosib yn dwyt, Cadi? Rhoddodd y fodrwy'n ofalus yn ei bag, a brysio am ei char.

Wrth basio swyddfa Dewi Jones, bu bron iddi daro i mewn iddo.

'Helô,' meddai'n wresog wrtho, gan sylwi ar y cysgodion duon dan ei lygaid. Methodd Dewi Jones â'i chyfarch yn ôl. Gwelwodd a rhedeg yn ôl i mewn i'w swyddfa. Bechod, meddyliodd Siwsi, a chwerthin iddi'i hun yr holl ffordd adref.

Roedd fan Adrian a John yn dal y tu allan i'r tŷ. Aeth i mewn a'u cyfarch yn serchog.

'Mi fyddan ni wedi gorffen y plastro erbyn amser te,' meddai Adrian. 'Mi ddo i 'nôl nes 'mlaen i orffen twtio os leici di,' ychwanegodd, gydag edrychiad cyfoglyd o awgrymog.

'Gwych,' meddai Siwsi gyda gwên fach swil ond diolchgar. 'Edrych 'mlaen.' Ac aeth i mewn i'r gegin. Crynai â chynddaredd. Tynnodd ei modrwy allan o'r bag a'i rhoi am ei bys canol. Yna trodd i edrych ar ei hadlewyrchiad yn y drych. Oedd, roedd yr hen fodrwy'n dal i weithio. Doedd dim golwg ohoni yn y drych. Cerddodd yn ofalus yn ôl am y stafell lle roedd y ddau adeiladwr yn dal wrthi'n ddiwyd. Camodd yn ystwyth drwy'r drws oedd yn hanner agored, a sefyll yn erbyn y wal bellaf, allan o'r ffordd.

'So, reckon you're sorted then do you?' gofynnodd John yn slei i'w gyflogwr.

'I don't know what you mean, John,' atebodd Adrian gyda gwên a olygai'r gwrthwyneb yn llwyr.

'Come on. You're gonna get your leg over, aren't ya?' chwarddodd John yn isel. 'I don't know how you do it, you jammy bastard. Every bloody time . . .'

'All part of the service, John, all part of the service.'

'Yeah, but doesn't your missus suspect summat?'

'Probably, but she's a good girl, well trained, and

grateful for what she gets, same as all of them.' A chwarddodd y ddau.

Roedd Siwsi wedi clywed digon; gadawodd y stafell, ac aeth yn ôl i'r gegin. Tynnodd ei modrwy a'i chadw'n ofalus yn ei phoced, yna dechreuodd bobi bara – dwy dorth y tro yma.

Gadawodd y ddau ddyn am bedwar, ac addawodd Adrian y byddai'n dychwelyd ar ôl ei de. Brysiodd Siwsi allan i'r ardd a galw ar y genod. Pan welson nhw'r fodrwy, roedden nhw'n gegrwth.

'Yr hen Gadi,' meddai Siwsi, 'fy ngwrach warcheidiol i. Mae arna i fywydau i honna, was bach. Reit, mae'r sinach seimllyd 'na'n mynd i ddod 'nôl mewn rhyw awr neu ddwy, yn disgwyl ei damed. Dwi'm yn gwbod be dwi'n mynd i'w wneud iddo fo eto, ond mi feddylia i am rwbath ddysgith wers i'r coc oen. Ond unwaith y bydd o allan o'r ffordd, dwi am fynd draw i Ddolddu efo'r fodrwy 'ma. Dwi'm yn gwbod lle'n union mae o wedi cuddio'r pecyn gwaed y ddraig 'na, ond mi ddo i o hyd iddo fo, peidiwch â phoeni. Genod . . . fyddwch chi byth yn gorfod bod yn flewog ar ôl heno; mi fyddwch chi'n wrachod heini, handi eto cyn hanner nos!'

Trodd y sgwarnogod mewn cylchoedd, a neidio yn eu hunfan yn eu cynnwrf. Bron na allai Siwsi weld dagrau yn eu llygaid. 'A nos fory,' meddai, 'mi fydd hi'n Galan Gaea', ac mi gawn ni hymdingar o barti!'

Ond roedd gan y genod neges i Siwsi. Darllenodd hithau'r neges Rune yn ofalus.

'Ydach chi'n siŵr?' gofynnodd. Nodiodd y tair yn bendant. 'Wel . . . pam lai? Ond gadewch i mi ei ddefnyddio fo gynta. Rwbath i 'nghnesu fi cyn mynd i weld Rhys Dolddu. Mi alla i wastad ddod o hyd i adeiladwr arall i neud y to.'

23

Roedd hi wedi tywyllu o ddifri erbyn i Landrover Discovery Adrian Pritchard yrru i fyny'r wtra. O ffenest y gegin, edrychodd Siwsi a'r sgwarnogod arno'n dringo allan o'i gerbyd.

'Iawn, allan â chi ta, genod. Fyddan ni ddim yn hir,' meddai Siwsi.

Ufuddhaodd y tair, a diflannu i'r nos drwy'r drws cefn.

Gadawodd Siwsi i Adrian wneud ei waith 'twtio' cyn agor botwm arall ei blows a mynd draw i gynnig paned iddo.

'Neu fasa'n well gen ti rwbath cryfach?' meddai'n gellweirus.

'Be sgen ti i'w gynnig?' gofynnodd yntau, gan ymsythu'n araf.

'Mae gen i win neis iawn,' meddai Siwsi, 'un dwfn, coch, meddal . . . "full bodied and very appealing" yn ôl y label.'

'Dwi'm angen label i weld hynny,' meddai Adrian, octef yn is na'i lais arferol.

'O . . . Adrian!' chwarddodd Siwsi'n ysgafn a hynod ferchetaidd. 'Tyd drwadd ta, os wyt ti isio gweld be sy gen i.'

Dilynodd Adrian hi i'r gegin. Roedd hi'n plygu drosodd i estyn y botel o'r rac gwin, pan deimlodd ddwy law gref yn gafael yn ei chluniau. Arhosodd lle roedd hi er mwyn gweld be fyddai'n digwydd nesa. A dyma'r dwylo yn dechrau crwydro dros ei phen-ôl drwy ddefnydd ei sgert, ac yna, gallai deimlo ei sgert yn cael ei chodi.

Syth iddi, ie? meddyliodd Siwsi, ond doedd hi ddim

yn cwyno. Doedd ganddi fawr o awydd gwneud i bethau bara'n rhy hir efo hwn. Ond chwarae teg, meddyliodd wedyn, mae isio gwneud iddyn nhw weithio'n galetach na hyn, hefyd.

Trodd i'w wynebu. Roedd o'n gwenu'n smỳg arni. Gwenodd hithau'n ôl.

'Stwffio'r gwin, ia?' meddai.

'Wel . . . dwi'm angen oel . . . wyt ti?' gofynnodd, gan anwesu ei bronnau'n ysgafn.

'Dwi'n fwy na pharod,' atebodd hithau, gan anwesu'r chwyddiant amlwg yn ei drowsus. Ceisiodd ei chusanu, ond roedd hynny'n ormod i'w ofyn iddi. Symudodd ei phen yn gelfydd a dechrau brathu ei wddw. Dechreuodd yntau ochneidio, a chyn pen dim roedd o wedi agor ei blows i'r pen, wedi rhyddhau ei bronnau o'i bra ac yn eu tylino'n ffyrnig. Dyna welliant, meddyliodd Siwsi. Nid rhyw icidyms bach swshi-wshi oedd ei angen arni ar hyn o bryd, ond rhyw caled, sydyn, gwyllt.

Yn sydyn, cydiodd Adrian ynddi'n dynn, a'i chodi oddi ar ei thraed. Yna, roedd hi ar ei chefn ar fwrdd y gegin, ei choesau yn yr awyr, ac etifedd Tudur ap Rhydderch yn ei thrywanu'n ffyrnig â'i arf – oedd yn un digon derbyniol, meddyliodd Siwsi'n werthfawrogol.

Barodd y weithred ddim yn hir. Wedi gorfod arfer bod yn sydyn rhag gwylltio gormod ar ei wraig, mae'n siŵr. Ond roedd o wedi bod yn ddigon i Siwsi. Cododd ar ei heistedd a dechrau twtio'i hun.

'Mi dria i ddod i wneud y to 'na'n o handi,' gwenodd Adrian, 'ond mi fydd yn dipyn fwy o joban na'r plastro,' ychwanegodd gan roi slap ysgafn i'w phen-ôl.

'Edrych ymlaen yn arw,' meddai Siwsi gan gosi o dan ei ên â'i bys. Mi fedra inna fod yn nawddoglyd hefyd, gyfaill, meddyliodd.

'Ga i jest biciad i'r tŷ bach?' gofynnodd Adrian.

'Cei siŵr.'

Yr eiliad y gadawodd y stafell, brysiodd Siwsi allan at y Landrover, ac agor y drws cefn. Neidiodd y tair sgwarnoges i mewn, a chaeodd Siwsi'r drws â chlic ofalus. Cododd ei bawd arnyn nhw drwy'r ffenest a brysio'n ôl i'r tŷ.

Gallai glywed sŵn dŵr y toiled yn rhedeg wrth iddi eistedd ar y setl. Cerddodd Rhys yn ei ôl gan stwffio'i grys yn ôl mewn i'w drowsus.

'Iawn, sa well i mi fynd felly,' meddai. 'Pleser gneud busnes efo chi, Miss Owen!'

'A dwi'n edrych mlaen yn arw at y pleser i ddod,' meddai hithau gyda gwên ddireidus. Chwarddodd Adrian, a chwalu'r gwallt ar dop ei phen yn chwareus. Ceisiodd Siwsi guddio'r ffaith fod hyn yn codi croen gŵydd arni. Roedd hi'n berwi tu mewn.

Safodd yn y drws a chodi llaw arno wrth i'r Landrover gychwyn i lawr yr wtra.

'Ta ta, Adrian ap Rhydderch,' meddai'n llawen, a chau'r drws.

Roedd y Landrover yn gyrru'n hamddenol ar hyd y ffordd osgoi, ac Adrian yn chwibanu'n fodlon i gyfeiliant John ac Alun, pan deimlodd rhywbeth yn anadlu i lawr ei war. Edrychodd yn y drych o'i flaen, a rhewi. Gwelai ddwy glust hir a phâr o lygaid yn rhythu'n goch arno. Tarodd ei droed ar y brêc, a cheisio llywio'r cerbyd at ochr y ffordd. Ond roedd y creadur mawr blewog wedi neidio dros ei ysgwydd. Tynnodd Adrian ei ddwylo oddi ar y llyw i geisio'i daro a'i wthio i ffwrdd, a sgrialodd y Landrover dros y ffordd yn gwbl ddireolaeth. Plannodd y creadur ei ddannedd yn ei wddw. Sgrechiodd Adrian a cheisio rhwygo'r anghenfil hyll oddi arno. Ond roedd un arall ohonyn nhw y tu ôl iddo, yn rhwygo ei glust chwith i ffwrdd, ac un arall rhwng ei goesau, yn claddu ei ddannedd i mewn i'w ffêr. Rhuodd Adrian mewn braw a phoen arteithiol.

Gwelai oleuadau llachar yn dod amdano, a cheisiodd daro'r brêc eto, ond roedd 'na anifail dan ei draed, yn pwyso ar y sbardun. Ceisiodd ei gicio'n ffyrnig.

Trodd gyrrwr y lorri goed anferthol ei lyw yn wyllt er mwyn ceisio osgoi'r gwallgofddyn oedd yn igam-ogamu'n feddw rhacs ar draws y ffordd. Ond roedd y diawl gwirion yn dal i ddod yn syth amdano. Taranodd y Landrover yn erbyn ochr y lorri.

Roedd y gyrrwr wedi ei ysgwyd, ond roedd o mewn un darn. Gallai weld fod hanner ei lwyth wedi disgyn dros y ffordd. Ochneidiodd. Byddai yma drwy'r nos, felly.

'Bastad gwirion!' gwaeddodd, cyn datod ei wregys ac agor y drws. Wrth redeg at weddillion y Landrover, gallai dyngu iddo weld rhywbeth yn symud yn y ffenest, pennau bychain yn tynnu a rhwygo rhywbeth. Wrth agosáu'n ofalus, gwelodd bâr o glustiau, ac yna rywbeth yn dianc drwy wagle'r ffenest bellaf am y goedwig dros y ffordd. Cerddodd at ddrws y gyrrwr, a'i agor. Cymerodd gam sydyn yn ôl o weld y llanast ar y corff. A chwydodd ei Little Chef Special dros y tarmac.

Roedd Siwsi wedi gadael y drws cefn ar agor. Pan redodd y tair sgwarnoges i mewn, yn chwys a gwaed i gyd, gwingodd. 'O, ych,' meddai gan droi ei thrwyn. 'O wel . . . gawsoch chi hwyl, genod? Braf gallu talu'r pwyth yn ôl, tydi?'

Gyrrodd nhw i'r ffos i molchi.

'Dyna welliant,' meddai wrth eu gwylio'n ysgwyd eu hunain yn sych yn yr ardd. 'Mi fyddai cŵn Dolddu yn eich ogleuo chi'n dod o bell, ond jest i wneud yn siŵr na fyddan nhw'n ogleuo dim, gadewch i mi chwistrellu chydig o hwn drostach chi.' Roedd hi wedi tywallt cymysgedd cryf o ddail a gwreiddiau wedi eu mwydo i mewn i hen botel Jif, a chwistrellodd yr hylif yn ofalus dros eu cyrff, cyn troi y botel ati hi ei hun. 'A'r un peth i minna hefyd,' meddai. 'Y cwbl ogleuan nhw rŵan ydi chydig o ddail a choed.'

Roedd Lowri braidd yn gloff wedi i Adrian ei chicio mor filain, ond ar ôl i Siwsi roi olew melyn arno, gallai symud yn well.

Am ddeg ar y dot, cychwynnodd y pedair, sef tair sgwarnoges ac un wrach anweledig, drwy'r goedwig am Ddolddu. Cariai Siwsi ei chyllell hud yn un boced, a'i hudlath yn y boced arall. Crogai cwdyn o bowdr hud am ei gwddf. Ynganodd hi 'run gair o'r funud y gadawodd y tŷ. Doedd dim angen.

Wedi cyrraedd gwaelod y ffordd a arweiniai at y fferm, gwahanodd y pedair. Aeth Ann a Dorti i'r chwith er mwyn dod at y tŷ o'r cefn, a Lowri i'r dde, a cherddodd Siwsi'n syth yn ei blaen. Roedd hi'n noson glir, a'r sêr yn disgleirio'n wyn a melyn uwchben. Ac yna, sylwodd Siwsi ar ddau gwdyn bychan yn crogi ar y giât. Gafaelodd mewn cangen denau oedd yn gorwedd ar ochr y ffordd, bachu'r cydynnau fesul un a'u taflu i ben draw'r cae.

Gan archwilio pob polyn ffens a phob gwrych yn

ofalus, aeth yn ei blaen am y tŷ. Pasiodd yr hen fan wag lle bu Caradog, ac yna gytiau'r cŵn hela. Oedodd rhag ofn, ond ddaeth yr un smic o'r cytiau. Aeth yn ei blaen am y tŷ. Gallai glywed y gwartheg yn brefu o'r beudy draw ar y dde, yn amlwg yn dal i ddisgwyl i'w meistr eu porthi. Mae hynna'n beth creulon ofnadwy i'w wneud, Rhys Edwards, meddyliodd. Cywilydd arnat ti.

Gallai weld golau egwan yn dod drwy lenni caeedig y ffenest ar y chwith. Clustfeiniodd wrth y gwydr, ond doedd dim i'w glywed. Camodd yn ofalus at y drws a'i archwilio'n ofalus. Gallai arogli rhywbeth, a theimlo rhwystr. Oedd, roedd 'na gwdyn bychan yn hongian o'r gornel uchaf ar y dde. Cymerodd ei hudlath yn ofalus a'i phwyntio at y cwdyn. Dechreuodd hwnnw wywo a throi'n ddu, cyn disgyn yn llwch i'r llawr. Rhoddodd yr hudlath yn ôl yn ei phoced a gafael yn nolen y drws. Gwthiodd ei hysgwydd yn ofalus yn erbyn y derw solat ar yr un pryd. Ond symudodd o 'run fodfedd. Roedd o wedi ei gloi.

Camodd yn ôl, a chan sibrwd y geiriau hud dan ei gwynt, pwyntiodd ei hudlath at y clo.

> 'Y drws sydd ar glo:
> gorchmynnaf yr allwedd
> yn awr i roi tro.'

Clywodd glic bach yng nghrombil y drws, a gafaelodd eto yn y ddolen. Pan wthiodd yn ysgafn yn erbyn y drws, gallai ei deimlo'n symud. Llyncodd ei phoer, a'i agor ddigon i allu gweld drwyddo: dau ddrws ar gau a grisiau gwag. Agorodd fymryn mwy ar y drws a llithro i mewn yn osgeiddig. Gadawodd o fymryn ar agor, a rhoi'r goriad yn ei phoced. Deuai'r golau o'r stafell ar y dde. Plygodd i sbecian drwy'r twll clo, ond y cwbl welai hi oedd cefn cadair, a choed yn llosgi yn y lle tân. Sythodd eto. Yna sylwodd fod y ffôn yn crogi ar y wal gyferbyn. Pwyntiodd ei hudlath tuag ato a chau ei llygaid yn dynn. 'Cana,' meddai'n fud, 'cana – rŵan.' Ac fe ganodd y ffôn. Bu'n canu am hir cyn i'r drws agor. Daeth Rhys allan, yn anniddig iawn yr olwg.

'Pwy ffwc sy 'na'r adeg yma o'r nos?' chwyrnodd, wrth i Siwsi bicio'n sydyn y tu ôl iddo i mewn i'r stafell. Camodd Rhys draw at y ffôn a'i godi.

'Ia?' gwaeddodd yn flin. Ond, wrth gwrs, doedd neb yno. Gwgodd a rhegodd a sodrodd y ffôn yn ôl yn ei grud. Aeth yn ôl i mewn i'r stafell a chicio'r drws ynghau y tu ôl iddo.

Rhewodd Siwsi ym mhen draw'r stafell, a'i wylio fel barcud. Gallai deimlo gwrth-swynion cryf o'i hamgylch. Ffroenodd yr awyr er mwyn dod o hyd iddyn nhw. Yna gwelodd un ar sil y ffenest wrth ei hochr. Yn araf a gofalus, tynnodd ychydig o'r powdr allan o'r cwdyn am ei gwddf, a'i daenu dros y cwdyn. Yn fendithiol o dawel, chwalodd hwnnw'n llwch. Sylwodd ar un arall ar y silff ben tân, ond roedd Rhys bellach wedi eistedd yn y gadair freichiau yn wynebu'r tân. Byddai'n rhaid gadael hwnnw am y tro.

Doedd dim golwg o'r bocs ddaeth yn y post, y bocs a guddiodd Rhys mor ofalus. Edrychodd ar hyd a lled y stafell, o dan y bwrdd, y tu ôl i'r llenni, a mentrodd agor fymryn ar ddrws cwpwrdd, ond yn ofer. Ochneidiodd yn fewnol. Byddai'r genod wedi dod drwy'r drws bellach, ac yn archwilio'r tŷ yn fanwl, ond roedd hi'n gaeth yn y stafell hon rŵan – efo Rhys Dolddu. Craffodd arno'n fanwl. Edrychai'n sâl, yn wan. Doedd o'n amlwg heb ymolchi ers dyddiau, a'r

259

cwbl roedd o'n ei wneud oedd syllu'n hanner pan ar y tân o'i flaen. Bron na theimlai drueni drosto. Roedd o'n poeni, ar goll yn lân, y creadur. Mor hawdd fyddai closio ato a'i gofleidio; eistedd ar ei lin yn dawel a'i phen yn ei gôl, yn union fel yr arferai ei wneud efo Dafydd. Sylweddolodd yn sydyn ei bod wedi dechrau cerdded tuag ato. Stopiodd yn stond a'i cheryddu ei hun. Roedd y dyn yn wenwyn, yn beryg bywyd. Rheitiach iddi geisio meddwl am ffordd o adael y stafell heb godi amheuon ynddo. Pendronodd.

Gallai geisio dylanwadu ar ei feddwl, plannu'r syniad yn ei ben ei fod eisiau gweld y pecyn o waed y ddraig unwaith eto, ond byddai hynny'n sugno cryn dipyn o egni allan ohoni. Byddai'n haws iddi ddylanwadu ar ei bledren, a gwneud i honno deimlo ei bod angen gwagiad. Gallai ddianc o'r stafell wrth iddo fynd am y tŷ bach wedyn. Ie, dyna fyddai orau, penderfynodd. Gan afael yn dynn yn ei hudlath, caeodd ei llygaid a chanolbwyntio ar yrru'r neges. Doedd o ddim yn hawdd. Gallai deimlo effaith y gwrth-swynion o'i hamgylch yn ceisio negydu ei meddyliau, ond daliodd ati ac, o'r diwedd, cododd Rhys Dolddu ac ymlwybro tuag at y drws. Brysiodd Siwsi allan o'r stafell ar ei ôl. Ond bu raid iddi stopio'n stond. Roedd Rhys wedi rhewi yn ei unfan.

Roedd y drws allan yn dal ar agor.

'Be ddiawl?' chwyrnodd Rhys, gan frysio i gau'r drws. Ac yna, sylweddolodd fod y goriad ar goll. Trodd o'i amgylch yn wyllt, a phanig llwyr yn ei lygaid. Dechreuodd redeg o un stafell i'r llall, a chwilio y tu ôl i bob dodrefnyn, bob pâr o lenni, pob drws. Rhedodd i fyny'r grisiau, heibio i Siwsi, oedd wedi aros yn ei hunfan, yn cicio ei hun yn fewnol. Dilynodd hithau i fyny'n ofalus ar ei ôl.

Rhuthrodd Rhys i mewn i'r stafell gyntaf, ac arhosodd Siwsi ar y landing. Gallai ei weld yn glir. Daliodd ei gwynt pan welodd o'n agor cwpwrdd hir, main oedd wedi ei folltio i'r wal, a thynnu gwn allan ohono. Gwn deuddeg bôr milain yr olwg. Gwelwodd wrth ei wylio'n rhoi dwy getrysen ynddo. Camodd yn ôl wrth ei weld yn dod yn ôl am y landing.

Agorodd Rhys ddrws pob llofft yn ei thro, a'i harchwilio'n ofalus. Yna, daeth at y drws olaf. Petrusodd, yna gafaelodd yn y ddolen a thaflu'r drws yn agored cyn camu i mewn a'r gwn o'i flaen. Rhoddodd y swits golau ymlaen. Doedd neb yno. Ond, gan daflu golwg sydyn y tu ôl iddo i wneud yn siŵr nad oedd neb yn ei ddilyn, camodd yn ei flaen at hen gist oedd yn pwyso wrth y wal o dan y ffenest. Camodd Siwsi i mewn ar ei ôl.

Cododd Rhys gaead y gist, ac yno roedd y bocs a'r holl becynnau taclus, ynghyd â chrochan ac amrywiaeth o declynnau haearn amheus iawn yr olwg. Cyfrodd gynnwys y gist yn ofalus, yna caeodd y caead eto. Yna estynnodd ei law i'w boced a thynnu allan glo llyffant. Clodd y gist a rhoi'r goriad yn ei boced. Yna ymsythodd, a cherdded yn ôl am y drws. Gallai Siwsi arogli ei chwys cyn gweld y diferion yn tasgu i lawr ei dalcen. Arhosodd lle roedd hi, yn dynn i'r wal, gan adael iddo ei phasio, diffodd y golau a chau'r drws. Wedi ei glywed yn dringo'n ôl i lawr y grisiau, gadawodd Siwsi i'w llygaid arfer efo'r tywyllwch, yna symudodd yn araf at y gist. Pwyntiodd ei hudlath at y clo a sibrwd y geiriau hud:

'Y gist sydd ar glo,
a'r clo llyffant amdano,
gorchmynnaf di'n awr
i'w agor o.'

Clywodd glic lesg, ac yna glic arall. Estynnodd yn araf ato, ond roedd o'n dal ar glo. Rhegodd dan ei gwynt. Mae'n rhaid bod gwrth-swyn arno. Tynnodd ychydig o'r powdr hud allan o'r cwdyn am ei gwddw, a'i daenu dros y clo llyffant. Yna adroddodd y geiriau hud yr eilwaith. Y tro yma, clywodd un glic, a gwelodd y clo yn araf agor. Dadfachodd y clo llyffant a'i osod yn ofalus ar y llawr pren, yna cododd gaead y gist. Chwiliodd yn ofalus drwy'r pecynnau, nes dod o hyd i'r un roedd hi'n chwilio amdano. Rhoddodd y pecyn cyfan yn ei phoced a chau'r caead. Gosododd y clo yn ôl yn ei le, a cherdded yn ofalus am y drws. Clustfeiniodd wrth y twll clo rhag ofn, ond chlywai hi 'run smic. Gafaelodd yn y ddolen ac agor y drws fymryn. Dim golwg o neb ar y landing. Agorodd y drws yn lletach er mwyn iddi lithro drwyddo, a'i gau ar ei hôl yn araf, araf.

Camodd yn bwyllog ar hyd y landing, ond sylwodd hi ddim ar y blawd oedd yn drwch dros y carped. Bob tro roedd hi'n cymryd cam, gadawai ôl traed taclus yn y blawd. Fel roedd hi'n pasio'r llofft bellaf, teimlodd rywbeth yn cael ei daflu drosti. Rhywbeth tywyll, cras, fel hen flanced neu sach. Gwaeddodd mewn braw, ac yna teimlodd bâr o freichiau cryfion yn gafael amdani a'i chodi yn yr awyr. Brwydrodd i'w rhyddhau ei hun, ond roedd y breichiau amdani fel gefail; y cwbl allai hi ei wneud oedd cicio, ond yn ofer. Teimlodd ei hun yn cael ei chario am rai llathenni, a'i thaflu ar wely. Roedd corff trwm yn pwyso arni, yn ei mygu, ac yna teimlodd boen sydyn ar ei chorun, ac aeth popeth yn dywyll.

Pan ddaeth ati'i hun, prin y gallai agor ei llygaid oherwydd y cur arteithiol yn ei phen. Ceisiodd godi, ond roedd rhywbeth yn ei dal i lawr. Roedd ei garddyrnau a'i fferau wedi eu clymu'n dynn, a rhywbeth a deimlai fel rhaff yn dynn dros ei chluniau a'i gwasg. Y cwbl y gallai hi ei symud oedd ei phen, ac roedd hynny'n echrydus o boenus.

Ochneidiodd, a cheisiodd agor ei llygaid eto. Gwelodd Rhys Dolddu'n eistedd ar erchwyn y gwely, yn gwenu i lawr arni. Poerodd yn ei wyneb. Sychodd hwnnw y poer â'i lawes.

'Rŵan, rŵan,' meddai, 'sy'm isio bod fel'na nagoes? Os nad wyt ti'n mynd i fihafio, mi fydd raid i mi stwffio rwbath fel hosan fudur yn dy geg di'n bydd?' Gwgodd Siwsi arno'n flin. 'Sut mae dy ben di?' gofynnodd Rhys wedyn, gan fwytho ei thalcen yn dyner â'i law. 'Braidd yn boenus mae'n siŵr, ond doedd gen i'm dewis ti'n gweld. Oeddet ti'n dipyn o lond llaw.' Rhedodd ei fysedd i lawr ei boch, dros ei gên, ac i lawr ei gwddw nes cyrraedd ei bronnau, a chwpanodd y ddwy yn ei ddwylo. 'Oeddet, dipyn o lond llaw . . .'

Dyna pryd y sylweddolodd hi ei bod hi'n gwbl noeth. Roedd hi'n berwi, ond yn fud.

'Sbia ar y tethi bach del 'ma,' meddai Rhys; 'ydi hi'n oer 'ma, neu ti sy'n mwynhau dy hun?' Dechreuodd chwarae gyda nhw â'i fys a bawd, a chwerthin wrth eu gweld yn sythu a thyfu fwy nag erioed. 'Tethi bach ufudd iawn, rhaid i mi ddeud,' meddai, cyn plygu drosodd a chau ei wefusau am un ohonyn nhw. Ochneidiodd Siwsi eto. Roedd hyn yn gwneud y pethau rhyfedda i'w chorff hi. Gallai deimlo pinnau bach dros ei chroen i gyd, a'r gwres rhyfedda'n saethu rhwng ei choesau. Roedd y boen yn ei phen yn dechrau pylu. Caeodd ei llygaid a gadael i'w gwefusau agor fymryn wrth iddi riddfan mewn pleser. Yna, teimlodd ei wefusau yntau yn ei chusanu'n dyner, a griddfanodd eto. Roedd ei phen yn troi. Yn raddol, trodd y gusan yn un fwy angerddol o lawer, ac er fod ei dafod o fewn cyrraedd hawdd i'w dannedd, doedd hi ddim eisiau gwneud yr hyn y gwyddai y dylai ei wneud; roedd hi am i'r gusan hon bara . . . a phara.

Ond roedd ganddo fo rywbeth arall mewn golwg iddi. Symudodd i lawr ei chorff a brathu ei bronnau'n ysgafn cyn dechrau cusanu ei stumog, ei hochrau, ac i lawr â fo, yn is ac yn is, nes y gallai deimlai ei anadl ar y triongl tywyll rhwng ei choesau. Dechreuodd grynu. Yna teimlodd fysedd yn ei gwahanu, yn hanner cyffwrdd, yna'n diflannu eto, yn ei thormentio, yn chwarae gêmau gyda hi, yn gwneud iddi ddisgwyl cyffyrddiad mewn man penodol, ond yn ei gael mewn man cwbl wahanol. Teimlai'n chwil. Yna dechreuodd rhywbeth ddigwydd. Doedd ganddi ddim syniad be roedd o'n ei wneud, ond roedd o'n fendigedig, yn arallfydol. Gallai deimlo ei chorff yn cynhesu, ei gwaed yn rasio, ei hylifau'n llifo, ei chyhyrau'n tynhau ac, yn sydyn, saethodd ei chefn yn fwa a ffrwydrodd gyda phleser.

Wedi i'w chyhyrau dawelu, agorodd ei llygaid. Roedd o'n sefyll wrth droed y gwely, yn edrych arni gyda gwên ryfedd.

'Rwyt ti'n un hawdd dy blesio, Siwsi Dôl-y-Clochydd,' meddai, 'neu ai'r ffaith dy fod ti wedi dy glymu sy'n dy droi di 'mlaen? Ti'n mwynhau rhyw bethau felly, dwyt, Siwsi?'

Roedd o wedi dechrau tynnu amdano, yn taflu ei ddillad yn bentwr y tu ôl iddo. Ac o dan y cwbl, roedd ganddo gorff gwerth chweil, sylwodd Siwsi. Roedd o'n noeth erbyn hyn, a'i godiad yn ddigon i wneud iddi lyncu ei phoer yn galed.

'Dwi wedi bod yn dy weld ti wrthi, ti'n gweld, Siwsi,' meddai gan chwilota am rywbeth wrth droed y gwely. 'Wedi bod yn sbio arnat ti drwy'r ffenest. Mi welais i be wnest ti i Dewi Jones. Ac roedd hi'n amlwg dy fod ti'n cael blas garw arni. Felly mi benderfynais i y byddai'n gwneud lles i ti dderbyn yn hytrach na rhoi, am unwaith.'

Gwingodd Siwsi wrth deimlo poen sydyn dros ei chluniau. Ceisiodd godi ei phen a gwelodd fod ganddo chwip hir ledr yn ei law, un fain, filain.

'Oedd hynna'n bnafyd, Siwsi bach?' gofynnodd Rhys. 'Go dda, oedd o fod i wneud,' ychwanegodd a'i tharo eto ar draws ei stumog. Brathodd Siwsi ei thafod. Doedd hi ddim am iddo gael y pleser o'i chlywed yn gweiddi. Caeodd ei llygaid wrth iddo ei chwipio eto, drosodd a throsodd.

'Codi awydd arnat ti, yndi'r hwren?' chwyrnodd Rhys. 'Ydi, mae'n amlwg. Wel, pwy ydw i i wrthod dymuniad merch sy mor barod?' meddai gan daflu'r chwip o'r neilltu, datod y rhaff oedd yn dal ei chluniau i lawr, a dringo drosti. Plannodd ei hun i mewn iddi yn ffyrnig, gyda bloedd o ochenaid. Er gwaethaf ei hun, yn raddol, anghofiodd Siwsi bopeth am y poenau dros ei chnawd wrth iddo ei thrywanu, ac anghofiodd yntau ei fod o'n ei chasáu wrth iddi gau amdano. Symudodd y ddau fel un, gan riddfan ac ochneidio, drosodd a throsodd, gan syllu i fyw llygaid ei gilydd drwy'r cyfan. Llygaid oedd yn datgelu cymaint mwy nag unrhyw sgwrs rhyngddyn nhw hyd yma. Anghofiodd Rhys am ei thrin fel baw, a daliodd ei hun yn ôl er mwyn iddi ffrwydro yr un pryd. A chyda bloedd a sgrech, digwyddodd y ffrwydrad. Disgynnodd Rhys arni gydag ochenaid, a gwenodd Siwsi mewn boddhad pur.

Arhosodd y ddau felly am hir, yn mwynhau'r agosatrwydd, yn arogli a blasu ei gilydd. Ysai Siwsi am ei gusanu eto. Gafaelodd yntau ynddi'n dynn, gafael ynddi fel pe bai arno ofn ei cholli. Daeth sŵn fel canu grwndi o wefusau Siwsi, a chaeodd ei llygaid. Roedd hyn mor braf. Roedden nhw'n ffitio. O'r diwedd, wedi'r holl flynyddoedd, dyma ddyn allai ei hudo, dyn yr hoffai aros yn ei gwmni – drwy'r nos, am nosweithiau, am flynyddoedd.

Ond yn sydyn, neidiodd Rhys oddi arni, fel pe bai newydd ddeffro o hunllef. Edrychodd Siwsi arno gyda llygaid ymbilgar, ond rhwygodd yntau ei lygaid oddi wrthi, a chamu'n ôl fel pe bai hi wedi ei frathu. Gwisgodd amdano'n frysiog a rhuthro allan o'r llofft, gan adael Siwsi mewn dryswch llwyr.

Doedd hi ddim yn siŵr iawn beth oedd newydd ddigwydd iddi, ond roedd o fel pe bai Dafydd Dolddu wedi dod yn ei ôl, wedi ei ail-eni yng nghorff ac enaid Rhys. Caru fel yna'n union fyddai Dafydd a hithau. Caru angerddol, caru oedd yn ffitio'n berffaith ac yn codi croen gŵydd arni wedyn, dim ond wrth gofio; caru fel roedd caru i fod. Cronnodd y dagrau yn ei llygaid a llifo'n araf i lawr heibio'i chlustiau nes gwlychu ei gwallt a'r gobennydd yn domen.

Yna, clywodd sŵn wrth ei hochr, a gwelodd wyneb bychan, blewog yn edrych arni. Wyneb sgwarnog: Dorti. Dechreuodd honno gnoi y rhaff am ei garddwrn, a theimlodd Siwsi y rhaffau am ei fferau yn symud. Roedd Ann a Lowri wrthi'n brysur yn ceisio ei rhyddhau. Ochneidiodd mewn rhyddhad. Ymhen ychydig funudau, roedd hi'n rhydd, a brysiodd i lacio gweddillion y rhaff oedd wedi brathu'n ddwfn i'w chnawd. Cododd ar ei thraed yn grynedig, ac eistedd eto.

Roedd ei phen yn dal i droi. Gwelodd Dorti yn chwilio drwy'r pentwr o'i dillad, nes dod o hyd i'r pecyn o waed y ddraig. Daeth Lowri o hyd i'w hudlath, ac Ann o hyd i'r gyllell. Edrychodd y tair arni, gan ysgwyd eu pennau'n drist. Mae'n siŵr eu bod nhw wedi gweld y cyfan, sylweddolodd Siwsi, ac yn gwybod 'mod i bron â gwneud ffŵl llwyr ohonof fi fy hun eto. Cododd ar ei thraed eto a gwisgo ei chôt yn sydyn. Gwthiodd bopeth i fewn i'w phocedi, ac yna sythu'n sydyn. Y fodrwy! Doedd dim golwg o'r fodrwy. Pwyntiodd at ei bys, a deallodd y sgwarnogod ei neges. Chwiliodd y tair ar hyd y llawr amdani, ond yn ofer.

Byddai'n rhaid anghofio amdani. Dechreuodd symud at y drws, ond yna stopiodd, wedi ailfeddwl. Trodd, a chamu at y ffenest, ei hagor, a rhoi ei phen allan yn araf. Dim golwg o neb. Cododd y sgwarnogod fesul un a'u gollwng i'r ddaear, yna dringodd allan ei hun, gan ofalu fod y pecyn yn ddiogel yn ei phoced. Neidiodd yn osgeiddig i'r ddaear, a glanio'n ddidrafferth. Yna rhedodd nerth ei thraed.

Gallai glywed y cŵn yn udo a chyfarth yn wallgo, y gwartheg yn brefu, a'r gwynt yn ei chlustiau. Gallai weld y tair sgwarnoges yn gwibio o'i blaen i lawr yr wtra, a theimlo'r cerrig dan draed yn rhwygo gwadnau ei thraed yn greulon, ac yna, clywodd wn yn tanio. Am eiliad, credai fod y sŵn yn dod o'r tu ôl iddi, ond sylweddolodd ei fod wedi dod o'i blaen hi yn rhywle. Clywodd glec arall, un echrydus o agos, rhywle i'r chwith iddi. Trodd fel mellten am y dde, am y coediach a'r brwgaitsh; llamodd drwyddyn nhw a throstyn nhw gan deimlo'r drain yn rhwygo ei chnawd a chrafangu ei gwallt a'i hwyneb. Neidiodd dros ffos a ffens, a'i thaflu ei hun i mewn i goedwig y Gwyllt. Hedfanodd i lawr am y tŷ, a bolltio'r drws y tu ôl iddi rhag ofn ei fod o wedi ei dilyn. Yna sylweddolodd mai'r tŷ oedd y lle dwytha y dylai hi fod. Rhedodd i fyny'r grisiau, gafael yn ei chist a'i chynnwys, a rhedeg yn ôl i lawr am y gegin a'r drws cefn. Edrychodd yn ofalus drwy'r gwydr cyn ei agor, yna agorodd y mymryn lleia arno a ffroenu'r awyr. Gyda'i hudlath o'i blaen fel cleddyf, cerddodd yn dawel i waelod yr ardd, dringo'r hen goeden ywen, a chuddio yn y canghennau. Yna, arhosodd.

Doedd hi heb weld y genod ers clywed y glec o'r gwn, a gweddïodd y byddent yn ymddangos allan o'r gwyllt o fewn dim. Caeodd ei llygaid a cheisio gyrru neges iddyn nhw i ddweud lle roedd hi. Doedd ganddi ddim syniad a oedden nhw wedi ei derbyn ai peidio, ond câi wybod cyn hir.

Arhosodd am amser hir, ac roedd hi'n dechrau ofni'r gwaetha pan welodd gysgod yn dod dros y wal – ac un arall yn dynn wrth ei sodlau. Brysiodd y ddwy sgwarnoges tuag ati. Ann a Lowri.

'Ble mae Dorti?' sibrydodd. Edrychodd y ddwy arni gyda dagrau yn eu llygaid, ac ysgwyd eu pennau'n araf. Claddodd Siwsi ei hwyneb yn ei dwylo a brwydro â'i holl enaid i beidio sgrechian yn uchel. Yna, neidiodd oddi ar y goeden, gan amneidio i'r ddwy arall ei dilyn. Rhedodd at y car, a phan oedd y tair i mewn, gyrrodd yn wyllt i lawr yr wtra. Wedi cyrraedd y ffordd fawr, pwysodd y sbardun i'r pen a hedfan i gyfeiriad y Brithdir. Wedi sgrialu drwy'r pentre, heibio'r eglwys a'r ysgol, a gadael ôl hael o baent y car ar yr hen bont afresymol o gul, trodd i lawr am Ddolgellau. Doedd neb wedi ei dilyn, felly ceisiodd ymbwyllo fymryn. Doedd ganddi ddim amser i gael ei dal am or-yrru.

Gyrrodd yn bwyllog drwy'r dre a throi i fyny am dŷ Wendy.

'Mi fyddan ni'n fwy diogel fan hyn,' eglurodd wrth y sgwarnogod oedd yn crynu'n fud y tu ôl iddi. Roedd 'na olau yn ffenest un o'r llofftydd.

Parciodd y car ar y stryd gyferbyn, a brysio am y tŷ gyda'r ddwy sgwarnoges yn dynn wrth ei sodlau.

Dim ond unwaith y bu'n rhaid iddi gnocio cyn i Wendy ateb y drws yn ei chrys nos – gyda thrwch o golur a gwên. Ond diflannodd y wên yn syth.

'O! Siwsi!' meddai'n syn. 'Be ti'n –?'

'Ga i ddod mewn plîs?' meddai Siwsi ar ei thraws, a chamu drwy'r drws bron cyn iddi ei hateb. Edrychodd Wendy'n hurt ar y ddwy sgwarngoes a'i dilynodd.

'Be 'di rhein? Be ddigwyddodd i dy wyneb di?' gofynnodd.

'Stori hir. Plîs, mae amser yn brin, ga i sosban neu fowlen o ddŵr gen ti?'

'Cei siŵr,' meddai Wendy gan frysio i estyn sosban o'r cwpwrdd, 'ond –'

'Sgen i'm amser i egluro rŵan, ond mi wna i, dwi'n addo,' meddai Siwsi gan wagu ei chist. Cyneuodd y canhwyllau ar fwrdd y gegin, a gosod y llond sosban o ddŵr yn y canol, tra edrychai Wendy arni'n gegrwth. Taflodd ychydig o halen i'r pedwar gwynt, yna tywalltodd flawd cnau, cywarch a chegid i mewn i'r sosban. Estynnodd am Benji, oedd wedi rhedeg i guddio y tu ôl i'r bin sbwriel yr eiliad welodd o'r ddwy sgwarnoges yn dod drwy'r drws. Chwyrnodd y ci arni'n filain.

'Tyd 'laen Benji,' meddai mewn llais canu grwndi, 'dwi m'ond isio benthyg rwbath.'

'Be ti'n mynd i neud iddo fo?' gofynnodd Wendy mewn braw.

'Trim bach, dyna i gyd. Sgen ti siswrn?'

'Siswrn?!'

Trodd Siwsi ati a'i llygaid yn fflachio.

'Dwi angen mymryn o'i flew o, dyna i gyd, fydd o'm gwaeth. Tyd â siswrn i mi – rŵan!'

Ufuddhaodd Wendy yn ddryslyd, ac estyn siswrn iddi o un o'r droriau. Trwy ganu geiriau hud i'w dawelu, llwyddodd Siwsi i afael yn Benji a thorri llond llaw o flewiach gwyn oddi ar ei goes ôl. Gollyngodd y ci yn syth a rhoi'r blewiach yn y sosban. Yna, tynnodd y pecyn o waed y ddraig allan o'i phoced a thywallt ei hanner i mewn i'r gymysgedd. Yn olaf, ychwanegodd bum tropyn allan o botel biws.

'Bron yna,' meddai wrth y ddwy sgwarnoges oedd yn crynu'n gwbl ddireolaeth o dan y bwrdd.

'Bron yn lle?' meddai Wendy. 'Be sy'n mynd mlaen 'ma? Siwsi! Ti'n fy nychryn i!'

'Cau hi!' gwaeddodd Siwsi, 'jest cau dy geg am ddau funud! Mi wna i egluro wedyn, ond rŵan mae'n rhaid i mi ganolbwyntio.'

'Ond fy nhŷ i –'

'CAU DY FFWCIN GEG!' sgrechiodd Siwsi, a baglodd Wendy dros ei thraed ei hun mewn braw. Rhewodd lle roedd hi, yn eistedd yn erbyn y wal.

Estynnodd Siwsi botel win o'r gist, a thywallt peth yn syth o'r botel dros y llawr, yna estynnodd ei chyllell allan o'i phoced a'i dal uwch ei phen. Wedi rhwygo'r awyr yn yr hen ddull cyfrin, estynnodd ei hudlath a dechrau troi'r hylif yn y sosban, yn gyflymach a chyflymach, gan lafarganu:

'Titrwm tatrwm,
cymer nawr fy offrwm;
tatrwm titrwm,
datod wnaf y cwlwm;
drwy fy hud a lledrith,
tynnu wnaf y felltith,
y felltith, y felltith,
fydd yn awr yn ddadrith,
triphlith, traphlith,
drwy fy hud a lledrith,
y felltith fydd yn rhith!'

Roedd cynnwys y sosban yn troelli'n wyllt a stêm yn tasgu ohono, ac roedd corff Siwsi'n ysgwyd yn ffyrnig, a phoer yn llifo i lawr ei gên. Syllai Wendy arni'n fud, ei llygaid fel soseri. Udai Benji yn ei guddfan.

Daeth y ddwy sgwarnoges at draed Siwsi ac edrych i fyny arni a'u llygaid yn llawn gobaith. Tywalltodd hithau gwpanaid ar ôl cwpanaid o'r hylif drostyn nhw. Tywalltodd nes y dechreuodd y golau trydan fflachio, nes i'r stafell droi'n ddu. Yna camodd yn ôl a gwylio'r cyfan. Gwelodd gylch o olau melyn yn ymffurfio o amgylch y ddau gorff, cylch a drodd wedyn yn wyrdd, gan fflachio a ffrwydro, gan dasgu gwreichion drwy'r awyr; gallai arogli blew a chnawd yn llosgi, gallai glywed wylofain anifeilaidd, yna, ffrwydrodd y cylchoedd yn danchwa o wreichion coch a melyn, gwyrdd ac oren, pinc a phiws a glas, nes bod y stafell yn un enfys fendigedig, yn ffrwd o sêr yn tincial a chanu'n arian, yn saethu o un wal i'r llall, o'r llawr i'r nenfwd, yn chwyrlïo a hedfan, gan liwio'r cyfan yn rubanau arian.

Yna, diflannodd y cyfan, gan adael tywyllwch llwyr.

Sythodd Siwsi, a phwyntio ei hudlath at y nenfwd. Fflachiodd golau egwan yn y bylbiau uwch ei phen, ac yna goleuwyd y cyfan yn glir, yn hyfryd o glir. O'i blaen, safai Ann a Lowri, yn dal a chadarn, yn noeth ac yn iach.

Syrthiodd Siwsi i'r llawr ar ei phengliniau.

'Diolch byth!' sibrydodd.

24

Edrychai Wendy ar yr olygfa o'i blaen, gan obeithio mai breuddwyd oedd y cyfan, ei bod hi'n dal yn ei gwely, yn cysgu'n braf, ac nad oedd hi wedi gweld dim o'r hyn roedd hi newydd ei weld. Ond roedd Benji'n dal i udo y tu ôl i'r bin sbwriel, ac roedd Siwsi wrthi'n cofleidio'r ddwy ddynes oedd yn sefyll yn noeth ar lawr ei chegin, dwy ddynes oedd yn ddwy sgwarnog flewog, flêr ddau funud yn ôl. Doedd dim diben iddi binsio ei hun. Roedd hi'n gwybod ei bod hi'n gwbl effro.

Cododd ar ei thraed yn simsan.

'Siwsi,' meddai'n grug, 'dwi'n meddwl bod arnat ti explanation i mi.'

'Oes, ti'n iawn,' cytunodd Siwsi. Yna: 'Ti'n siŵr dy fod ti isio gwbod?'

'Yndw.'

'Wel . . . iawn, ond os ydi o'n ormod i ti, mi fedra i wneud swyn anghofio arnat ti, dim problem.'

'Whatever,' meddai Wendy, gan deimlo braidd yn chwil erbyn hyn.

'Cyn i ti ddechra,' meddai Ann, 'ydi hi'n bosib i ni fenthyg chydig o ddillad? Rydan ni'n teimlo braidd yn . . . wel, noeth, fan hyn.'

Cododd Siwsi ei haeliau ar Wendy, ond edrychodd honno arni'n hurt.

'Gân nhw fenthyg dillad gen ti?' holodd Siwsi. 'Gei di nhw'n ôl, dwi'n addo.'

Nodiodd Wendy ei phen yn fud a dringo'r grisiau am ei llofft. Siaradai wrthi'i hun tra casglai amrywiaeth o sgertiau a siwmperi:

'Dwi'm yn dallt . . . sgen i'm blydi clem be sy'n mynd mlaen 'ma . . . dwy gwningen blydi anferthol a hyll yn 'y nghegin i . . . Siwsi fatha wild banshee from hell yn gneud rwbath rîlî weird – a rŵan mae 'na ddwy ddynas starkers yn sefyll yn 'y nghegin i – a dwi'n rhoi 'nillad iddyn nhw. Be ddiawl dwi'n neud?!'

'Mam?' meddai llais bach y tu ôl iddi, 'be 'di'r sŵn 'ma? Pwy sy 'ma?'

'Leah!' ebychodd Wendy wrth droi ati mewn braw. 'O god, yli, mae gen i bobol ddiarth, cer 'nôl i dy wely yli, mae'n hwyr.'

'Ond –'

'Leah! Gwely – rŵan. Neu fyddi di fel bat bore fory. Tyd.' A dechreuodd ei hebrwng yn ôl i'w llofft.

'Ond mae Benji'n crio . . .' protestiodd y ferch fach.

'Mae o'n iawn. Ddo i â fo i fyny atat ti rŵan yli.' Caeodd ddrws y llofft, yna rhedodd i lawr y grisiau i'r gegin, gan godi bys at ei gwefusau i gau ceg Siwsi; cododd Benji yn ei breichiau, a rhedeg yn ôl i fyny i osod y ci ar gwilt gwely ei merch.

'Pam bod o'n crynu?' gofynnodd honno'n ddrwgdybus.

'Dwi'm yn gwbod. Hel annwyd neu rwbath. Fydd o'n well rŵan bod o fan hyn efo ti. Reit, cer i gysgu.'

Diffoddodd y golau, caeodd y drws, anadlodd yn ddwfn ac aeth i nôl y dillad o'i llofft ei hun cyn mynd yn ôl i lawr y grisiau. Oedodd wrth y drws y gegin am ychydig, yn clustfeinio.

Clywodd rywun yn wylo, ac yn erfyn ar Siwsi i fynd yn ôl yn syth.

'Ond dwi'm yn dallt,' meddai llais Siwsi, 'be ddigwyddodd iddi?'

'Mae'n rhaid bod Rhys yn gwisgo dy fodrwy hud di,' meddai llais Ann. 'Weles i mo'no fo, ond roedd o yna, yn disgwyl amdanan ni wrth y giât. Roedd hi wrth fy ochor i, a'r eiliad nesa doedd hi ddim.'

'Dwi'n meddwl ei fod o wedi'i saethu hi,' meddai llais Lowri'n ddagreuol, 'ond mae hi'n dal yn fyw – dwi'n gallu'i deimlo fo! Mae hi'n galw arnan ni! Mae'n rhaid i ni fynd 'nôl, Siwsi!'

Agorodd Wendy'r drws.

'Pwy saethodd pwy?' holodd yn flin.

Rhythodd y tair gwrach arni'n syn. Yna ysgydwodd Siwsi ei phen yn drist.

'Gwisgwch amdanoch,' meddai wrth Ann a Lowri, 'ac mi ddeuda i'r stori i gyd wrth Wendy. A dwi'n addo torri stori hir yn fyr . . .' ychwanegodd, gan roi ei llaw ar ysgwydd Lowri. Trodd at Wendy. 'Stedda lawr,' meddai, ac ufuddhaodd Wendy'n syth. 'Rŵan, ti'n cofio straeon Elsie Jên a Wil Llaeth am wrach o'r enw Siwsi Dôl-y-Clochydd?' Nodiodd Wendy'n fud. 'Wel . . . roedden nhw'n weddol agos at y gwir, a fi *ydi* Siwsi Dôl-y-Clochydd . . .'

Dywedodd wrthi am Dafydd Dolddu a'r bradychu, am gael ei hela, am y felltith ar ei ffrindiau – yr hanes i gyd. Ac yna, dywedodd wrthi am Rhys Dolddu.

'. . . ac mae o am fy ngwaed i, Wendy. Ac mae'n

274

rhaid i ni fynd 'nôl, mae Dorti mewn trwbwl, a fedran ni mo'i gadael hi.'

Syllodd Wendy arni'n gegrwth. Yn y diwedd, llwyddodd i siarad.

'Mae hyn i gyd yn wir, tydi? Ti'm jest yn tynnu 'nghoes i, achos dwi newydd dy weld ti . . . yn troi dwy sgwarnog yn . . . rhein,' meddai, gan amneidio at Ann a Lowri. 'Ti'n wrach go iawn. Oedd Elsie 'di trio deud wrthai bod 'na rwbath am dy lygaid di . . . 'di deud wrtha i am watsiad fy hun. A finna'n deud wrthi ei bod hi'n mwydro.' Oedodd, yna gofynnodd yn dawel, 'Be wnei di i Rhys? Ei ladd o?'

'Os bydd raid,' cyfaddefodd Siwsi.

'Ac mae'n rhaid i ni fynd – rŵan!' plediodd Lowri, oedd wrthi'n tywallt gweddill cynnwys y sosban i mewn i botel wag.

'Un cwestiwn arall cyn i chi fynd,' meddai Wendy'n ofalus, 'oeddet ti rwbath i neud efo Darren? Bod o 'di diflannu?'

Petrusodd Siwsi, yna edrychodd i fyw llygaid Wendy, a nodio'n araf.

'Aeth petha o le braidd. Doedd hynna'm i fod i ddigwydd,' meddai.

Llyncodd Wendy'n galed.

'Darren druan,' meddai, 'a taswn i'm wedi busnesu, sa fo'n dal yn fyw, mae'n siŵr?'

'Bosib,' cyfaddefodd Siwsi.

'Be nest ti iddo fo?'

Cnodd Siwsi ei gwefus yn galed cyn ateb. 'Ti'm isio gwbod.'

Nodiodd Wendy, a sychu deigryn efo'i llawes.

'Ond mae gynnon ni newyddion da i ti am rywun arall,' meddai Lowri'n glên wrthi.

'Oes,' cytunodd Ann, 'yr hen sinach Adrian 'na. Fydd o'm yn dy boeni di – na neb arall – byth eto.'

Trodd wyneb Wendy yn llwyd fel hen gadach llestri. Ceisiodd ddweud rhywbeth, ond methodd. Llyncodd, a gafael yn dynn ym mreichiau ei chadair i'w rhwystro rhag siglo'n ôl a 'mlaen yn chwil.

'Adrian?' meddai'n llesg.

'Ia,' gwenodd Lowri, 'mi gafodd o goblyn o ddamwain heno; fawr ohono fo ar ôl, bechod! Oedd Siwsi wedi deud wrthan ni be oedd o wedi bod yn ei neud i ti, ac roedd gynnon ninna bwyth i'w dalu hefyd. Mi gei di boeri ar ei fedd o yn gynt nag oeddet ti wedi'i ddisgwyl rŵan.'

Wedi eiliadau meithion o dawelwch llethol, cododd Wendy ar ei thraed. Cerddodd yn bwyllog at Siwsi, a rhoi chwip o slap iddi ar draws ei hwyneb.

'O'ma. Rŵan,' meddai, a phob sill fel cyllell oer. 'Dwi byth isio dy weld ti eto.'

'Ond Wendy –' dechreuodd Siwsi.

'O 'ma!' sgrechiodd Wendy.

Edrychodd Ann a Lowri'n hurt ar ei gilydd, cyn brysio am y drws. Roedd Siwsi'n dal i sefyll fel delw, a'i llaw ar ei boch lle cafodd ei tharo gan Wendy. Ceisiodd egluro eto, ond cafodd wthiad milain tuag at y drws gan Wendy.

'Iawn, dwi'n mynd,' meddai, a cherdded yn urddasol am y drws agored lle roedd y ddwy arall yn disgwyl amdani. Ond wrth gamu allan, trodd i wynebu ei chyfaill.

'Ond er dy fwyn di wnes i o. O leia rŵan, fyddi di'n rhydd i syrthio mewn cariad efo rhywun arall, rhywun sy'n dy haeddu di.'

'Siwsi,' meddai Wendy, 'wnei di byth ddallt, na

wnei? Fydda i byth yn rhydd o Adrian. Nagoedd, doedd o'm yn berffaith, ond pwy sydd? Y gwahaniaeth efo Adrian oedd, ro'n i'n ei garu fo.'

A chaeodd y drws yn ei hwyneb.

'Anghofia amdani,' meddai Lowri, 'dydi hi'm 'run fath â ni beth bynnag – ond *mae* Dorti.' Nodiodd Siwsi ei phen yn ufudd, a brysiodd y tair at y car drwy'r glaw.

'Ble 'dan ni'n mynd?' gofynnodd Ann wrth iddyn nhw ddringo i mewn. 'Dolddu?'

'Ia,' meddai Siwsi, 'fanno fyddan nhw. Mae 'nghist i'n y cefn 'na – cymrwch unrhyw beth dach chi angen. Mae 'na lwyth o stwff ar gyfer gwrth-swynion.'

'Fydd o'm hanner cyn gryfed a ninna'n dair erbyn hyn,' meddai Lowri, 'ac os bydd o'n meiddio gneud unrhyw beth i Dorti . . .'

'Ydi'r botel 'na gen ti?' gofynnodd Ann.

Cododd Lowri y botel fel ateb, a gyrrodd Siwsi yn ôl am Dolddu.

Parciodd y car o flaen y tŷ.

'Does na'm pwynt cuddio,'meddai Siwsi, 'dim ond ei wynebu o, a thrio rhesymu.'

'Ac os na fydd o'n rhesymol?' gofynnodd Lowri.

Trodd Siwsi ati.

'Gwna be sy raid,' meddai.

Cerddodd y tair at y drws, a chnociodd Siwsi deirgwaith â'i dwrn. Wedi iddyn nhw ddisgwyl am funudau hirion yn y glaw, agorodd y drws. Safai Rhys yno, gan ddal sgwarnoges waedlyd gerfydd ei chlustiau yn ei law dde, a chyllell hirfain yn y llall, cyllell a ddaliai reit o flaen gwddw'r anifail. Rhewodd y tair. Gallent weld y clwyf dwfn yn ysgwydd Dorti, a'i llygaid yn ymbil arnyn nhw.

'Wel, wel,' meddai Rhys,' ac wedyn roedd 'na dair . . .'

'Mae pedair yn swnio'n well,' meddai Siwsi'n syth.

'Ddim hanner cystal â dim un,' meddai Rhys fel bwled. Rhythodd y ddau ar ei gilydd, yn ysu am weld poen arteithiol yn llygaid y llall.

'Gawn ni siarad am y peth?' gofynnodd Ann yn gwrtais. 'Mae hi braidd yn oer allan fan'ma.'

'Siarad?' wfftiodd Rhys, heb symud cam, 'efo gwrachod? Be 'di'r pwynt? Tydach chi i gyd yn palu celwydd drwy'ch tina?'

'Ddeudis i rioed air o gelwydd yn fy myw!' protestiodd Ann, oedd yn dweud y gwir, bob gair. 'A dwi'm yn pasa dechra rŵan chwaith!'

Chwarddodd Rhys. 'Gawn ni weld, ia? Ateb hyn i mi: be dach chi isio gen i, y?'

'Dorti,' atebodd Ann yn syml.

'Pam?'

'Am ei bod hi mewn poen ac mi allen ni ei gwella hi.'

'A tasech chi'n gwella'r clwyf ofnadwy 'ma, be wedyn?'

'Mi fysen ni'n ei throi hi'n ôl fel mae hi fod, fel ni, yn wrach.'

'A be fysa'n digwydd i mi wedyn, efo pedair ohonoch chi a dim ond un ohona i?'

'Dwi'm yn siŵr,' cyfaddefodd Ann, 'ond os na chawn ni Dorti, mi fydd y tair ohonon ni'n troi arnat ti, a dwi ddim yn meddwl y byddet ti'n rhy hapus wedyn.'

'Hynny fyddai ar ôl ohonot ti,' chwyrnodd Lowri.

Nodiodd Rhys gan wenu. 'Ro'n i wedi amau hynny rywsut. Ond nid "siarad" ydach chi rŵan, naci? Mwy o fygwth, ddeudwn i, a dydi hynny ddim yn neis . . . nac yn ddoeth.'

Gallai Siwsi deimlo ei gwaed yn dechrau berwi. Roedd hi'n amlwg fod y diawl yn mwynhau hyn, wrth ei fodd yn eu gweld nhw'n gwlychu a rhewi o'i flaen, wrth ei fodd yn gwasgu Dorti'n greulon. Tynnodd Siwsi ei hudlath allan, cliciodd ei bysedd, ac fe drodd yr hudlath yn ambarél fawr ddu. Daliodd hi uwchben y tair, a gwenu arno.

'Mae hi'n amlwg nad wyt ti am ein gwadd ni i mewn,' meddai. 'Felly, rydan ni wedi deud be 'dan ni isio. Ond be wyt *ti* isio, Rhys Dolddu?'

Edrychodd arni am funudau hir cyn ateb. 'Ti,' meddai'n syml. Trodd at Ann a Lowri. 'Mi gewch chi Dorti'n ôl,' meddai yn araf a chlir, 'os ga i Siwsi Dôl-y-Clochydd, heb ei hudlath, heb ei chyllell, heb ddim. Ond yn bwysicach na dim, heb ei gwallt.' Edrychodd y ddwy arno mewn braw.

'Heb ei gwallt?!' meddai Ann yn llesg. 'Ond –'

'Ia, heb ei gwallt ddeudis i. Dwi'n gwbod be ddigwyddith iddi os dorrwch chi ei gwallt hi i'r bôn.' Trodd at Siwsi gan wenu'n greulon. 'Mi fydd ei phwerau hi'n diflannu – yn llwyr.' Chwarddodd yn uchel. 'Nid jest ryw straeon bach neis oedd y Beibl wedi'r cwbl, naci?' Cododd Dorti'n uwch, a gwasgu'r gyllell yn ddyfnach i mewn i'w chnawd. 'Wel, Siwsi? Wyt ti'n barod i gael dy Samsoneiddio? Wnei di aberthu dy hun er mwyn Dorti? Neu wyt ti'n fodlon i mi ei blingo hi'n fyw fan hyn, o dy flaen di, cyn ei thaflu hi i'r cŵn?'

Camodd Siwsi'n ôl yn fud. Gwyddai ei fod o ddifri. Ceisiodd feddwl yn glir, meddwl yn sydyn, meddwl am ffordd allan.

'Allwn ni'm gwneud hynny, siŵr!' protestiodd Ann, 'gadael i ti chwalu ei phwerau hi! Ei gadael hi'n dy ddwylo di, i ti gael ei harteithio hi heb iddi fedru amddiffyn ei hun o gwbwl?'

'O, dwn i'm,' meddai Rhys, cyn troi i edrych ar Siwsi eto, 'roedd hi'n fwy na bodlon tro dwytha . . .'

Edrychodd Siwsi i fyw ei lygaid. Gallai deimlo'r pŵer yn llifo, yn ffrydio allan ohono. Roedd o wedi cymryd rhywbeth, rhywbeth brawychus o gryf. Beth bynnag oedd o, roedd o wedi'i amddiffyn ei hun i'r carn, a doedd ganddo ddim llwchyn o'u hofn nhw. Caeodd ei llygaid.

'Be ti'n drio'i wneud, Siwsi?' gofynnodd Rhys yn slei, 'cael nerth o rhywle? Ffansi rhoi cynnig ar ryw swyn bach, wyt ti? Tyd 'laen ta, gwna dy ora . . .'

Rhythodd Siwsi arno mewn cynddaredd, a theimlo'i hewinedd yn ymestyn.

Yn sydyn, o gornel ei llygad, gwelodd fflach o olau yn dod o gyfeiriad Lowri. Roedd hi wedi taflu pelen losg ato i gyfeiliant ffrwd o regfeydd. Melltennodd y belen o fflamau at ei wyneb, ond yr eiliad y croesodd hi'r pared, stopiodd yn stond a chwalu'n llwch o flaen eu llygaid.

'Twt, twt,' meddai Rhys yn hamddenol, 'does na'm angen iaith fel'na, nagoes Lowri?' Pwyntiodd ei gyllell tuag ati, a ffrwydrodd mellten felen allan o'i blaen. Syrthiodd Lowri i'r llawr gan sgrechian. Brysiodd Ann i'w chodi. 'Gas gen i glywed merched yn rhegi,' meddai Rhys wrth Siwsi. 'Hen beth hyll, tydi? Rŵan, wyt ti wedi penderfynu be wyt ti am wneud? Mae Dorti druan mewn poen fan hyn 'sti.'

'Do, dwi wedi penderfynu,' meddai Siwsi'n syth. 'Iawn, dyro Dorti iddyn nhw, ac mi ddo i atat ti.'

'Siwsi!' ebychodd Ann, 'fedri di ddim!'

'Fawr o ddewis, Ann,' atebodd Siwsi, 'a ph'un bynnag, mae'n hen bryd.'

'Penderfyniad call iawn,' meddai Rhys, 'ond y gwallt yn gynta os gwelwch yn dda . . .'

Trodd Siwsi at Ann, a'i helpu i godi Lowri'n ôl ar ei thraed.

'Torra fo,' meddai, 'dyna'r unig ffordd.'

'Alla i ddim,' meddai Ann yn ddagreuol, 'mae'n rhaid bod 'na ffordd arall!'

Ysgydwodd Siwsi ei phen a gafael yn dynn yn ei hysgwyddau.

'Nagoes. Dwi isio i ti dorri 'ngwallt i, Ann, i neud iawn am be wnes i i chi. Mae'n gwneud synnwyr, tydi? Arna i oedd y bai am wneud i chi golli'ch pwerau yn y lle cynta. Arna i oedd y bai am bob dim. Fel hyn, drwy fy ffeirio i am Dorti, gewch chi fyw fel gwrachod eto, ac mi ga i fynd i Annwn yn dawelach fy meddwl.'

'Mae o *yn* gwneud synnwyr, Ann,' meddai Lowri'n llesg, a rhoi hanner gwên ymddiheuriol i Siwsi.

Llifai'r dagrau o lygaid Ann wrth iddi geisio ymresymu â hi ei hun.

'Ond – ond nid fel'ma oedd pethau i fod . . .' protestiodd.

'Dwi ddim mor siŵr,' meddai Siwsi, gan fwytho'i boch â'i llaw.

Brathodd Ann ei gwefus, ac ochneidio'n ddwfn.

'Ond be wedyn?' gofynnodd. 'Pa sicrwydd sydd gynnon ni na fydd hwn – yn' amneidiodd at Rhys – yn dal i'n poeni ni?'

'Dim o gwbwl,' gwenodd Rhys, 'amod arall ydi eich bod chi'ch tair yn mynd o 'ma, yn ddigon pell, a byth yn dod 'nôl.'

Rhythodd y tair arno'n gegrwth.

'Pam ddylen ni?' sgwariodd Lowri, oedd wedi dod ati'i hun bellach. 'Y cwbl rydan ni isio ydi cael byw fel oedden ni, yn dawel bach, heb wneud drwg i neb. Dy deulu di ddechreuodd hyn i gyd, nid y ni!'

'O? Felly'n wir?' meddai Rhys yn sych. 'Dwi'n meddwl eich bod chi wedi anghofio mai Siwsi ddechreuodd o; hi fu'n defnyddio'i phwerau i hudo Dafydd Dolddu, yndê?'

'Ddefnyddies i ddim byd o'r fath,' atebodd Siwsi. 'Y cwbl wnes i oedd syrthio mewn cariad efo fo.'

Cododd Rhys ei aeliau mewn diddordeb.

'Dyna fyddi di'n ei alw o, ia? Pan ti'n gweld rwbath ti'n ei ffansïo, ti'n deud mai syrthio mewn cariad wnest ti, a ti'n gofalu dy fod ti'n ei gael o, doed a ddelo.'

'Nid dyna fel oedd hi,' meddai Siwsi'n bwyllog, ond heb lwyddo i guddio'r cryndod yn ei llais. 'Mi syrthiodd ynta mewn cariad efo fi, heb driciau, heb swynion, heb ddim. Mae hynna'n digwydd weithia, sti, a phan mae o'n digwydd, dyna'r teimlad brafia yn y byd. Tra mae o'n para . . .'

'A be nath o i dy bechu di, y?'gofynnodd Rhys yn chwerw; 'os oeddet ti gymaint mewn cariad efo fo, sut allet ti ei ladd o fel y gwnest ti?'

'Mi nath o 'mradychu i,' atebodd Siwsi'n araf, 'ac fel y gwyddost ti, dwi'n siŵr, mae'r ffin yn denau iawn wedyn, tydi?'

Ddywedodd Rhys yr un gair, dim ond syllu i nunlle. Gwyddai ei bod yn cyfeirio at ei gyn-wraig, ac oedd, roedd o wedi ei chasáu hi â chas perffaith y funud deallodd o sut un oedd hi mewn gwirionedd, yn ei dwyllo fel y gwnaeth hi, efo'r bastad Adrian Pritchard 'na o bawb. Gwasgodd ei ddwylo'n dynn wrth gofio'r gwewyr achosodd hynny iddo, yna sylweddolodd fod y sgwarnogwrach yn gwichian, a'r wrach felynwallt yn sgrechian arno.

'Gad hi fod! Paid â'i gwasgu hi fel'na'r diawl creulon!'

Llaciodd ei afael yn syth, a gwelodd fod pwll sgarlad wrth ei draed lle roedd gwaed Dorti wedi bod yn llifo allan ohoni. Doedd hi ddim yn cicio ryw lawer bellach chwaith.

'Disgwyl i chi dorri gwallt Siwsi ydw i,' meddai. 'Pan ga i Siwsi yn foel dros y trothwy 'ma, a'ch addewid chi na ddowch chi byth yn ôl i'r rhan yma o'r byd, mi gewch chi hon yn ôl â chroeso.'

Edrychodd y tair gwrach ar ei gilydd, a nodio'n araf. Tynnodd Siwsi ei chyllell allan o'i phoced a'i rhoi i Ann. Llyncodd honno ei phoer, rhoi cusan i Siwsi ar ei thalcen, a chymryd llond llaw o'r cudynnau browngoch yn ei llaw chwith. Gyda'i llaw dde, torrodd y cudyn yn y bôn. Cymerodd gudyn arall, ac un arall, a gadael i'w dagrau, a'r gwallt, ddisgyn i'r llawr.

Erbyn i'r cudyn olaf ddisgyn, roedd Ann a Lowri'n wylo'n hidl, ond roedd wyneb Siwsi fel carreg.

'Dyna welliant,' meddai Rhys, gan astudio'r corun bler o'i flaen. 'Ond dwyt ti fawr o beth heb dy wallt, nagwyt? Digon plaen a deud y gwir. Roedd yr hen apostol Paul yn iawn, doedd? A Mohammed erbyn meddwl. Heb eich gwallt i'n hudo ni ddynion druain, tydach chi'n ddim. Reit, cama tuag ata i, ac mi gewch chi Dorti . . .'

Cofleidiodd y tair gwrach ei gilydd yn fud, a chamodd Siwsi drwy'r drws. Pasiodd Rhys gorff crynedig Dorti i freichiau Lowri. Ond ollyngodd o mo'i chlustiau.

'Eich addewid yn gynta,' meddai.

Edrychodd Ann a Lowri ar ei gilydd, yna nodio'n drist.

'Iawn,' meddai Ann, 'rydan ni'n addunedu na

wnaiff Lowri, Dorti na minnau byth ddod o fewn hanner can milltir i ti eto.'

'Gwna fo'n ddau gant,' meddai Rhys.

'Dau gant?' ebychodd Lowri, 'ond does 'na unlle yn Nghymru o fewn –'

'Yn hollol,' gwenodd Rhys.

'Iawn, dau gan milltir,' cytunodd Ann drwy ei dagrau, 'ond dyro ddiwrnod i ni, i ni gael Dorti ati'i hun, i wneud trefniadau –'

'Gewch chi deirawr a dim mwy,' meddai Rhys, gan ollwng ei afael yn Dorti, 'rŵan ewch o 'ma, cyn i mi newid fy meddwl.'

Brysiodd Lowri i lapio Dorti yn ei siwmper wlân, yna cododd Ann ei llygaid yn nerfus i edrych ar Rhys.

'Be ti'n mynd i'w wneud iddi?'

'Ti'm isio gwybod,' atebodd yn swta, 'rŵan, cer.'

Cododd y ddwy eu dwylo ar Siwsi, gan sibrwd eu diolch iddi. Cododd Siwsi ei llaw hithau, a'u gwylio'n fud yn cerdded am y car. Ceisiodd wenu wrth weld Ann yn cael trafferth i gychwyn yr injan a thrafferth mwy yn ei fagio allan. Gallai weld Lowri yn prysur daenu cynnwys y botel dros gorff Dorti yn y sedd gefn. Cododd ei llaw eto wrth wylio'r car yn hercian ei ffordd i lawr yr wtra. Yna, rhewodd. Roedd Rhys wedi gafael yn filain ynddi, gan chwerthin.

'Dim ond ti a fi, Siwsi . . .' Chwyrnodd yn ei chlust a dechrau ei llusgo i'r gegin. Doedd ganddi ddim nerth o gwbl, roedd hi fel cadach yn ei ddwylo, a gallai deimlo ei hun yn cleisio a gwaedu wrth iddi gael ei llusgo dros y llawr garw.

Cafodd ei thaflu ar y bwrdd, a tharo'i phen yn galed yn erbyn y derw. Ochneidiodd mewn poen. Yna

284

teimlodd ei law o dan ei gwddw, yn codi ei phen i fyny'n araf. Roedd ei wyneb yn glafoerio i lawr arni.

'Dwi'n cael fy mhemtio i dy gael di eto,' meddai yn ei hwyneb, 'hyd yn oed a chditha efo'r ffasiwn olwg arnat ti, ond dyna fyddet ti isio yndê, y sguthan fach slei . . . A does gen i mo'r amser i'w wastraffu, nagoes? Na, cael gwared ohonat ti'n syth bìn, dyna fyddai ora. Felly agor dy geg i Yncl Rhys rŵan, mabi dail i . . . tyd 'laen, jest chydig bach . . .'

Teimlai Siwsi hylif chwerw yn cael ei dywallt rhwng ei gwefusau. Ceisiodd gau ei cheg yn dynn, ond roedd o wedi stwffio llwy bren rhwng ei dannedd; ceisiodd ysgwyd a chicio ei hun yn rhydd, ond roedd o'n ei dal i lawr yn greulon, yn chwerthin wrth ei gwylio'n diodde.

'Does na'm pwynt 'sti, Siwsi,' meddai, 'waeth i ti jest ei dderbyn o, a mynd yn dawel, fel y gwnest ti gynnau. O, ddrwg gen i, 'nes i'm deud be'n union ydi'r ddiod arbennig 'ma sy'n llifo i lawr dy gorn gwddw di? Wel, rhyw gymysgedd bach digon difyr. Mae 'na chydig o arsenig a cyanide ynddo fo, oes, ond fyddai hynny ddim yn ddigon i fod anfeidrol fel ti, na fyddai? Na fyddai siŵr, felly dwi wedi ychwanegu chydig o fadarch – ond nid y rhai rwyt ti'n eu licio, nid y madarch dach chi'n eu rhwbio ar eich ysgubau, yr ysgubau sy'n gneud cystal job â dyn os nad gwell, y madarch sy'n gneud i'ch pennau chi fynd yn wirion, yn rhoi'r breuddwydion hyfryd 'na i chi eich bod chi'n hedfan drwy'r awyr ar gefn eich ysgubau, o na. Nid y madarch hynny. Ond rheiny sy'n llosgi dy du mewn di, yn bwyta trwy dy gnawd di o'r tu mewn allan. O, ac mae gen i chydig o gegid a beladona; ti'n eu nabod nhw'n dda, dwyt, ond chest ti rioed y pleser o'u blasu nhw'n naddo Siwsi? Wel dyma chdi yli, mae 'na dro

cynta – ac ola – i bob dim. Llosgi mae o, Siwsi bach?'
meddai wrth iddi wingo yn ei freichiau. 'Ond paid â
phoeni, unwaith y bydd o wedi cyrraedd dy stumog di,
dyna pryd fydd o'n brifo go iawn, dyna pryd fyddi di'n
sgrechian, yn udo. A thoc wedyn, mi fydda i'n dawel
fy meddwl, yn gwbod na fydd 'na Siwsi Dôl-y-
Clochydd na Siwsi'r Gwyllt na 'run Siwsi arall yn dod i
drio fy hudo i efo'r llygaid arallfydol 'na byth eto.'

Syllodd Siwsi drwy'r niwl yn ei llygaid, a gwelodd
ddagrau'n llifo i lawr ei wyneb. Yna, saethodd y
poenau mwya uffernol drwy ei chorff, a sgrechiodd.
Gwingodd ac ysgydwodd mewn poen; roedd hi ar dân,
pob gronyn ohoni'n llosgi'n wenfflam, ond doedd y
boen ddim yn peidio – roedd o'n dal i fynd – ac yn dal
i fynd – am hydoedd – nes ei bod hi'n udo fel babi.
Fyddai hi byth wedi gallu dychmygu'r fath boen. Ac
yna, aeth popeth yn dywyll a thawel.

25

Gwenodd Cadi arni, a thrwy wneud hynny trodd ei
hwyneb hyll hyd yn oed yn hyllach.

'Croeso aton ni, Siwsi,' meddai. 'Rwyt ti yma yn
Annwn o'r diwedd, a paid â phoeni, mae hi dipyn
gwell arnan ni lawr fan'ma nag ydi hi fyny fan'na.
Gofyn i Megan Tyndrain, yli!' ychwanegodd gan
bwyntio at wrach ifanc a thlws iawn yr olwg oedd yn
rhedeg tuag ati.

'Siwsi!' chwarddodd honno wrth ei chofleidio a'i
chusanu'n frwd. 'Roeddet ti'n wych! Ro'n i mor falch
ohonot ti! Rydan ni gyd wedi bod yn gwylio'r cwbl –

drwy'r dydd, bob dydd – methu peidio! Ofn colli rhywbeth!'

'Fy ngwylio i?' meddai Siwsi'n hurt, yn dal i geisio cofio be oedd wedi digwydd iddi, a pham fod yr holl wynebau o'r gorffennol yn gwenu arni a chodi llaw wrth hedfan heibio.

'Ia, mae gynnon ni belen anferthol yn y Neuadd Fawr sy'n dangos bob dim sy'n digwydd ar y ddaear. Mae o'n uffernol o ddiflas y rhan fwya o'r amser, ond ers i ti symud yn ôl i Gymru, mae pawb wedi eu gludo i'r sgrin, yn methu tynnu eu llygaid oddi arnat ti! Sbia! Ti'n seren!' Pwyntiodd at ugeiniau o bosteri oedd yn crogi oddi ar y coed o'i chwmpas. Darllenodd Siwsi yn araf: 'DA IAWN SIWSI!' gwaeddai un mewn llythrennau breision, 'LLONGYFARCHIADAU SIWSI'R GWYLLT!' bloeddiai un arall. Yna sylwodd fod rhai o'r gwrachod iau yn gwisgo crysau a llun ei hwyneb hi yn glir arnyn nhw.

Trodd yn ddryslyd at Megan a Cadi.

'Dwi'm yn dallt . . .' meddai'n llesg.

'O, wrth gwrs!' chwarddodd Cadi, 'ti'm yn gwbod be ddigwyddodd wedyn nagwyt? Tyd efo ni i'r Neuadd Fawr, yli . . . gei di weld drosot ti dy hun.'

Gafaelodd Cadi yn un llaw, gafaelodd Megan yn y llall, a hedfanodd y tair dros y coed, y llynnoedd gleision a'r gerddi hyfryd, draw at adeilad anferthol oedd yn sgleinio yn yr haul. Hedfanodd y tair drwy'r agoriad cyntaf, a glanio o flaen pelen o olau ym mhen draw'r neuadd.

'Sbia!' meddai Megan, 'maen nhw'n dangos yr uchafbwyntiau eto. Yli, dacw ti yn cael dy wenwyno gan yr hen Rhys ddiawl 'na, ond sbia be sy'n digwydd fancw . . .'

Doedd llygaid Siwsi ddim wedi arfer efo'r golau rhyfeddol eto ond, yn raddol, gallai weld siapiau'n dod yn fyw ar y sgrin.

'Aeth y genod yn ôl i Garth Wyllt, yli,' meddai Cadi, 'ac mi gafodd Dorti ei thrawsnewid yn syth. O, sbia del ydi hi! A rŵan mae Lowri'n trin y clwyf 'na . . . ac mae Dorti'n ddiolchgar iawn. Wp a deis. Yn ddiolchgar iawn, iawn hefyd! Ddoth hi ati'i hun yn rhyfeddol o sydyn, yn do? Waeth na chdi am ei thamed, goelia i byth. Diar annwyl, be maen nhw'n neud rŵan, dwa? Www! Mae hynna'n rŵd!'

'Ond sbia be mae Ann yn neud,' meddai Megan wrth Siwsi, 'mae hi wedi mynd drwy gynnwys dy gist di'n fanwl, yli, a rŵan mae hi'n gwagu dy gwpwrdd di.'

Craffodd Siwsi ar y sgrin, ac yna daeth y cyfan yn fyw o flaen ei llygaid, y lliwiau, y lleisiau, y cwbl. Roedd Ann yn dwrdio'r ddwy arall, yn dweud wrthyn nhw y gallai pethau felly aros, fod amser yn brin. Yna roedd y tair yn paratoi fel fflamiau, yn cymysgu moddion, yn gwagu a llenwi poteli, yn cynnau canhwyllau, yn llenwi'r crochan, yn cega dros yr hudlath . . . ac yna, roedd Ann yn dringo i mewn i'r cwpwrdd, y ddwy arall yn cau y drws arni, ac yna'n llafarganu swyn gyda'i gilydd, yn chwifio'r hudlath, yn cymysgu cynnwys y crochan, ac yna roedd y cwpwrdd yn troi'n wyrdd golau, yna'n wyrdd llachar, yn codi i'r awyr, ac yn diflannu'n sydyn mewn pwff o fwg.

'Ble mae hi wedi mynd?' gofynnodd Siwsi'n syth.

'Sbia ar y dde,' gwenodd Cadi, 'a gyda llaw, mae'r uchafbwyntiau wedi bod. Mae be weli di rŵan yn digwydd rŵan – fel 'dan ni'n sbio arno fo.'

Ar ochr dde'r sgrin, gwelai Siwsi gegin Dolddu, a'i chorff celain ei hunan ar y bwrdd. Gwingodd. Gallai weld fod ei chorff mewn siâp annaturiol o gam, ei cheg wedi ei pharlysu mewn sgrech o artaith, ei thafod a'i gwefusau'n ddu a chwyddedig, a'i chroen yn llwydwyrdd, afiach. Gallai hyd yn oed arogli'r drewdod yn treiddio drwy'r sgrin, a dechreuodd wylo'n dawel.

'Dwi'n gwbod,' meddai Megan gan wasgu ei llaw, ond sbia . . .'

Gwelodd y cwpwrdd yn glanio'n esmwyth ar lawr y gegin, ac Ann yn dringo allan ohono. Ymhen dim, roedd ei chorff ym mreichiau Ann, ac roedd hi'n ei wasgu i mewn i'r cwpwrdd. Doedd o ddim yn hawdd, gan fod ei chorff wedi ei barlysu mewn siâp mor lletchwith. Ond llwyddodd Ann yn y diwedd, yna dringo i mewn ei hunan a chau'r drws eto. Trodd y cwpwrdd yn wyrdd eto, hofran uwchben y llawr llechi am ychydig eiliadau, yna diflannu. Doedd dim golwg o Rhys Dolddu.

'Ble mae o?' gofynnodd Siwsi yn nerfus, 'os welith o fod fy nghorff i wedi mynd –'

'Welith o mo hynny am hir,' meddai Cadi, 'dacw fo ar ei wely, yli, yn cysgu'n sownd. Doedd o'm wedi cael winc o gwsg ers dyddia, a rŵan ei fod o'n meddwl ei fod o'n ddiogel, mae o allan ohoni'n llwyr. Ddeffrith o ddim am oriau.'

Croesodd Siwsi ei bysedd. Gwelodd y cwpwrdd yn glanio'n ôl yn ei chegin ei hun, ac Ann yn rhuthro allan ohono, yn welw a sâl, yn cwyno fod y drewdod yn annioddefol. Yna, tra oedd Ann yn cyfogi yn y sinc, roedd Lowri a Dorti, a mygydau dros eu trwynau, yn llusgo ei chorff allan o'r cwpwrdd ac yn ei osod ar fwrdd y gegin. Gafaelodd Lowri mewn cyllell fara a dechrau torri'n ofalus drwy gnawd y bol.

'Be ddiawl –' ebychodd Siwsi.

'Aros . . . gei di weld,' meddai Megan gan wasgu ei llaw eto.

Prin y gallai Siwsi gredu ei llygaid. Roedd y tair gwrach yn gweithio fel un, yn torri a thynnu, nes llwyddo i godi sach goch, waedlyd, allan o'i bol. Estynnodd Dorti focs arian, ac agor y caead i ddangos nyth o rubanau gwyrddion. Gosododd Lowri y sach ynddo yn ofalus. Yna taenodd berlysiau a hylifau dros y cyfan, i gyfeiliant lleisiau'r tair yn canu swyn mewn harmoni. Doedd Siwsi ddim yn siŵr a oedd hi'n clywed yn iawn i ddechrau, ond yna daeth y geiriau iddi yn glir fel cloch:

'Whisgit, whisgit, tân a brwmstan,
dyma'r groth, mae yma'n gyfan;
cysga di yn bur, y fechan,
lapiwn di mewn swyn a ruban,
cadwn di am nawmis cyfan
'mhell o boen a phethau aflan
yn dy wely hyfryd arian.
Whisgit, whisgit, tân a brwmstan,
Collwyd Siwsi, ond dyma'i baban.'

Syllodd Siwsi yn hurt ar yr olygfa o'i blaen. Ei baban? Ond doedd hi ddim yn feichiog! Roedd y peth yn hurt, yn chwerthinllyd. Trodd at Cadi.

'Pa fabi?' gofynnodd. 'Do'n i'm yn disgwyl babi, siŵr. Dwi wastad yn gofalu mod i ddim yn –'

'Wyt, fel arfer,' meddai Cadi ar ei thraws, 'ond 'chest ti'm cyfle efo Rhys, naddo? Neu . . . ella mai anghofio wnest ti. Oeddat ti fel breuddwyd wedyn, doeddet?'

Gwridodd Siwsi. Roedd Cadi yn llygad ei lle, wrth gwrs. Ar ôl cael rhyw efo Rhys, doedd hi ddim yn hi ei hun o gwbl, ac roedd ystyried y rheswm am hynny yn boenus.

'Ond sut gwydden nhw 'mod i'n feichiog, a'r peth ddim ond newydd ddigwydd?' gofynnodd.

'Dorti,' atebodd Cadi. 'Mae gan sgwarnogod alluoedd hefyd, cofia, a hyd yn oed yn y stad roedd hi ynddo fo ar y pryd, roedd hi'n gallu arogli'r ffetws yn tyfu y tu mewn i ti, yn bwydo arnat ti. Y munud cafodd hi ei thrawsnewid, mi ddywedodd wrth Ann a Lowri. Ac mi welaist ti be ddigwyddodd wedyn.'

'Yli, maen nhw'n mynd â dy gorff di'n ôl i Dolddu rŵan,' meddai Megan Tyndrain, 'ac yn ei osod o ar y bwrdd yn union fel roedd o, fel bod Rhys ddim callach be ddigwyddodd. Maen nhw wedi gwnïo dy fol di'n ei ôl yn daclus reit, yli.'

Ond y babi, meddyliodd Siwsi. Mae gen i fabi . . .

'Oes,' gwenodd Cadi, 'ac mi ofalan nhw amdani nes bydd hi'n ddigon hen i edrych ar ei hôl ei hun. Ac mi ofalan nhw y caiff hi wybod bob dim amdanat ti hefyd, o gwnân, yn enwedig be wnest ti heno. Mi neith Dorti ofalu am hynny.'

Dechreuodd Siwsi wylo'n dawel, ond roedd hi'n gwenu hefyd drwy'i dagrau.

'Ble'r ân nhw rŵan?' gofynnodd.

'Iwerddon 'swn i'n deud,' meddai Megan. 'Rhywle digon agos i gadw golwg ar be sy'n digwydd dros y môr.'

'A'i magu hi'n Gymraes?'

'Debyg iawn,' meddai Cadi gan roi braich am ei

hysgwydd, 'ac wrth gwrs, ella na fedar Ann, Lowri na Dorti ddim mynd 'nôl i Gymru, ond ddywedon nhw ddim byd am dy ferch di, naddo?'

'Naddo,' cytunodd Siwsi, a gwenu fel giât.

Y DIWEDD

LLYFRYDDIAETH

Gwrachod Cymru	Eirlys Gruffydd
Gwrachod Cymru Ddoe a Heddiw	Eirlys Gruffydd
The Witch Book	Raymond Buckland
The Welsh Fairy Book	W. Jenkyn Thomas
Discovering the Folklore of Plants	Margaret Baker
Medical Herbalism	David Hoffman
Folk Remedies for Common Ailments	Anne McIntyre
A Complete Guide to Magic and Ritual	Cassandra Eason
Witchcraft	Lucy Mair